D1240616

Les Masques éphémères

Donna Leon

Les Masques éphémères

CALMANN LÉVY NOIR

CALMANN
LÉVY

ÉDITEUR DEPUIS 1836

Titre original :
TRANSIENT DESIRES
Première publication : William Heinemann, Londres, 2021

© Donna Leon et Diogenes Verlag AG, Zürich, 2021

Pour la traduction française :
© Calmann-Lévy, 2022

COUVERTURE
Maquette : Raphaëlle Faguer
Photographie : © Stuart Brill / Millenium Images UK

ISBN 978-2-7021-8406-6

À Romilly McAlpine

«Les profondeurs les avaient engloutis :
Ils sombrèrent au fond de l'abîme telle une pierre[1]. »

HÄNDEL, *Israel in Egypt.*
Deuxième partie : 18

---

1. Librement traduit de l'anglais. (*Toutes les notes sont de la traductrice.*)

1

Brunetti dormit tard ce matin-là. Vers 9 heures, il ouvrit un œil, vit l'heure qu'il était et resta au fond du lit. Il demeura immobile jusqu'à 9 heures et demie, puis il sortit son bras gauche de la couette en espérant sentir Paola près de lui, mais il ne sentit que le creux qu'elle avait laissé dans les draps redevenus froids depuis un long moment déjà.

Il se redressa, se reposa un instant après cet effort et ouvrit les yeux. Il fixa le plafond, plus précisément l'angle droit à l'autre bout de la pièce et aperçut la marque au-dessus de la fenêtre où l'eau avait percolé quelques mois plus tôt et créé une petite zone marron, semblable à une pieuvre. La tache changea de couleur, parfois même de forme, sous l'effet de la lumière, tout en ne gardant que sept tentacules.

Brunetti avait promis à Paola qu'il la repeindrait un jour, mais il était toujours pris par d'autres obligations ; ou bien il faisait nuit et il n'avait pas envie de grimper à l'échelle dans l'obscurité ; ou bien il ne portait pas ses chaussures et ne voulait pas prendre le risque de gravir les barreaux en chaussettes. Ce matin-là, la vision de la tache l'incommoda plus que de coutume et il décida de demander à leur homme à tout faire de venir passer un coup de pinceau et d'en finir avec cette histoire.

Mais son fils aurait pu s'arracher de son ordinateur, quand même, ou de son portable où il restait des heures à discuter avec sa petite amie, et se porter volontaire pour aider ses parents, pour une fois. Conscient de s'apitoyer sur son sort et de son ressentiment, Brunetti chassa ces pensées de son esprit et se mit à réfléchir aux événements du dîner de la veille – au cours duquel il but trois verres de grappa, qui furent responsables de son état embrumé.

Conformément à la tradition, il avait rejoint pour leur rendez-vous annuel certains de ses camarades de *liceo* dans un restaurant situé au début de la Riva del Vin, où les propriétaires avaient la gentillesse de les placer systématiquement près de la même fenêtre, avec vue sur le Grand Canal.

Au fil des ans, leur nombre s'était restreint de trente convives à seulement dix, pour les raisons habituelles : leurs différents lieux de vie, leur situation professionnelle et leur état de santé. Certains d'entre eux, lassés des inconvénients de la vie à Venise, avaient déménagé ; d'autres avaient obtenu de meilleurs emplois ailleurs en Italie ou en Europe, et deux camarades étaient décédés.

Cette année, Brunetti y avait retrouvé les trois mousquetaires de toujours, dont Luca Ippodrino qui avait transformé la *trattoria* de son père en un établissement connu dans le monde entier, en appliquant trois règles relativement simples : il servait la même nourriture que celle que sa mère avait servie pendant trente ans aux dockers de Rialto ; cependant, elle était servie à présent en petite quantité dans des assiettes en porcelaine et dressée à la manière des restaurants gastronomiques ; mais surtout les prix enflaient perpétuellement. La liste d'attente des réservations – surtout pendant la Biennale ou la Mostra de Venise – commençait à se remplir des mois à l'avance.

Franca Righi, qui avait été la première petite copine de Brunetti, était partie faire ses études de physique-chimie à Rome et elle enseignait maintenant à l'université où elle s'était formée. Elle avait été celle qui avait exhorté Brunetti à suivre les cours de biologie et de physique et qui prenait désormais un malin plaisir à l'informer à chaque fois qu'une des lois qu'ils avaient étudiées se révélait fausse et nécessitait d'être mise à jour.

Quant au troisième, Matteo Lunghi, il était en plein divorce. Sa femme venait de le quitter pour un homme beaucoup plus jeune et le commissaire et ses amis durent réconforter ce pauvre gynécologue au cours de ce fameux dîner.

Les six autres avaient bien réussi leur vie – ou tout au moins le laissaient entendre lorsqu'ils se retrouvaient en compagnie des personnes qui les avaient connus pratiquement toute leur vie. La fluidité de leurs échanges provenait en grande partie de leurs références culturelles et historiques communes, ainsi que des valeurs éthiques de leur génération, tacitement reconnues et partagées.

Tout en songeant à tous ces éléments, le commissaire repoussa les couvertures et alla se doucher à la salle de bains.

Il resta un long moment sous l'eau chaude – ses enfants n'étant pas là pour lui reprocher ce gaspillage – et il retrouva progressivement ses esprits. De retour dans sa chambre, il déploya sa serviette sur le dossier d'une chaise et commença à s'habiller. Il sortit le pantalon d'un costume en cachemire et laine gris foncé qu'il n'avait plus mis depuis l'hiver et qu'il avait acheté deux ans plus tôt pour trois francs six sous lors de la fermeture du magasin de vêtements pour hommes sur le campo San Luca. *Bizarre*, se dit-il en fermant le bouton : *il m'allait mieux quand j'ai acheté le costume. Peut-être qu'il a rétréci au lavage ; il se détendra dans la journée en le portant*, et il fit quelques pas pour voir.

Il s'assit ensuite sur la chaise, enfila une paire de chaussettes foncées puis des chaussures noires qu'il avait achetées à Milan des années auparavant. Comme elles s'étaient faites à son pied avec le temps, il éprouvait immanquablement un délicieux frisson de plaisir lors de cette partie de son rituel.

Il prit la décision de ne pas porter de veste, au vu de la chaleur qu'il avait fait la veille. Brunetti était certain de pouvoir compter sur une nouvelle journée d'été indien. Dans la cuisine, il regarda si Paola lui avait laissé un mot sur la table, mais n'en trouva pas. C'était lundi, donc elle ne rentrerait pas de l'université avant la fin de l'après-midi et passerait la journée dans son bureau à discuter avec les doctorants dont elle dirigeait les thèses. Elle était ravie qu'ils viennent rarement lui parler et appréciait au plus haut point de ne pas être dérangée, car elle pouvait ainsi préparer ses cours ou s'adonner à la lecture. *Bien heureux sont les profs de fac*, pensa Brunetti.

Il se mit en route pour la questure, mais il fit immédiatement une halte chez Rizzardini où il commanda deux cafés et un croissant, ainsi qu'un verre d'eau. Requinqué par sa collation, il se dirigea vers le Rialto et s'employa à traverser le centre-ville à 10 heures et demie du matin, au moment où à la population locale, qui avait terminé ses courses au marché, se substituaient les touristes en quête de leur première *ombra*[1] ou de leur

---

1. Verre de vin blanc qui se boit habituellement à l'ombre du campanile de Saint-Marc.

premier prosecco, bien résolus à vivre une authentique expérience vénitienne.

Quelques minutes plus tard, il prit à droite la *riva* qui menait à la questure et il aperçut, de l'autre côté du canal, la façade nettoyée et rénovée de l'église San Lorenzo : désormais désacralisée, elle était devenue une sorte de galerie qui se consacrait, lui avait-on dit, à la sauvegarde des mers et des océans. Les panneaux d'affichage qui indiquèrent, des décennies durant, la date du début de ces sempiternelles restaurations avaient été enlevés, tout comme les maisonnettes en bois que les riverains avaient construites pour les chats errants.

À son arrivée à la questure, il aperçut son supérieur, le vice-questeur Patta, au pied de l'escalier situé à l'extrémité du hall d'entrée. Instinctivement, il sortit son *telefonino* de la poche de sa veste et y plaqua l'oreille, en faisant signe à l'officier de lui ouvrir la porte en verre, mais sans entrer dans l'édifice. En tapant nerveusement sur l'écran de son téléphone, il se tourna vers le gardien et lui demanda, agacé : « Est-ce qu'il y a du réseau ici, Graziano ? »

Sachant que Brunetti était arrivé au travail avec deux heures de retard et que le vice-questeur ne voyait pas le *commissario* d'un bon œil, l'agent en faction lui répondit : « La connexion va et vient depuis ce matin, signore. Avez-vous réussi à mieux capter en sortant ? »

Brunetti secoua la tête : « Ce n'est pas mieux dehors, maugréa-t-il. Cela me rend fou qu'il y ait… », et il se tut lorsqu'il vit son supérieur hiérarchique venir vers lui. « Bonjour, monsieur le vice-questeur, dit-il, puis il ajouta, d'une voix pleine de sollicitude en levant son téléphone : Ne vous fatiguez pas à sortir pour essayer, dottore. Aucun espoir. Il n'y a rien qui marche, ici. Je vais réessayer depuis mon bureau pour vérifier si ça fonctionne, maintenant. »

Patta, au comble de la confusion, s'inquiéta : «Que se passe-t-il, Brunetti ?» *La tonalité de sa voix*, nota le commissaire, *était semblable à celle qu'il employait avec ses enfants quand ils étaient plus petits et qu'ils lui faisaient croire qu'ils n'avaient pas de devoirs à faire.*

Tel un procureur exhibant devant les photographes de presse le sac en plastique avec le couteau maculé de sang, il sortit de nouveau son téléphone et le brandit sous les yeux de son chef. «Il n'y a pas de réseau. »

Du coin de l'œil, il vit Graziano hocher la tête en signe d'approbation, comme s'il avait été témoin des malheureuses tentatives téléphoniques de Brunetti.

Patta détourna son regard du commissaire et demanda à l'officier : «Où est Foa ?

— Il devrait être ici d'une minute à l'autre, monsieur le vice-questeur», déclara le planton en regardant sa montre et en parvenant à grandir de quelques centimètres dès lors qu'il s'adressait à son supérieur. Comme par un coup de baguette magique, la vedette de la police tourna dans le canal, passa rapidement devant l'église et sous le pont, puis ralentit et s'arrêta le long du quai, au niveau de ses collègues.

Patta s'éloigna en silence des deux hommes et gagna le bateau dont le moteur ronronnait. Foa enroula une corde autour du pieu d'amarrage le plus proche, sauta sur le quai, salua le vice-questeur en lui tendant la main, et ce dernier s'en servit comme appui afin de monter dans le bateau.

Le pilote sourit aux deux hommes, libéra la corde, bondit par-dessus le plat-bord et atterrit devant le gouvernail. Il fit vrombir le moteur, fit habilement marche arrière et repartit de plus belle.

2

Brunetti monta dans son bureau, tout en gardant à l'esprit cette histoire de problèmes de téléphone. Les infrastructures de la questure étaient, en toute franchise, un tel désastre que l'entourloupe du commissaire pouvait passer comme une lettre à la poste. Le chauffage était pure chimère et pendant tout l'hiver, il effectuait ses piètres performances d'un bout à l'autre du bâtiment selon son bon plaisir ; quant à l'air conditionné, il n'y en avait tout bonnement pas, à l'exception de quelques bureaux privilégiés. L'électricité fonctionnait, plus ou moins, et des sautes de courant sporadiques avaient fusillé plus d'un ordinateur et une imprimante. Du coup, le personnel s'était si bien habitué à la situation que toute ampoule qui grillait était vue comme le simple prélude au feu d'artifice du Rédempteur.

Tandis qu'il gravissait les marches, Brunetti s'identifia à cet édifice avec ses quelques raideurs par-ci, ses pannes occasionnelles par-là, mais il fut bientôt à court de comparaisons, et sa première constatation l'incita à enlever les mains de la rampe et à continuer à monter en redressant le dos.

Une fois arrivé, Brunetti lança sur son bureau le journal qu'il avait acheté sur le campo Santa Marina. Il trouva qu'il régnait une chaleur désagréable dans la pièce et alla ouvrir une fenêtre. La vue s'était améliorée, il devait bien l'admettre, après le coup de neuf donné à l'église et la disparition des maisons à chats, mais les félins errants, toutefois, lui manquaient.

Il sortit son téléphone de la poche et appuya sur le numéro de Paola. Après quelques sonneries, elle finit par répondre. « *Sì ?* » demanda-t-elle, sans un mot de plus.

— Ah ! s'exclama Brunetti d'un timbre plus grave. La voix de l'amour répond, et mon cœur s'ouvre, débordant de la joie de…

— Qu'y a-t-il, Guido ?» Puis, avant qu'il ne puisse réagir à la froideur de sa femme, elle ajouta : «Je suis avec un de mes étudiants. »

Brunetti, qui s'apprêtait à lui demander ce qu'elle comptait préparer pour le dîner, lui déclara : «Je voulais simplement te faire part de l'immensité de mon amour, ma chérie.

— Merci vraiment», répliqua-t-elle en raccrochant, sans lui laisser le temps de se livrer à une nouvelle envolée lyrique.

Il jeta un coup d'œil à son journal et se dit que cette lecture serait préférable à celle des rapports en souffrance sur son bureau. Ces articles pouvaient lui fournir quelque information sur ce qui se passait sur la planète, au-delà du ponte della Libertà. Il reprochait souvent à ses enfants leur manque de curiosité, non seulement vis-à-vis de leur propre pays, mais aussi du vaste monde. Comment pouvaient-ils s'affirmer comme citoyens s'ils ignoraient tout de leurs chefs d'État, des lois, voire des alliances qui les liaient à l'Europe et aux autres pays ?

Avant même d'ouvrir *Il Gazzettino*, Brunetti avait mentalement esquissé un discours à la gloire du patriotisme qui aurait fait la fierté de Cicéron. La *narratio* ne lui avait posé aucun problème : Raffi et Chiara n'étaient pas au courant de la situation politique en cours dans leur propre pays. La *refutatio* était un jeu d'enfants : il avait écarté sans difficulté l'assertion considérant l'Italie comme un simple pion sur l'échiquier géopolitique, dominé par l'Allemagne et la France. Il était à mi-chemin de la *peroratio*, les exhortant à assumer pleinement leurs responsabilités de citoyens, et proche de la fin de son raisonnement lorsque ses yeux tombèrent sur le gros titre de ce jour-là : *Morta la moglie strangolata, una settimana di agonia*[1]. Elle était donc morte, la jeune femme étranglée par son mari héroïnomane, et elle laissait un enfant. La situation classique : ils étaient en plein milieu d'une séparation, et l'irréparable fut commis.

Il remarqua un petit article sur deux jeunes femmes, américaines, qui avaient été trouvées sur le quai longeant le service des urgences à l'Ospedale Civile le dimanche matin, à l'aube. Cet article donnait leur nom et expliquait que l'une d'elles avait le bras cassé.

Inexorablement, son regard fut attiré par l'article suivant : celui-ci rapportait la poursuite des recherches menées dans une porcherie abandonnée près de Bassano, où l'on avait retrouvé la dépouille des deux épouses de son ancien propriétaire – décédé à son tour, de mort naturelle. Puis on avait même découvert les traces d'une troisième femme qui avait vécu à cet endroit un certain temps, aux dires des voisins, et qui avait disparu.

C'était le mot « traces » qui incita Brunetti à se lever et à descendre l'escalier. Une fois dehors, sur la *riva*, il se dirigea vers le bar, avec pour seul et unique objectif de se distancier de l'effet produit par ce terme sur sa personne.

---

1. Mort de la femme étranglée, une semaine d'agonie.

En entrant Brunetti vit que Bamba Diome, le serveur sénégalais, était de service et remplaçait son employeur derrière le comptoir. Le commissaire le salua d'un signe de tête mais ne put sortir un mot. Il regarda sur la gauche et s'aperçut que les trois tables étaient occupées. *Ce n'est pas plus mal*, songea-t-il; au fond, il était juste venu reprendre des forces. Il regarda la vitrine remplie de *tramezzini*, préparés par Sergio qui continuait à les couper en triangles, tandis que Bamba leur préférait une forme rectangulaire. Peut-être en prendrait-il un aux œufs et à la tomate? Bamba se tourna et essuya rapidement le zinc devant Brunetti.

«De l'eau, dottore?»

Brunetti acquiesça. «Et un *tramezzino* aux œufs et à la tomate.» Il aperçut *Il Gazzettino* sur le comptoir et l'écarta. Le voyant rejeter le journal, Bamba déclara, en posant sa commande: «C'est terrible, n'est-ce pas, dottore?

— Tout à fait», confirma Brunetti, sans savoir à quel article se référait le serveur. Bamba se tourna vers la rangée de tables, nota une main levée et sortit de derrière le comptoir pour aller répondre à cette requête.

Brunetti entama son sandwich et le reposa sur son assiette. Il se dit alors que si tel devait être son repas quotidien, il songerait sérieusement au suicide. En effet, les *tramezzini* ne constituaient en rien un véritable déjeuner équilibré. Et quel précédent créerions-nous si nous en venions lentement à nous contenter des valeurs nutritionnelles d'un sandwich à midi?

Même si Brunetti était diplômé en droit, il s'était toujours intéressé à l'histoire, et ses lectures sur l'histoire moderne lui avaient montré que les dictatures commençaient souvent par de petites choses: limiter l'accès à certains emplois, décréter qui pouvait épouser qui, déterminer le lieu de vie… Progressivement, ces règles prenaient immanquablement de l'envergure, et au bout d'un moment, certaines personnes ne pouvaient plus du tout travailler ni se marier, ou tout simplement vivre. Il s'ébroua et se dit qu'il était en train d'exagérer : l'enfer n'était pas pavé de *tramezzini*.

Brunetti se dirigea vers la caisse enregistreuse. Bamba tapa l'addition et lui remit le ticket de caisse. Le total s'élevait à 3,50 euros. Brunetti tendit un billet de 5 euros à Bamba et tourna les talons avant que le barman n'ait le temps de lui rendre la monnaie.

À l'extérieur, le soleil avait perdu de son intensité et disparu derrière les édifices. Le climat avait recouvré la raison et le temps du *risotto con zucca*[1] approchait. Les feuilles recommenceraient à pousser : dans quelques mois à peine, Paola et lui pourraient aller se promener aux Giardini Reali[2] et contempler le spectacle qu'offrent chaque année les arbres. Ils avaient l'habitude d'aller s'asseoir sous les frondaisons du parc Savorgnan, mais leurs arbres préférés étaient tombés lors des dernières tempêtes et Brunetti, avait alors cessé d'y aller, même si cette décision signifiait se priver des pâtisseries de chez Dal Mas. En compensation, ils profitaient du festival de couleurs des Jardins royaux, restaurés depuis peu. Ce parc avait pour avantage un merveilleux café où le personnel n'importunait pas les clients qui souhaitaient lire en paix.

---

1. Risotto au potiron.
2. Les Jardins publics de Venise, où se tiennent notamment les Biennales d'arts visuels et d'architecture.

Il s'arrêta enfin devant la questure et vit un panneau en liège accroché au mur. Le ministère de l'Intérieur s'était ému de constater que trop de personnes se servaient des voitures officielles pour des usages non professionnels, avait-il lu.

«Voilà qui est choquant», marmonna-t-il dans sa barbe, en faisant de son mieux pour paraître scandalisé. «Surtout ici.»

Il s'immobilisa au souvenir de la tristesse particulière qui avait enveloppé le dîner de la veille. Il se rappela avoir discuté avec deux de ses plus vieux amis étant partis jeunes à la retraite et qui, visiblement, ne savaient plus parler que des charmantes pitreries de leurs petits-enfants.

Personne ne passa dans le couloir; l'escalier demeura vide. Il entendit un téléphone sonner au loin, puis s'arrêter. Il sortit son portable et, à quelques mètres à peine du bureau de la signorina Elettra, il la prévint que deux de ses informateurs – qui avaient rendu de bons et loyaux services dans le passé – l'avaient contacté afin de le voir immédiatement.

Bien que les deux hommes vivent à Venise, ils ne lui avaient jamais donné rendez-vous en ville, par crainte des conséquences s'ils étaient aperçus en présence d'un policier; ainsi vit-il le premier à Marghera et le second à Mogliano.

Ces rencontres ne s'avérèrent pas particulièrement fructueuses. Ils ne purent se mettre d'accord sur la question des paiements: même si le premier ne détenait aucune nouvelle information, il exigeait de percevoir dorénavant un salaire mensuel. Brunetti refusa catégoriquement ces conditions et se demanda si la prochaine requête ne serait pas le treizième mois à Noël.

Le second était un cambrioleur qui avait renoncé à sa vocation – mais pas à ses contacts – à la naissance de son premier enfant et qui s'était mis à livrer des produits laitiers pour des supermarchés. Il rencontra Brunetti entre deux livraisons et lui fournit le nom du concessionnaire chargé de la redistribution des montures de lunettes volées en permanence par les employés des usines qui les fabriquaient en Vénétie. Comme cette information ne lui était d'aucune utilité, Brunetti lui expliqua qu'il la passerait à un ami travaillant à la questure de Belluno et que cinquante euros, c'était déjà bien payé. L'homme accepta en souriant, si bien que Brunetti lui donna dix euros de plus, ce qui élargit son sourire. Ce dernier le remercia et remonta dans sa camionnette blanche, et l'on s'en tint là.

Brunetti passa la soirée en famille ; il dîna avec sa femme et ses enfants, attentif à leurs discours et aux différents mets. Après le dîner, il sirota un petit verre de grappa sur le balcon, tout en regardant au loin le campanile de Saint-Marc. À 22 heures, les cloches de l'église lui signifièrent qu'il était temps de rentrer et il envisagea d'aller au lit.

Bien que n'ayant pratiquement rien fait de la journée, il était fatigué et, à sa grande surprise, il se rendit compte qu'il n'avait toujours pas chassé la sensation de mélancolie que lui avait laissée la soirée passée avec ses anciens camarades de classe. Il prit le couloir et s'arrêta devant la porte du bureau de Paola. Concentrée sur sa lecture, elle ne l'avait pas entendu arriver de prime abord, mais elle leva les yeux et lui sourit, ce qui lui mit du baume au cœur. « Je vais me coucher », lui dit-il.

Elle ferma son livre et se leva. « Quelle excellente idée ! » s'exclama-t-elle.

3

Le lendemain matin, Brunetti arriva encore en retard à la questure. Il alla voir aussitôt la signorina Elettra qu'il trouva assise à une certaine distance de son bureau ; son fauteuil était penché en arrière, son ordinateur éteint et ignoré. Il remarqua qu'elle avait quelques papiers à la main.

« Est-ce que je vous dérange, signorina ?

— Bien sûr que non, commissario, répondit-elle avec un sourire. J'étais en train d'examiner quelque chose qui pourrait vous intéresser. » Elle leva les papiers en guise de preuve. « C'est au sujet de ces jeunes femmes dans la *laguna* », précisa-t-elle. Il hocha la tête pour lui signifier qu'il était au courant de cet accident, sans mentionner que sa source d'information était *Il Gazzettino*.

« Je viens de recevoir le rapport complet de Claudia. Elle était de service ce soir-là. Voudriez-vous y jeter un coup d'œil ? » Son ton laissait clairement entendre qu'il s'agissait là d'une affirmation, et pas d'une question.

Brunetti se saisit des documents qu'elle glissa dans une chemise en papier kraft. Il la remercia et monta les lire dans son bureau.

Le dimanche précédent, un peu après 3 heures du matin, un des gardiens de l'Ospedale Civile, qui était sorti sur le quai des ambulances pour aller fumer une cigarette, avait trouvé deux jeunes femmes blessées et inconscientes, sur le ponton en bois. Il s'était précipité au *Pronto Soccorso*[1] et avait fait venir deux civières. Les victimes avaient été immédiatement prises en charge.

Brunetti regarda les photos du dossier avant de continuer à lire et il fut choqué par cette vision. L'une des deux femmes donnait l'impression d'avoir été violemment battue. Au-dessus de son œil gauche saignait une longue coupure ; elle avait le nez cassé, plaqué contre sa joue et tout un côté de son visage était tuméfié.

Il y avait aussi un cliché de la seconde victime. Son visage était intact, mais elle avait une double fracture au bras gauche. Le rapport stipulait que les deux femmes ne présentaient aucune blessure aux mains, ce qui aurait pu témoigner d'un acte de résistance de leur part.

Toutefois, elles avaient probablement passé un certain temps dans l'eau, car leurs jeans et leurs pulls étaient trempés, l'une d'elles avait même perdu sa tennis gauche. Elles n'avaient pas la moindre pièce d'identité sur elles au moment où on les avait retrouvées.

Lors de leur arrivée aux urgences, en état d'inconscience, les deux jeunes femmes avaient fait l'objet d'un examen médical complet, afin de vérifier si elles avaient été victimes de violences sexuelles. Ce ne fut pas le cas.

Après son IRM cérébral, la jeune femme au nez cassé fut rapidement transférée à l'hôpital de Mestre pour une intervention chirurgicale. C'est à ce moment-là que la police avait été alertée. Le policier de garde avait appelé, et réveillé la commissaire Griffoni qui s'était fait conduire à l'hôpital.

---

1. Les urgences.

Le rapport de Griffoni établissait que lors de son arrivée, la jeune femme au bras cassé était couchée, en larmes, sur un brancard installé dans un couloir et suppliait, en anglais, qu'on lui donne un analgésique. Griffoni se précipita alors au poste des infirmières où elle montra son insigne et demanda instamment à parler au médecin responsable du service. Les quelques échanges qu'elle eut avec lui facilitèrent la situation ; la jeune femme fut rapidement transférée dans une salle de soins où, après une piqûre, on lui réduisit la fracture de l'os du bras et on lui posa un plâtre.

On lui trouva une chambre et Griffoni, qui avait attendu dans le corridor, prit soin de l'y emmener en chaise roulante. Une infirmière l'aida à mettre la jeune femme au lit ; Griffoni s'assit près d'elle et fit tout son possible pour la rassurer. La patiente s'endormit rapidement. À 6 heures du matin, cette dernière fut réveillée par le bruit des chariots arrivant du bout du couloir et elle regarda autour d'elle, l'esprit encore embrumé.

Griffoni lui demanda comment elle s'appelait, ainsi que son amie. «Jojo Peterson, répondit-elle, et Lucy Watson», mais elle s'agita lorsqu'elle demanda où était Lucy et ce qu'il s'était passé. Griffoni l'informa sur l'opération et lui affirma – d'un pieux mensonge – que tout irait très bien. Aussitôt après, Jojo lui apprit que les parents de Lucy travaillaient à l'ambassade américaine à Rome. Jojo et Lucy étaient des amies d'université et elles avaient effectué ce voyage depuis les États-Unis. Elle s'endormit de nouveau : même le vacarme du petit déjeuner ne parvint pas à la garder éveillée.

Les parents de Lucy Watson avaient été contactés par le biais de l'ambassade où son père travaillait aux ressources humaines et où son épouse exerçait en qualité de traductrice.

Le téléphone fixe de Brunetti sonna et il reconnut le numéro du poste de Griffoni.

«Oui ? demanda-t-il.

— Est-ce que tu veux bien monter me voir ?

— Un instant, j'arrive», répondit-il en raccrochant.

Griffoni l'attendait déjà dans le couloir, au sommet de l'escalier. Non par impatience de le voir, mais à cause de la taille de son bureau, digne d'un mouchoir de poche : si elle plaçait son fauteuil juste dans l'embrasure et se plaquait dos à la porte, elle pouvait s'installer à sa table de travail en laissant tout au mieux un mètre entre le fauteuil de son invité et le mur.

«Raconte-moi tout», dit Brunetti en guise de salutation et en passant devant elle pour aller s'asseoir.

Elle commença, en pointant l'écran noirci de son ordinateur : «L'hôpital a installé une caméra à chacune des entrées, y compris sur le quai des ambulances où les victimes ont été abandonnées.» Elle se pencha pour allumer le moniteur et le tourna vers Brunetti, où il vit s'afficher une image en plein écran qui le troubla de prime abord.

Il perçut une grille de rectangles, longs et fins, alignés à l'horizontale et au-delà, le noir complet. Griffoni actionna une touche et au bout d'un moment, la scène s'éclaircit, comme si on avait allumé la lumière et que ce flot lumineux avait transformé les rectangles en un sol en bois révélant, par-delà ces lignes, la présence d'eaux sombres.

«C'est tout ?» s'enquit Brunetti.

Griffoni fit un signe d'assentiment. «Ils l'ont envoyée il y a une heure. Je ne l'ai regardée qu'une fois.»

Il s'agissait, étrangement, d'un film muet : la *laguna* n'est jamais tranquille ; les quais sont constamment heurtés par les vagues, voire des vaguelettes. En l'absence de mouvements dignes d'intérêt à ses yeux, Brunetti se concentra sur les informations données en bas de l'écran : le numéro de la *telecamera* et l'heure : 2 h 57.

Le quai subit une secousse soudaine et Brunetti s'agrippa au bureau sous l'effet de la surprise. On distinguait une personne à proximité de ce quai, qui traversa l'écran sur sa lancée et s'arrêta.

Deux mains se cramponnèrent brusquement à l'échelle du dock et on vit un homme ; ses mouvements étaient mesurés et précautionneux. Il grimpa à l'échelle, les yeux rivés sur ses pieds, comme s'il craignait de tomber à la renverse. Il monta sur le quai, regarda autour de lui puis vers l'eau, et se pencha pour parler à quelqu'un en contrebas. La main d'une deuxième personne tendant une corde s'afficha sur l'écran, puis le premier homme l'enroula autour d'un poteau d'amarrage et serra d'un geste lent, mais sûr.

Une fois le bateau attaché, on vit émerger les épaules et la tête du deuxième homme, coiffé d'un bonnet en laine. Il disparut puis réapparut dans le champ quelques instants plus tard, en portant une petite femme. Il la déposa au bord du quai, puis la poussa en avant des deux mains.

Il disparut à nouveau, puis revint avec une autre femme, qu'il déposa de la même façon sur le quai.

L'homme sur le quai secoua la tête et tint des propos qui firent bondir l'homme au bonnet. Ce dernier marcha en direction de la caméra d'un air agité, tandis que son acolyte tentait de le raisonner. L'homme au bonnet regagna rapidement l'échelle, tout en s'adressant à son camarade, qui dénoua la corde et la lança sur le bord du quai, puis ils s'en allèrent. La caméra ne montrait plus que les deux femmes inconscientes, gisant sur le sol.

L'écran redevint tout noir. Brunetti était encore si concentré que la voix de Griffoni le surprit. « La caméra est sensible aux mouvements et s'obscurcit lorsque aucune activité n'est détectée. »

À 3 h 05 un homme sortit de sa poche un briquet et une cigarette d'un paquet déjà ouvert. Il aspira une profonde bouffée, se tourna sur le côté, vit les deux femmes inertes, en fit tomber sa cigarette et courut vers elles. Il s'agenouilla, prit le pouls de la première, puis de la seconde, se leva et repartit par où il était venu.

L'écran se noircit de nouveau. Des personnes en blouse blanche arrivèrent presque aussitôt, soulevèrent les deux femmes avec une rapidité vertigineuse, les déposèrent sur des brancards et rentrèrent à toute vitesse dans l'hôpital. L'écran redevint tout noir.

« Combien de temps ont-ils mis pour venir les chercher ? s'informa Brunetti.

— Deux minutes et quarante secondes, spécifia Griffoni. C'est écrit en bas de l'écran.

— Je ne critiquerai jamais plus l'hôpital, déclara Brunetti. J'ai vu le visage tuméfié de la fille… Comment peut-on faire une chose pareille à quelqu'un ?

— J'aimerais retourner à l'hôpital pour glaner des informations. »

Instinctivement, Brunetti lui demanda : « Veux-tu que je t'accompagne ?

— Cela ne te fait pas faire un détour ? s'enquit Griffoni.

— Pas vraiment, si je passe par le campo Santa Marina.

« — Nous pourrions y aller tout de suite. Je n'ai rien de spécial à faire et le vice-questeur est parti pour la journée. Foa m'a dit qu'il a été invité à un de ces galas organisés par des associations étrangères qui veulent sauver Venise ! » précisa-t-elle.

Brunetti connaissait bien ces institutions, mais doutait de leur capacité à venir en aide à la ville. « En fait, ils vont dans des restaurants de luxe, ce qui donne du travail aux gens… c'est toujours ça de pris ! » constata le commissaire.

Comme si elle pouvait lire dans ses pensées, Griffoni lui lança un regard moqueur dont elle seule avait le secret. Sa bouche garda une expression sévère de désapprobation, mais son regard exprima toute sa délectation face à une telle absurdité. « C'est un dîner pour des Vénitiens importants, où on leur explique le besoin urgent de secourir la ville, renchérit-elle.

— La sauver de quoi ? s'enquit Brunetti, déjà prêt à débiter la liste des dangers, en commençant par la pollution due aux avions pris par ces mêmes individus pour venir au dîner caritatif.

— Je pense que le mystère va être dévoilé ce soir, répliqua-t-elle.

— Comment se fait-il que Foa soit au courant ? s'étonna Brunetti.

— Il a dû emmener le vice-questeur à cette première rencontre, puis il retournera le chercher pour le ramener à la maison à la fin de la soirée. »

Brunetti se remémora la notice qu'il avait lue au sujet de l'utilisation inappropriée des voitures ministérielles pour des événements non professionnels. Mais l'honneur de Patta était sauf : le document ne mentionnait aucunement les bateaux. Réconforté à cette pensée, Brunetti se leva en disant : « Allons-y, Claudia. Je t'accompagne jusqu'à l'hôpital. »

Cette fois, son sourire éclaira tout son visage.

4

La journée était plutôt fraîche. Griffoni, en bonne Napolitaine, ne sortait jamais sans emporter au moins une couche supplémentaire de vêtement : la veste en daim couleur caramel qui pendait aujourd'hui à son bras était particulièrement élégante.

«Tu te l'es procurée à Naples ? demanda-t-il lorsqu'il la vit la mettre et en remonter la fermeture Éclair à moitié.

— Oui.

— Elle est belle ! Si elle m'allait, je te flanquerais par terre tel un pickpocket pour te la voler.

— Toi et la déformation professionnelle... Mon oncle en vend dans son magasin.»

Brunetti rit de bon cœur.

Ne sachant trop si elle devait se sentir vexée ou non, Griffoni demanda : «Et alors ?

— J'ai un ami napolitain, commenta Brunetti d'un air amusé – c'est même sans doute mon meilleur ami –, il suffit qu'un vêtement me plaise et tu peux être sûre qu'il a un oncle ou une tante, voire un cousin qui sait à tout moment comment me le fournir. Et à un vrai prix d'ami.

— Ces fameux articles tombés du camion ?» s'enquit-elle.

Cette réflexion fit s'esclaffer Brunetti. Lorsqu'il retrouva le contrôle, il expliqua : « C'est exactement ce qu'il m'a dit, une fois. Mon fils voulait une paire de tennis blanches, avec sur le côté la signature d'un joueur de tennis américain ou de son basketteur fétiche, et pas moyen d'avoir la paix à la maison : pendant un mois il m'a bassiné avec ça. J'en ai touché un mot à Giulio, un jour où nous parlions de nos enfants ; il m'a simplement demandé la pointure de Raffi. Le lendemain, UPS nous en a livré une paire pour lui, avec un mot à l'intérieur disant qu'elle était tombée d'un camion.

— Et tu les as gardées ? Je veux dire, ton fils les a gardées ?

— Bien sûr ! Si je les lui avais renvoyées, Giulio m'aurait fait la tête tout le restant de l'année. »

Les deux commissaires reprirent leur marche en bons amis qu'ils étaient. Griffoni réfléchit un moment à cette anecdote, puis elle rompit le silence en affirmant : « C'est bien un Napolitain.

— Et alors ?

— Alors comment veux-tu qu'il réagisse à une telle insulte ? »

Brunetti s'arrêta et se tourna vers elle. « Tu le connais ?

— Qui ?

— Giulio. Giulio D'Alessio. Mon ami. »

Après un moment d'hésitation, Griffoni demanda : « Son père s'appelle-t-il Filippo ? »

Brunetti la scruta, en s'efforçant de ne pas la regarder bouche bée. Au bout d'un instant, il confirma : « Oui.

— Mon père le connaît. Je veux dire, il connaît son père. »

Brunetti plaqua ses mains sur les oreilles et s'exclama : « Mon Dieu. C'est un complot ! Je suis cerné.

« — Par les Napolitains ? s'enquit-elle.

— Non, précisa-t-il. Par les amis.

— Quel idiot tu fais, Guido ! » déclara-t-elle en lui tapant l'épaule. Brunetti fut étonné de constater la similitude entre ces mots et ceux de Paola, lorsqu'elle lui reprochait ses pires délires. Mais il savait qu'il était préférable de s'abstenir de lui faire part de cette comparaison.

Il reprit sa voix professionnelle habituelle pour lui demander : « Tu me diras, en chemin, ce que tu as découvert d'autre. »

« Il se trouve qu'on les a vues sur le campo Santa Margherita samedi soir. Une fille se souvenait de Lucy, car sa mère lui chantait toujours une chanson avec ce nom-là.

— C'est tout ? » s'informa Brunetti. *D'autres gens ont dû certainement les voir,* songea-t-il. *Elles devaient être dans un hôtel, ou un B & B, ou encore être logées chez des amis : quelqu'un a bien dû se rendre compte de leur absence ou s'être aperçu qu'elles n'avaient pas dormi dans leur lit.*

« La fille qui a appelé a dit qu'elles avaient engagé la conversation avec deux hommes. Mais après, elle a vu des camarades de classe et elle est allée les rejoindre et a oublié les Américaines, jusqu'à ce matin où elle a vu le nom de "Lucy" en gros titre dans Il *Gazzettino*. »

Il l'avait lu aussi : « Lucy et Jojo. Qui sont-elles ? »

Brunetti s'apprêtait à demander à Griffoni si elle avait des nouvelles de la jeune femme hospitalisée à Mestre, mais ils prirent à gauche et se retrouvèrent dans la Barbaria de le Tole et l'Ospedale n'était plus qu'à quelques minutes.

Le mur latéral de la basilique apparut sur leur droite : ils étaient bel et bien arrivés sur le *campo*. Ils eurent la sensation que la devanture de l'hôpital les dévisageait et lorsqu'ils se dirigèrent vers l'entrée, la façade de la basilique entra dans leur champ de vision. Griffoni ralentit le pas et tourna la tête d'un édifice à l'autre, comme si on l'avait chargée de décerner un prix à l'un d'entre eux et qu'elle ne parvenait pas à se décider. Généralement, c'était la Basilica – dont la somptuosité n'avait pas d'égale à Venise – qui était l'église préférée de Brunetti ; d'autres fois, pour des raisons qui le dépassaient, c'était celle de San Nicolò dei Mendicoli et pendant très longtemps, à l'époque où il connaissait une fille qui habitait dans les parages, c'était l'église des Miracoli qui avait détenu la palme. Mais il finit par se lasser de la fille, et conséquemment de l'église.

Il se retint de demander à Griffoni si elle voulait qu'il l'accompagne : il valait mieux que ce soit une femme qui leur parle, vu que c'étaient précisément deux hommes qui les avaient abandonnées à l'hôpital. Il lui souhaita bonne chance, lui dit au revoir et rentra chez lui.

Comme il n'y avait encore personne à la maison, Brunetti prit un bocal d'olives et en versa la moitié dans une assiette. Il sortit une bouteille de falanghina du réfrigérateur et s'en servit un verre. Il alla au salon, posa l'assiette et le verre sur la table, puis il s'assit et but une gorgée de vin.

On fit agrandir les photos des visages des deux hommes, extraites de la vidéo de l'hôpital, et elles furent envoyées à tous les bureaux de police de Venise, ainsi qu'à la Guardia Costiera[1], aux carabinieri et à la Guardia di Finanza[2]. En se les remémorant, Brunetti songea qu'ils devaient avoir la vingtaine. Les photos ne donnaient que peu d'indications.

---

1. Garde-côtes.
2. Police douanière et financière.

Comme leur bateau circulait en contrebas, il n'était pas visible par la caméra de l'Ospedale qui avait été placée à hauteur de la plate-forme prévue pour les ambulances. Seuls les deux hommes et leurs fardeaux, déposés en un clin d'œil et abandonnés tout aussi rapidement, furent capturés en image.

Brunetti but plusieurs gorgées de vin, dégusta quelques olives et disposa les noyaux au bord de son assiette. Il frotta ses pouces en essayant de se souvenir des jeux de mains que son frère et lui connaissaient enfants. Il y en avait un où les doigts formaient une église avec des portes qui pouvaient s'ouvrir : celui-ci était facile à se remémorer. Il y en avait un autre où par une habile manipulation, il pouvait donner l'impression de détacher la première phalange de son pouce. Ce tour de magie rendait fous de joie ses enfants quand ils étaient petits, mais à présent, il avait beau imbriquer ses doigts de mille et une façons, il ne parvenait plus à se souvenir comment il procédait. Il croisa les mains et ne les bougea plus.

Campo Santa Margherita. Samedi soir. S'il ne pleuvait pas, il y avait toujours des vingtaines – en été, des centaines – d'étudiants sur le *campo* le soir, en train de bavarder, de boire, de passer d'un groupe à l'autre, de rencontrer des amis ou de nouer de nouvelles amitiés. Il avait fait pareil, étudiant. Bon, d'accord, mais sans la drogue et pas avec autant d'alcool.

On avait vu les deux jeunes femmes discuter avec deux hommes, et quelques heures plus tard, deux hommes les avaient emmenées à l'hôpital et les y avaient laissées. Il n'y avait aucune trace de rapports sexuels, ni aucun signe de résistance à une agression quelconque.

«Quelque chose cloche sur cette photo», marmonna Brunetti. Il pensa à un livre dont Paola lui avait recommandé la lecture, des années auparavant, *Trois Hommes dans un bateau*. Il l'avait lu, mais l'avait détesté. Cette fois, il n'y avait que deux hommes, mais qui étaient-ils et pourquoi se trouvaient-ils dans un bateau à 3 heures du matin ? Et comment pouvaient-ils savoir où emmener ces jeunes femmes, où les déposer ou se débarrasser d'elles, selon l'interprétation qu'il voulait bien donner à leur conduite. S'ils avaient un bateau, ils connaissaient probablement la *laguna*, sans être nécessairement vénitiens, mais pour connaître le quai de l'Ospedale, il fallait l'être. Vu qu'ils avaient rencontré les filles sur le campo Santa Margherita, ils devaient être étudiants et s'ils avaient pu parler aux filles, c'est qu'ils avaient quelques notions d'anglais, ce qui suggérait, sans le confirmer toutefois, que c'étaient bien des étudiants.

Il réfléchit à la manière dont les hommes avaient déposé – il décida de s'en tenir à ce verbe – les deux Américaines sur le quai : l'un grimpa précautionneusement à l'échelle qu'il y avait accrochée et amarra le bateau, puis regarda son ami soulever les filles l'une après l'autre de l'embarcation et les laisser sur le débarcadère. N'aurait-il pas été plus facile pour lui de retourner dans le bateau et de l'aider à monter les femmes inconscientes sur l'appontement ? Que s'étaient-ils dit sur ce quai ? Quelque chose clochait vraiment.

Brunetti saisit son téléphone et appela Griffoni.

«Es-tu toujours à l'hôpital ?

— *Sì*.

— Avec l'Américaine ?

— *Sì*.

— Se souvient-elle de quelque chose ?

— Attends un instant», dit Griffoni, et il crut entendre le bruit d'une chaise traînée par terre. Elle couvrit ensuite le micro et dit quelque chose. Il y eut une longue pause, puis il eut l'impression d'entendre des pas. «Elles étaient sur un *campo* avec beaucoup d'étudiants, commença Griffoni. La fille pense qu'il s'agit de Santa Margherita. Elles ont rencontré deux garçons qui leur ont proposé d'aller faire un tour.

— Un tour?

— Ils avaient un bateau et ils avaient l'air sympa, si bien qu'elles ont accepté de partir avec eux. Ils étaient amarrés près d'un pont.»

Il y avait effectivement un pont au bout du campo Santa Margherita, avec une longue *riva* sur le côté opposé.

«Lucy affirme qu'au début, le tour en bateau était très agréable. Ils ont emprunté un grand canal, avec de somptueuses maisons de part et d'autre. Puis ils sont passés devant quelques églises et tout à coup, elle s'est aperçue qu'ils étaient au large.

— Et puis?

— Une fois sortis de la ville, elles étaient effrayées car il faisait complètement noir; elles n'avaient aucune idée de l'endroit où elles se trouvaient. Ensuite, le bateau a pris de la vitesse; la proue n'arrêtait pas de rebondir brutalement et les garçons, eux, criaient et riaient. C'est là que Lucy a vraiment commencé à avoir peur. Il fallait qu'elle s'agrippe à son siège parce que le bateau la secouait dans tous les sens.» Griffoni interrompit son récit.

«Que s'est-il passé ensuite?

— Elle leur a hurlé de ralentir car elle sentait qu'elle allait avoir le mal de mer. Puis elle s'est réveillée à l'hôpital, mais elle n'a aucune idée de comment elle s'y est retrouvée.

— Et les hommes?

— Ils leur ont dit qu'ils étaient vénitiens. Un des deux, en tout cas, s'exprimait plutôt bien en anglais. L'autre parlait seulement italien.

— Sait-elle comment ils s'appellent?

— Celui qui était bilingue lui a dit de l'appeler Phil et l'autre avait un nom qui commençait par un M.

— A-t-elle fourni d'autres éléments?

— Celui avec le prénom en M aurait un tatouage sur son poignet gauche: noir et à motifs géométriques, comme un bracelet.

— Comme tant d'autres garçons, répliqua Brunetti. Se souvient-elle d'être tombée à l'eau?

— Elle ne se souvient de rien d'autre, Guido, soupira Griffoni. Qu'en pensent les médecins?

— Que les souvenirs reviendront peut-être, mais lentement, et ce n'est pas garanti. Elle ne s'est pas cogné la tête, donc pour eux, il s'agit surtout d'un état de choc.»

Sans lui laisser le temps de poser une autre question, Griffoni lui expliqua: «Ils m'appellent, il faut que j'y retourne», et elle raccrocha.

Brunetti resta avec ses noyaux d'olive et son verre vide, pas tellement plus avancé sur ce qui s'était passé le samedi soir. Il pensa à la jeune femme dont le visage était si gravement tuméfié: comment un chirurgien, qui ne l'avait jamais vue avant cette soirée fatidique, pourrait-il reconstituer son visage? Lui rendre ses véritables traits?

Il chassa ces idées de son esprit et tenta de se focaliser sur les informations qu'il venait d'obtenir. Les deux jeunes hommes étaient vénitiens, disposaient d'un bateau, peut-être même travaillaient-ils sur des embarcations ou dans le domaine nautique. Brunetti ignorait le nombre d'hommes et de femmes dans le coin dont la vie professionnelle était liée au monde de l'eau : ils devaient être au moins une centaine, voire plus. Comme à l'époque où la Sérénissime dominait les mers limitrophes, les offres de travail demeuraient souvent au sein de certaines familles pendant des générations et des générations et créaient parmi les travailleurs cette unité et cette loyauté courantes chez les personnes exerçant des métiers à risque.

Brunetti prit son assiette, l'apporta à la cuisine et la posa avec son verre sur le côté de l'évier. Puis il retourna chercher, dans le bureau de Paola, un ouvrage à lire en attendant que le reste de la famille rentre dîner.

5

Lorsque Brunetti consulta son courrier électronique le lendemain matin, il trouva un e-mail des carabinieri que la signora Elettra lui avait fait suivre. Ce message révélait l'identité des deux hommes qui avaient laissé les jeunes femmes sur le quai de l'hôpital. Marcello Vio habitait à la Giudecca et Filiberto Duso à Dorsoduro. Le nom de «Duso» éveilla un souvenir lointain dans la mémoire de Brunetti, cependant, il ne s'y attarda pas et continua à lire.

Ils avaient été identifiés par les carabinieri en poste au pont dei Lavraneri, sur la Giudecca, qui avaient également ajouté qu'ils considéraient Vio comme une «personne à surveiller».

Il n'en fallut pas plus pour exhorter Brunetti à chercher la page Web – *Depuis quand les postes de police ont-ils commencé à avoir leur propre site Internet ? Surtout celui de la Giudecca*, s'interrogea-t-il –, et il composa le numéro trouvé sur le site. Il expliqua la situation et demanda à parler à un commissaire.

Il entendit quelques cliquetis, puis une voix de contralto léger, dont il ne put distinguer s'il s'agissait d'un homme ou d'une femme, lui annonça : «Nieddu, en quoi puis-je vous être utile?

— Je suis le commissaire Brunetti, affecté à San Lorenzo.

— Ah! fit Nieddu, j'ai entendu parler de vous.»

Brunetti ne put s'empêcher de rétorquer: «Voilà qui suffirait à étouffer toute conversation dans l'œuf.» Il marqua une pause, mais comme Nieddu ne rebondit pas sur sa plaisanterie, il ajouta: «En bien, j'espère.»

Le rire qu'il entendit à l'autre bout de la ligne était indéniablement un rire de femme, au timbre agréablement grave. «Oui, évidemment. Sinon je n'y aurais pas fait allusion.

— Cela me paraît sage; en règle générale, "prudence est mère de sûreté"», déclara Brunetti.

Elle laissa s'écouler un certain temps avant de lui demander: «Vous appelez pour les deux hommes sur les photos, n'est-ce pas?

— Oui, confirma Brunetti. Je vous saurais gré de me communiquer toutes les informations que vous détenez à leur sujet.

— Et je vous saurais gré de me dire pourquoi, répliqua-t-elle plaisamment.

— Ah, fit Brunetti. Est-ce un bras de fer?

— Non, commissario, pas du tout», répondit-elle d'un ton à la fois amusé et vexé. Qu'elle fût en train de parler sérieusement ou de badiner, sa voix conservait sa profonde tonalité de contralto qui lui rappelait le son d'un violoncelle.

«Comme je ne connais pas votre grade, observa Brunetti, pardonnez-moi, je vous prie, de ne pas l'avoir mentionné au début de cet échange.

— Capitaine, précisa-t-elle, sans un mot de plus.

— Alors, capitaine, sommes-nous en pleine séance de négociation?

— D'une certaine manière, oui.

— Il vaut mieux y procéder en personne, qu'en pensez-vous?

— Assurément», approuva-t-elle d'une voix plus amicale.

Prêt à répondre à ses sympathiques répliques par une boutade et à lui demander: «Chez vous ou chez moi?», Brunetti fut coupé dans son élan par les nouvelles règles imposées par le ministère à Rome sur le harcèlement sexuel, qui avaient déjà commencé à briser des carrières et à changer les codes de la conversation. *Déclarer que j'ai été séduit par la beauté de sa voix ne passerait pas dans le climat ambiant*, songea-t-il. Ainsi s'employa-t-il à adopter un ton de bureaucrate.

«Comme c'est moi qui suis en position de demande, c'est à moi de faire le voyage.

— Si vous considérez que venir à la Giudecca est un voyage.

— Capitaine, aller à la Giudecca, pour moi, c'est comme partir en expédition polaire.»

En réponse à son rire, il l'informa qu'il pouvait être là dans une heure; elle acquiesça puis lui demanda s'il savait où se trouvait le commissariato.

«Tout au bout, à Sacca Fisola, n'est-ce pas?

— Exactement. Donnez votre nom après avoir traversé le pont et le planton vous laissera passer.

— Parfait, merci.

— Mon grade est celui de capitaine, mais mon prénom, c'est Laura.

47

— Moi, c'est Guido», répliqua Brunetti puis, en écho à l'amabilité de sa voix, il la salua par un « Ciao » bien cordial : le Rubicon lexical avait été franchi.

Brunetti s'abstint de vérifier les rapports de police sur les deux hommes pour éviter de se forger toute idée préconçue avant de parler avec la capitaine et de mieux évaluer pourquoi l'un des deux constituait une « personne à surveiller » aux yeux des carabinieri. Il prit le numéro 2 pour Sacca Fisola, sans prêter une grande attention à la splendeur qui s'offrait à son regard de chaque côté du canal, puis il longea la *riva* quelques minutes. Il coupa ensuite sur la gauche et se dirigea vers l'extrémité de l'île où se trouvait depuis des années, dans son souvenir, le poste des carabinieri. Ce quartier le conforta dans les sentiments que lui inspirait la Giudecca avec ses lugubres immeubles en ciment, tirés au cordeau et dénués de toute tentative d'embellissement ou d'ornementation : ces cubes servant d'habitations étaient en outre enlaidis – tout du moins à son avis – par la vue : au-delà des eaux maussades de la *laguna* s'étalaient, dans toute leur horreur, les installations pétrochimiques de Marghera hérissées de cheminées en brique disposées en quinconce d'où s'échappait, jour et nuit... Brunetti s'en tint là car, comme tous les résidents de Venise, il n'avait qu'une infime idée de ce qui s'élevait en épais nuages au-dessus de ces cheminées et encore moins de raisons de croire ce qu'on lui racontait à ce propos.

Les patrouilles de nuit de la police y repéraient souvent des pêcheurs, leurs bateaux remplis de palourdes arrachées à la lagune avec des filets lestés pour racler les fonds marins, afin de mieux en extraire tout ce qui passait à leur portée, en ne laissant que désolation derrière eux. Les palourdes en question prospéraient en se nourrissant de liquides résiduels qui, pendant des générations entières, s'étaient échappés des réservoirs contenant les substances chimiques et s'étaient déversés dans la lagune.

Brunetti et sa famille ne mangeaient ni palourdes ni moules, ni le moindre fruit de mer provenant des eaux locales. Chiara pouvait attribuer sa décision, et elle ne s'en privait pas d'ailleurs, au fait qu'elle était végétarienne, ce qui excluait toute variété de poisson. Il la revoyait encore, à l'âge de douze ans, repousser une assiette de *spaghetti alle vongole* en déclarant : « Il fut un temps où elles étaient vivantes. » Elle n'en mangeait toujours pas, mais elle se justifiait à présent par des motivations plus élaborées et elle les rejetait en assenant : « Elles sont toxiques. » Sa famille, consciente que les excès verbaux étaient un trait commun à eux tous, semblait ne pas prêter grande attention à son opinion, mais se gardait néanmoins de manger des crustacés.

Brunetti arriva au pont dei Lavraneri, le traversa et s'approcha de la guérite du gardien. Lorsque le carabinieri le vit s'approcher, il ouvrit la fenêtre coulissante et lui demanda, sans sortir : « *Sì, signore ?*

— J'ai rendez-vous avec la capitaine Nieddu.

— Votre nom, signore ?

— Brunetti », répondit-il.

L'homme se tourna vers la gauche pour indiquer le portail aménagé au milieu d'une haute barrière en fil barbelé, derrière laquelle commençait un sentier en gravier qui passait entre deux rangées de rosiers taillés quasiment jusqu'aux racines. « Le bureau est tout au bout. Je vais appeler la capitaine pour la prévenir de votre arrivée. »

Brunetti le remercia et emprunta le chemin. Il entendit le cliquetis du portail qui s'ouvrit devant lui et se referma automatiquement après son passage. Tout en marchant entre les rosiers, il se demanda s'il était opportun de les couper autant en automne et s'aperçut alors combien le monde des plantes et la manière d'en prendre soin lui étaient inconnus. Les haies de roses étaient flanquées d'une bande de pelouse derrière laquelle s'étendait un long rectangle de terre noire ratissée. Tout portait à croire qu'on y planterait des fleurs plus majestueuses au printemps.

Il dut s'efforcer de se remémorer qu'il s'agissait d'un poste de carabinieri. Au bout des rangées de fleurs se dressait un édifice en brique à deux étages et parallèlement à lui s'élevait un mur en brique également. Ce mur, sans doute antérieur au bâtiment, avait davantage souffert des intempéries.

Il appuya sur la sonnette située à la droite d'une porte en métal et recula de manière à être clairement visible dans le judas percé dans la porte. Il sortit son portefeuille et en retira son insigne. Ce n'est qu'à ce moment qu'il prit conscience qu'il n'aurait peut-être rien dû extraire de sa poche, mais c'était trop tard désormais et il ne pouvait plus que montrer sa carte à toute personne l'épiant à travers le trou.

Il entendit un bruit provenant de l'intérieur et la porte s'ouvrit ; il vit apparaître une très grande femme âgée d'une trentaine d'années, avec des cheveux foncés lui arrivant aux épaules. Elle portait sa veste d'uniforme : il nota la simple barre sous les trois étoiles disposées sur le revers. C'était donc *un primo capitano*[1], probablement d'un grade supérieur à la plupart des hommes de son unité.

---

1. *Primo capitano* : c'est une qualification attribuée aux capitaines des forces armées italiennes qui sont en poste depuis un certain nombre d'années.

Il avança et lui tendit la main en lui disant: «Bonjour, Laura. Je suis ravi de vous rencontrer.

— Tout le plaisir est pour moi», répondit-elle, puis elle recula pour s'écarter du seuil de la porte ouverte. «Nous pouvons aller discuter dans mon bureau», lui proposa-t-elle. Laura finit par sourire et il trouva son sourire presque aussi attirant que sa voix. Elle avait les yeux verts, d'où irradiaient de nombreuses petites rides qui n'altéraient en rien sa beauté. Sa veste, bien ajustée, incita Brunetti à se demander où étaient passés les carabinieri de sa jeunesse, gras, moustachus, aux vêtements froissés.

Elle le conduisit le long d'un couloir. Brunetti regarda par la première porte ouverte sur le côté et, tel un tailleur dans l'atelier d'un concurrent, il ralentit le pas et examina l'intérieur de chaque pièce ouverte sans savoir, en fait, ce qu'il cherchait. C'était un cadre analogue à celui de la questure: des officiers en uniforme, assis à des bureaux où s'empilaient des montagnes de dossiers. Sur les tables on pouvait également apercevoir des photos de femmes et d'hommes, d'enfants, de chiens et de chats; l'une d'entre elles représentait un homme en short sur une plage, avec un poisson presque aussi grand que lui. Les murs étaient tapissés des cartes et signalétiques habituels, et de photos du président de la République; un crucifix était même accroché sur le mur d'un bureau et le drapeau de Saint-Marc avec le lion sur un autre.

Laura s'arrêta devant la dernière porte sur la droite et entra dans la pièce. Aucune surprise ici non plus, à part le fait que le bureau était moins encombré que ceux qu'il avait vus le long du corridor: juste un ordinateur, un clavier et un livre qui avait tout d'un volume classique de droit pénal. La boîte de réception de l'ordinateur contenait un seul e-mail, tandis que la boîte d'envoi était pleine.

Elle ferma la porte derrière lui et alla s'asseoir à son bureau. Brunetti choisit le fauteuil le plus près du bureau et, avant de prendre place, il désigna la messagerie en lui disant : «Vous avez toute mon admiration et mon envie.

— Commencez donc par la flatterie, Guido. Ça marche toujours!

— Ce n'était pas mon intention, répliqua Brunetti, même s'il m'arrive de recourir à cette stratégie.»

Elle se retint de rire, puis tendit un dossier à Brunetti.

Il contenait les photos envoyées par la signorina Elettra montrant, presque en grandeur nature, les deux hommes qui avaient emmené les jeunes femmes blessées à l'hôpital. Quelques feuilles de format standard, couvertes de brèves notes écrites au crayon en lettres capitales et attestant une calligraphie claire et précise, étaient agrafées aux clichés. Avant de commencer à lire, Brunetti regarda la capitaine Nieddu, mais ne souffla mot. Il trouva intéressant que ces notes, non pas écrites à l'ordinateur, mais à la main, n'étaient donc pas enregistrées informatiquement et restaient officieuses. Elle s'abstint de tout commentaire à ce propos.

Il se plongea dans le rapport. Brunetti attendait, en fait, les preuves du lien entre les hommes et les victimes, mais il ne put s'empêcher de comparer ce texte au scénario d'un film de série B, réalisé entre copains. Des jeunes gens nés la même semaine, vingt-quatre ans plus tôt ; l'un, le fils d'un avocat réputé, l'autre le fils d'un homme à tout faire chargé de nettoyer les réservoirs de l'une des sociétés chimiques de Marghera. Neuf ans plus tôt, ivre et épuisé, l'homme en question fit une embardée et s'écrasa contre un poteau en ciment. Il survécut, mais non sans une infirmité motrice cérébrale que le dossier ne précisait pas. La dernière note indiquait simplement la terrible mention «placé en institution spécialisée».

Marcello Vio était le seul fils de l'homme blessé; il avait deux jeunes sœurs et une mère. Il avait quitté l'école à l'âge de quinze ans pour subvenir à leurs besoins et commencé alors à travailler pour l'entreprise de transport de son oncle.

Filiberto Duso, dans ce scénario improbable, était tel un jeune prince. Vio et lui étaient inséparables à l'école et le restèrent jusqu'au moment où Duso alla au *liceo* pour préparer son entrée à l'université et où Vio fit son entrée dans la vie active. Ils demeurèrent, cependant, les meilleurs amis du monde. Ils sillonnaient la *laguna* ensemble, toujours à la recherche d'aventures, et ils étaient considérés comme de «*bravi ragazzi*».

Quelques rumeurs récentes laissaient entendre que certaines des dernières activités de Vio baignaient dans l'illégalité: peut-être s'agissait-il de contrebande de cigarettes en provenance du Monténégro, ou du transport de palourdes pêchées clandestinement. Le nom de son oncle – et aucunement celui de Duso – était associé à ces agissements, même si le dossier ne fournissait ni dates ni infractions spécifiques. Brunetti lut trois brefs commentaires évoquant, voire déplorant, l'influence de cet oncle sur son neveu. Sur la Giudecca, il était pratiquement impossible d'échapper aux commérages et Brunetti se refusait à apporter son crédit à tout récit qui n'était pas corroboré par au moins un semblant de faits.

Une fois sa lecture terminée, Brunetti leva les feuilles de papier; lorsque Nieddu finit par le regarder, il demanda:

«Est-ce là la raison pour laquelle Vio est une "personne à surveiller" selon vous?»

Elle opina du chef. «Il marche dans les pas de son oncle, Pietro Borgato.

— Quelqu'un "à surveiller" aussi donc?

— Et comment! Nous le tenons à l'œil depuis pas mal de temps. Il y a des bruits qui courent sur son compte.

— Quelle sorte de bruits? s'enquit Brunetti.

— Vous savez comment c'est. Les gens disent qu'il est impliqué dans de sales affaires, mais lorsque vous les interrogez, comme par magie, ils ne savent pas de quel genre de sales affaires il s'agit, mais l'information leur provient de quelqu'un de confiance.» Elle le laissa réfléchir un bref moment à ces propos, puis elle ajouta: «Une femme qui habite à côté d'un de mes hommes est convaincue qu'il fait de la contrebande, mais elle ne sait pas de quoi. Il se pourrait très bien qu'il ne lui revienne pas et qu'elle se soit mis en tête que c'est un contrebandier parce qu'il possède des bateaux.»

Brunetti garda le silence un moment, puis il tapota les photos en lui demandant: «Comment savez-vous que ce sont ces deux jeunes qui étaient sur le quai de l'hôpital?»

Au lieu de lui répondre, Nieddu sortit un dossier d'un classeur. Elle le feuilleta rapidement et après avoir trouvé le papier qu'elle cherchait, elle le tendit à Brunetti.

En haut de la feuille était agrafée une photo des deux jeunes hommes, bras dessus bras dessous, détendus, en train de sourire. Ils portaient des tenues d'été et étaient tous deux très bronzés. Celui qui était musclé avait remonté ses lunettes de soleil sur la tête, tandis que le plus mince des deux portait la verte couronne de laurier dont les étudiants se ceignent la tête pour célébrer l'obtention de leur diplôme universitaire. Des rubans en soie rouge tombaient d'un gros nœud attaché à la couronne ; il semblait prêt à croquer la vie à pleines dents. Brunetti se remémora la joie et l'immense fierté qu'il avait éprouvées le jour où il avait exhibé cette même couronne : il comprenait l'expression de Duso ; ce devait être lui, effectivement.

Il observa les deux visages brièvement, posa la photo en question sur le bureau, prit celles que la signorina Elettra avait envoyées et les disposa de chaque côté du cliché avec les deux garçons ensemble. Il passa de l'une à l'autre à maintes reprises : il n'y avait aucun doute possible, le garçon avec les lunettes de soleil était bien Marcello Vio.

«Est-ce la fête pour la remise de diplôme de Duso ? s'informa Brunetti, en tapotant la photo.

— Oui. Cet été.

— Qui est-ce qui l'a prise ?

— Un de mes hommes», répondit-elle après un moment d'hésitation.

Brunetti ne laissa nullement transparaître sa surprise. «Comment l'avez-vous obtenue ?

— Il a vu les photos qui nous ont été envoyées et il m'a apporté celle-ci ce matin.»

Brunetti hocha la tête et réfléchit à ces mots. *S'il a pris cette photo, l'officier doit être un ami, peut-être même un proche d'un de ces deux hommes.*

«Puis-je me permettre de complimenter vos équipes ?»

Elle leva la main pour passer outre ce compliment.

«Ce qui signifie que votre collègue est de la Giudecca, ou du moins de Venise.

— Effectivement, confirma-t-elle. C'est un homme bien.

— A-t-il le même âge que nos deux garçons? s'étonna Brunetti.

— Non, figurez-vous qu'il a soixante ans et ce sont ses dernières années avant la retraite.»

Brunetti fut doublement frappé par le courage de cet homme. Il se pencha pour désigner du doigt la première page écrite à la main. «Est-ce vous personnellement, ou l'officier qui vous a livré cette information, qui détenez des preuves concrètes corroborant les propos déclarés dans ce dossier? s'enquit-il.

— À l'exception des informations contenues dans les documents officiels, personne n'admettrait avoir tenu ces propos. Nous ne possédons que ces sempiternels ragots. Penser qu'un délit a eu lieu c'est une chose. Mais sans preuves, les juges ne peuvent rien faire. Et personne n'oserait se mouiller.» Elle cessa de parler dans l'attente, apparemment, d'un signe d'approbation de la part de Brunetti.

Il hocha la tête et elle se contenta de ce geste.

«Depuis mon arrivée ici, enchaîna-t-elle en parlant nettement et lentement, peut-être pour dissimuler les traces de son accent sarde qu'il avait détectées, j'ai demandé aux hommes et à la femme de mon unité de noter les potins, les ouï-dire et les racontars de bars. Ils doivent les écrire au crayon et me les consigner. Je les recopie et je détruis les originaux; ainsi tout est clairement retranscrit avec ma calligraphie, au cas où cette pratique devrait poser un problème.

— Un problème?» s'enquit Brunetti.

À cette question, elle tourna les yeux sur le côté, puis regarda par la fenêtre de son bureau d'où l'on ne percevait que le mur en brique. Elle l'observa, pinça les lèvres et pivota la tête en direction du commissaire.

« Si j'en crois votre réputation, commissario, vous comprendrez si je vous dis que le fait d'être une femme ne me facilite pas la tâche ; au contraire, cela me cause souvent des complications. »

Comme visiblement elle ne souhaitait pas s'étendre davantage sur la question, Brunetti confirma : « Je n'en doute absolument pas. Beaucoup de mes collègues n'aiment pas les femmes engagées dans la police.

— Ou même hors de la police, oserais-je dire », rétorqua-t-elle instantanément. Puis, reprenant son ton chaleureux, elle ajouta : « J'ai autre chose pour vous. » Elle ouvrit le tiroir de son bureau et en sortit une enveloppe qu'elle lui tendit. Elle avait imprimé le nom du commissaire sur le rabat. « Ce sont les informations factuelles à leur sujet, expliqua-t-elle. Leurs noms complets, adresses, numéros de téléphone ; leurs emplois actuels et leurs lieux de travail. Ils ont tous deux un casier judiciaire vierge. Vio a dû payer trois amendes pour excès de vitesse dans la *laguna*, mais rien de plus. » Sans laisser le temps à Brunetti d'intervenir, elle précisa toutefois : « Mais il se forme une nébuleuse grandissante… – et déplaisante – autour de sa personne. » Elle s'éclaircit la gorge pour revenir aux faits : « Il n'y a pas de double de la photo prise par l'homme de mon unité, et vous ne l'avez pas vue. »

Brunetti la remercia d'un signe de tête et glissa l'enveloppe encore fermée dans la poche intérieure de sa veste.

Ils gardèrent le silence un certain temps ; Brunetti était curieux de connaître l'issue de cette conversation. La capitaine, qui perçut sans aucun doute cette sensation, revint au sujet de départ. « À mon avis, ces rumeurs comportent une part de vérité. Elles nous sont parvenues de sources différentes : une ancienne petite amie de Vio et un cousin éloigné. »

Dans le rapport qu'elle avait rédigé, elle ne semblait pas intéressée par le fait que Vio fasse, ou non, de la contrebande de cigarettes ; Brunetti non plus, convaincu qu'il était peu probable d'y mettre un terme. « Que pensez-vous de lui ? » demanda-t-il.

Elle frotta une tache invisible sur son bureau en réfléchissant à sa réponse, puis elle finit par déclarer : « Je suppose que lui, ou que d'autres gens, pratiquent la contrebande. Pour l'argent. J'ai des amis ici dont les enfants sont allés à l'école avec Vio. Ils disent qu'il n'est pas spécialement brillant, mais qu'il a bon fond. Contrairement à son oncle, précisa-t-elle après un moment de pause.

— Et l'autre ? Duso ?

— Son père est avocat », déclara-t-elle. Ce mot provoqua cette fois un véritable déclic dans la mémoire de Brunetti : Duso était en effet l'avocat d'un ami qui avait toujours loué sa compétence et son intégrité.

Estimant qu'il n'avait aucune raison de mentionner ce détail à Nieddu, Brunetti resta silencieux et attendit qu'elle continue. « Il travaille déjà dans le cabinet de son père ; donc logiquement, il ferait mieux d'éviter de se retrouver impliqué dans toute affaire louche dans laquelle serait mêlé son ami. » C'était là une question de bon sens, mais cela ne prouvait pas que Duso eût aussi bon fond.

« Et les cigarettes ? s'informa Brunetti.

— Quelle importance, pour l'amour du ciel ?! » déclarat-elle instamment.

Se rendant compte qu'ils étaient parfaitement sur la même longueur d'onde, Brunetti proposa : « Pourrions-nous partager toute information qui nous parviendrait ?

— Avec plaisir », répondit-elle. Puis, même si ce point ne nécessitait aucune explication, elle ajouta : « Comme vous avez dû le remarquer, je ne vous ai pas demandé pourquoi vous vous intéressiez à ces deux femmes. D'après la presse, ils les ont amenées au Pronto Soccorso.»

Brunetti opina du chef.

«Une de mes voisines travaille à l'hôpital, poursuivit-elle, d'un ton rauque. Elle m'a dit dans quel état était les deux femmes quand ils les ont laissées sur le quai.

— Nous ne savons pas ce qui s'est passé, répliqua-t-il, gêné par ce piètre aveu.

— Mais nous savons bien qui les a amenées», répliqua-t-elle avec véhémence. Puis elle assena, d'une voix encore plus nouée de colère : «Les chiens sont mieux traités.»

Brunetti se leva et secoua son pantalon. Il le frotta ensuite des deux mains de chaque côté pour que le pli tombe bien en place, puis il conclut : «Merci, Laura, pour le temps que vous m'avez accordé et pour votre coopération. Nous tâcherons de leur parler aujourd'hui même, si c'est possible.» Il lui demanda s'ils pouvaient échanger leurs numéros de *telefonino*. Elle acquiesça avec un sourire et sortit son portable.

Après cette opération, Brunetti pivota pour quitter son bureau, mais elle ne le raccompagna pas à la porte. Il se retourna une dernière fois pour lui dire : «Au fait, lorsque je parlerai à Vio, je ne mentionnerai aucun élément sur lui ou sur son oncle. Je ne veux pas marcher sur vos plates-bandes.»

Elle approuva ces propos. «Alors, bonne chance !» s'exclama-t-elle.

Brunetti sortit et alla prendre sur la *riva* le numéro 2 pour San Zaccaria.

6

Sur le pont du vaporetto, Brunetti appela la signorina Elettra pour lui annoncer qu'il avait réussi à identifier les deux suspects et qu'il voulait les interroger à la questure. Il coinça son portable entre son épaule et son oreille, sortit l'enveloppe et lui dicta leurs contacts. Il lui confirma ensuite qu'il voulait l'autorisation d'un magistrat et que Patta donnerait sûrement son accord, vu le lien de cette affaire avec l'ambassade américaine. Brunetti se souvint que Patta, quelques années auparavant, avait été mentionné dans la presse internationale : *The New York Times* lui-même avait cité son nom et déclaré, conformément à son souhait, que « cette arrestation avait porté un coup sérieux à la 'Ndrangheta ». Tout coup porté contre la Mafia, pour la presse internationale, était toujours « sérieux », voire « très dur ». Aucun des grands journaux européens n'osait recourir au terme plus pertinent de « futile », ni même de « vain ».

Brunetti précisa que, une fois mis en garde à vue, les deux hommes ne devaient plus être autorisés à parler à qui que ce soit ni à passer le moindre coup de fil. Nul besoin de lui spécifier qu'ils devaient être soumis à l'interrogatoire séparément et il s'abstint aussi de lui apprendre que l'un d'entre eux n'était pas « à surveiller » selon les carabinieri.

«Dites à Pucetti d'aller chercher Vio et demandez à Vianello de prendre une autre navette et de ramener Duso. Tout ce que nos agents doivent savoir, c'est qu'ils ont été dépêchés pour conduire chacun d'eux à la questure et qu'ils doivent toujours veiller à s'exprimer au singulier.

— Bien entendu, commissario. Dois-je commencer à jeter un coup d'œil à leurs dossiers?

— Une capitaine des carabinieri vient de me dire qu'ils n'ont rien trouvé sur eux», lui expliqua Brunetti.

Entendit-il la signorina Elettra émettre un son d'incrédulité, comme si elle venait d'entendre une information inouïe? Ou de déception, face à une telle nouvelle?

Dans tous les cas, ce bruit suffit à lui mettre la puce à l'oreille et Brunetti conclut, le plus naturellement du monde: «Mais ne vous gênez pas pour mener vos propres recherches, signorina.» À ces mots, il relâcha sensiblement ses doigts agrippés à son *telefonino* puis, à l'instar d'un convive envoyant des fleurs pour réparer l'impair commis lors d'un dîner, il lui révéla: «L'oncle de l'un des deux vit à la Giudecca. Pietro Borgato. Peut-être pourriez-vous vous pencher sur son cas?

— Auriez-vous une idée de l'heure à laquelle vous pourriez être ici, signore?» s'enquit-elle. Brunetti regarda sa montre et fut surpris de voir qu'il était 13 heures passées.

«Je pourrais arriver avant 14 heures.

— Bien. Autre chose, signore?

— Tous deux ont grandi à Venise, précisa-t-il.

— Bien, répliqua-t-elle en acceptant sa requête tout aussi informelle qu'illégale de rechercher, dans les dossiers confidentiels des jeunes délinquants, toute donnée disponible sur leur passé.

—Voulez-vous bien dire aux deux jeunes que je suis en route ? Et de m'appeler en cas de problème ?

— Bien sûr », commissario, répondit-elle.

Brunetti remercia la signorina Elettra et raccrocha. Il se souvint alors qu'il n'avait toujours pas prévenu Paola qu'il ne rentrerait pas déjeuner. Espérant ne pas l'avoir inquiétée ou fâchée de ne pas l'avoir appelée plus tôt, il composa le numéro de chez eux. Peut-être parviendrait-il à lui parler avant qu'elle ne se mette à cuisiner.

On décrocha après quatre sonneries et une voix inconnue répondit : « Ristorante Falier ! Je suis au regret de vous annoncer que nous sommes fermés aujourd'hui. Veuillez rappeler à un autre moment. Merci pour votre compréhension. » Puis plus rien.

En guise de pénitence, Brunetti décida de manger deux *tramezzini* dans un des bars situés le long de la riva degli Schiavoni ; il ne put avaler qu'un morceau de chaque et ne parvint pas à boire le vin. S'interdisant de bougonner, il quitta la *riva* et marcha jusqu'au bar sur le ponte dei Greci, salua Sergio, le propriétaire, et commanda un *tramezzino* aux œufs et asperges et un autre au thon et à la tomate. Il les mangea debout, but un verre de pinot Grigio, puis prit un café. « Voilà ce que se tape maintenant un travailleur à l'heure du déjeuner, marmonna-t-il en se dirigeant vers la questure. La prochaine étape : m'arrêter pour manger une part de pizza ou acheter une boîte en carton remplie de spaghettis et les manger en marchant. Ou assis sur le pont du Rialto », murmura-t-il dans sa moustache, ce qui surprit une dame d'un certain âge qu'il dépassa sur son chemin du retour.

Il entra dans le bâtiment, leva la main en réponse au salut du planton et monta dans le bureau de la signorina Elettra qu'il n'avait pas vue avant d'aller au poste des carabinieri. Elle était assise à son bureau, partiellement vêtue pour l'automne, ou vêtue pour un automne partiellement arrivé : elle portait un pantalon beige, un sweater havane et des chaussures marron. Elle n'arborait ni le rouge ni le jaune des feuilles d'automne : aucun signe du joyeux orange des kakis mûrs ; pas de traces non plus des grenades habillées de pourpre. La vue de ces trois sobres teintes lui inspira un sentiment de déception. Même le vase de chrysanthèmes carmin ne suffit pas à égayer les yeux du commissaire.

Il lui demanda avec un sourire : « Des nouvelles ? »

Lorsqu'elle pivota sur son fauteuil pour se rapprocher de son bureau, Brunetti aperçut furtivement la manche en velours de sa veste accrochée au dossier : du ton écarlate des rideaux de théâtre, le genre de couleur dont auraient raffolé tous ces empereurs devenus complètement fous : comme Héliogabale, par exemple. Cela lui revigora l'esprit et lui redonna la foi, sans trop savoir en quoi.

« Foa a appelé pour dire qu'il serait là – elle jeta un coup d'œil à sa montre – … dans dix minutes environ.

— Quelles sont les pièces disponibles ? s'informa Brunetti.

— La 2 et la 4 », précisa-t-elle. C'étaient les salles d'interrogatoire les plus sinistres : peintes toutes deux d'un vert agressif, chacune équipée d'une table en plastique à deux sous et de quatre chaises de la même matière. Malgré les pancartes « Interdiction de fumer » visibles des deux côtés des portes, les deux salles puaient la cigarette et leur sol était couvert de cendres qui, à peine nettoyées, étaient aussitôt remplacées par celles de la personne suivante. Il y avait longtemps que cette odeur faisait l'objet de plaintes, aussi bien de la part des personnes interrogées que des interrogateurs. Toutefois, les suspects étaient autorisés occasionnellement à fumer, car cela les apaisait parfois au point de passer aux aveux.

Brunetti sortit son *telefonino* et appela Griffoni. Lorsqu'elle décrocha, il lui demanda : «Tu as su qu'on les avait trouvés ?

— Oui.

— L'un d'eux sera là dans dix minutes. Est-ce que tu voudrais…

— *Sì !* » s'exclama-t-elle si fort qu'il dut écarter son portable de l'oreille. Il entendit un bruit, puis un claquement sourd suivi d'un cliquetis métallique, suivi à son tour, vraisemblablement, d'un bruit de pas.

Il sortit dans le couloir et se dirigea vers la cage d'escalier. Au moment même où il arrivait, Griffoni, la main gauche sur la rampe, tournait pour emprunter les marches descendant à l'étage inférieur. À la vue de Brunetti, elle lâcha la rampe et ralentit.

«Ils ne sont pas encore arrivés», lui annonça le commissaire. Parvenue tout en bas de la volée de marches, Griffoni s'approcha de lui. «Raconte-moi tout», lui dit-elle. Ses joues rosies, sur son visage encore hâlé, contrastaient plus nettement encore avec ses cheveux blonds et ses yeux verts – contraste qui rendait d'autant plus difficile de croire qu'elle était originaire du Sud.

«Les carabinieri de la Giudecca les ont reconnus, lui expliqua Brunetti. Ni l'un ni l'autre ne sont fichés.

— Tu ne vas pas les interroger ensemble, n'est-ce pas?

— Claudia…, répliqua-t-il lentement, sans un mot de plus.

— Désolée, vraiment désolée. Bien évidemment.» Elle remonta une marche en disant, d'une voix soudain nouée et nerveuse : «J'ai vu la fille aujourd'hui.

— Celle qui est à Mestre?

— Oui», confirma-t-elle, les yeux rivés au sol.

Brunetti attendit et, face à son long silence, finit par demander : «Et alors?»

Griffoni leva une main et se frotta le côté de la bouche, un de ses gestes de nervosité. Elle secoua la tête. «Guido, elle a dix-neuf ans», puis elle continua en reportant son regard sur lui : «Elle est toujours dans le coma et ils ne peuvent pas l'opérer tant qu'elle ne reprend pas connaissance.»

Avant qu'elle ne puisse poursuivre, ils entendirent des voix provenant d'en dessous. Ils distinguèrent une voix d'homme, empreinte de peur, et la voix plus grave et calme de Pucetti. «Si vous voulez bien venir avec…», commença-t-il, mais ses mots devinrent inaudibles, sans doute au moment où il tourna vers l'arrière du bâtiment, en direction des salles d'interrogatoire. La voix plus forte déclara : «Je ne sais pas ce que vous êtes en train de…», mais elle s'adoucit aussi et se tut lorsque cette personne, probablement Vio, suivit l'agent.

Sachant qu'il ne disposait que de quelques minutes pour mettre Griffoni au courant, Brunetti lui expliqua, en désignant du menton les pas disparaissant à l'étage inférieur : «Celui-ci travaille comme batelier et son ami, qui était avec lui, est le fils d'un avocat et il exerce dans le cabinet de son père. Tout ce que j'ai pu apprendre, c'est que le batelier est un individu "à surveiller" selon les carabinieri de la Giudecca. Le bruit court qu'il fait de la contrebande de cigarettes et de palourdes.»

Elle émit un léger sifflement face à ces faits dénués de pertinence.

«Et peut-être d'autres choses, ajouta Brunetti.

— Ce ne sont que des bruits?» le coupa-t-elle.

Pucetti apparut soudain au pied de l'escalier et leur cria: «Commissari, je l'ai mis dans la salle 4!»

Brunetti le remercia tout en se dirigeant vers lui. Comme Pucetti travaillait avec lui depuis un certain temps déjà, le commissaire lui suggéra: «Est-ce que tu aimerais rester avec nous?

— Oh oui, monsieur, répliqua le jeune homme, d'un ton peut-être trop enthousiaste.

— Claudia?

— Mais certainement. Viens, Pucetti, nous allons voir ce qu'il sait sur les bateaux.»

À l'intérieur de la pièce, le jeune homme qui portait les lunettes de soleil sur la photo que Brunetti avait vue se tenait debout derrière une chaise, les mains agrippées à son dossier, comme s'il n'en avait que pour un instant et avait la certitude de pouvoir bientôt partir. Il portait un jean délavé et un sweatshirt bleu foncé, les manches retroussées pour exhiber ses avant-bras musclés, dont l'un entouré d'un tatouage en forme de bande. Il avait un visage rond, un nez en trompette et la coupe de cheveux à la mode: rasé de près de chaque côté. Mais même avec ces signes de jeunesse, il faisait plus âgé que sur la photo que le capitaine Nieddu avait montrée à Brunetti: il avait des cernes noirs sous les yeux et les traits tirés, comme sous l'effet de la douleur. Il avait la peau sèche et pâle sous les restes de son bronzage d'été et Brunetti avait l'impression de l'entendre respirer.

« Veuillez vous asseoir, signor Vio », dit le commissaire en s'approchant de la table. Il attendit que Vio tire une chaise et s'y installe. Comme il s'en abstint, Brunetti prit place et appuya sur un bouton vers la droite en le prévenant : « Notre conversation sera enregistrée, conformément à nos règles en vigueur. J'espère que vous êtes d'accord sur le principe. » Brunetti énonça cette dernière réflexion sur un ton révélant clairement qu'il n'espérait ni ne se souciait de savoir si le signor Vio était consentant ou non.

Vio s'assit précautionneusement, comme une demoiselle de l'époque victorienne, sans toucher le dossier de la chaise, en gardant une main sur le dossier : c'était la transposition visuelle, pour Brunetti, de l'*Argumentum ad Misericordiam*, l'appel à la miséricorde. Brunetti chassa de son esprit l'image de la jeune femme à l'hôpital, encore inconsciente, pour éviter d'accuser cet homme sous le coup de l'émotion. Vio ne chercha pas à dissimuler sa nervosité en regardant tout autour de lui. Sous sa barbe de trois jours, Brunetti put apercevoir la dentition parfaite typique de sa génération. Sa respiration était peu profonde et haletante.

Brunetti n'avait pris aucun papier avec lui. Les gens étaient parfois déconcertés de constater qu'il se souvenait apparemment de détails sur leurs personnes et de leurs faits et gestes sans avoir besoin de consulter le moindre document. Il était assis face à Vio ; Griffoni avait pris la chaise à la gauche de Brunetti ; Pucetti était debout sur la droite, appuyé contre le mur, les bras ballants ; il jouait le rôle de l'officier en uniforme prêt à bondir et à bloquer la personne interrogée à la première incartade.

«Pourriez-vous me dire où vous travaillez, signor Vio ? commença Brunetti d'un ton neutre.

— Où je travaille ?» répéta Vio comme s'il demandait le sens de ce terme. Il toussa à plusieurs reprises et posa sa main droite sur la bouche.

«Votre emploi, signor Vio. Vous avez bien un emploi, je suppose ?»

Vio chercha une position plus confortable, mais il fit une grimace et reprit sa posture droite et raide. «Oui. Je veux dire, je travaille pour mon oncle.» Tout Vénitien aurait compris, à sa manière de parler, qu'il venait de la Giudecca et qu'il était issu d'une famille d'ouvriers, depuis probablement plusieurs générations, et n'aurait pas été surpris, non plus, d'apprendre qu'il avait quitté l'école très tôt.

«Et que faites-vous pour votre oncle ?» s'enquit Griffoni.

Les yeux de Vio se tournèrent rapidement vers sa voix, comme si les femmes en étaient dépossédées. Il réfléchit à sa question et répondit, en s'adressant à Brunetti, et pas à la commissaire : «Je m'occupe de charger et décharger les marchandises que mon oncle transporte en ville. Parfois, je suis responsable du bateau ; parfois, non.» *Il respire comme une personne âgée*, songea Brunetti, *comment peut-il gagner sa vie en manipulant de lourds objets ? De quel degré d'indulgence doit faire preuve son oncle ?*

«Voulez-vous dire qu'il vous arrive de conduire le bateau ? précisa Brunetti.

— Oui.

— Avez-vous un permis, signor Vio ?

— Oui», répondit-il, et il se tourna sur le côté gauche. En mettant la main à la poche, il fit une nouvelle grimace et se bloqua, puis il regagna prudemment sa position antérieure en regardant Brunetti dans les yeux.

« Aucun problème, signor Vio. Nous pouvons le vérifier facilement. »

Vio écarquilla les yeux sous l'effet de la surprise, mais ne souffla mot.

« Quelle sorte de bateau conduisez-vous pour votre oncle ? s'informa Griffoni.

— Des bateaux de transport. Il y en a de trois tailles différentes », se mit soudain à expliquer Vio, mais il fut interrompu par une quinte de toux. Lorsqu'elle se calma, il enchaîna : « Je sais tous les manœuvrer.

— Je vois, fit Griffoni. Et votre permis vous autorise-t-il à conduire ces trois types de bateaux ? »

Comme Vio fit un signe d'assentiment, elle lui expliqua, d'un ton tout à fait aimable : « Vous devez vous exprimer à haute voix, signor Vio. »

Le jeune homme s'éclaircit la gorge avant de demander : « Que dois-je dire ? » Brunetti eut la sensation que Vio essayait de respirer profondément pour se calmer, mais en vain ; il dut se contenter de quelques brèves inspirations.

Brunetti lui expliqua, avec un sourire et l'affabilité d'un oncle : « Nous sommes en train d'enregistrer la conversation, donc vous devez répondre à la question de manière claire et concise.

— Oh, je vois, murmura Vio en fixant l'appareil. Merci. Ah oui. Le permis. Le mien est valable pour tous les bateaux.

— En possédez-vous un vous-même ?

— J'ai un *pupparìn*, mais je n'ai pas besoin de permis pour ce genre de bateau.

— J'en avais un quand j'avais votre âge, répliqua Brunetti avec l'air le plus sincère du monde. Mais je n'ai jamais voulu y mettre de moteur.

— Moi non plus, signore.

— Alors que faites-vous pour le Redentore ?» demanda Brunetti, d'un ton curieux et intéressé. N'avait-il pas son propre bateau, suffisamment grand pour sortir avec un groupe d'amis dans le *bacino*[1] et aller voir les feux d'artifice ? Quel Vénitien, ô grands dieux, manquerait cette occasion ?

Le visage du jeune homme se détendit un peu. «Mon oncle me laisse prendre un de ses bateaux.

— Oh, c'est très aimable à lui, intervint Griffoni. Ce doit être agréable pour vous de voir qu'il vous fait autant confiance.

— Il sait que je suis un bon pilote», répliqua Vio, fier évidemment de pouvoir affirmer un tel constat. Il toussa de nouveau. Cette fois, il sortit un mouchoir blanc plus très propre et s'essuya la bouche à la fin de sa quinte de toux.

Brunetti, derrière lui, entendit Pucetti gigoter. Il réfléchit à la différence entre ces deux jeunes gens, du même âge, mais aux trajectoires si différentes.

«Cela doit vous faire plaisir de pouvoir emmener vos amis dans la *laguna*, déclara Griffoni d'un ton admiratif, comme si c'était son rêve d'aller faire un tour en bateau, en compagnie d'amis.

— Oui, signora», lui confirma Vio.

C'est trop facile, songea Brunetti, qui hésita à refermer le filet sur la tête creuse de ce garçon. Et d'ailleurs pourquoi, se demanda-t-il, prenait-il Vio pour un garçon ?

«Est-ce que vous le faites ? s'enquit le commissaire.

---

1. Le bassin de Saint-Marc.

— Faire quoi, signore?

— Emmener vos amis dans la *laguna*», lui répondit Brunetti tout sourire.

Brunetti put détecter sur le visage du jeune homme le moment où il assimila la question. Vio avait dû croire que le ton légèrement chaleureux de ses deux interlocuteurs était une marque de bienveillance de leur part, qu'il avait réussi à leur donner l'impression d'être un bon travailleur et donc de quelqu'un de bien, qui s'était retrouvé là par pure erreur. Mais la question de Brunetti fit s'écrouler ce rêve et ramena le garçon à la cruelle réalité: il était bel et bien à la questure, où il subissait un interrogatoire de police en bonne et due forme.

«Oh, répliqua Vio, les doigts crispés, cela ne se produit pas souvent. Au Redentore.» Il regarda ses mains, les décroisa et les posa à plat devant lui, pour pouvoir les maîtriser.

«Il y a déjà quelques mois que le Redentore a eu lieu, lui rappela Brunetti. Avez-vous fait d'autres sorties entre amis, depuis?

— Non! rétorqua Vio. Je travaille le week-end. Je n'ai pas le temps.» Toute autre tentative de défense fut contrecarrée par une toux brève, puis par une nouvelle série d'inspirations rapides.

«Vraiment?» demanda Griffoni lorsqu'il cessa, comme si les informations en sa possession divergeaient de cette déclaration. Elle leva les sourcils, regarda Brunetti en coin, puis elle lança: «Ce n'est pas ce que l'on vous a dit, n'est-ce pas, commissario?

— Eh bien, répondit-il en laissant planer le suspense le plus longtemps possible, peut-être y a-t-il une erreur.

— Peut-être», répéta Griffoni, sans grande conviction.

Vio les regarda tour à tour, comme s'il imaginait que garder ses yeux sur eux, au fur et à mesure de leur discours, lui permettrait de comprendre ce qui était en train de se jouer.

Brunetti reporta son attention sur Marcello. «Nous voudrions vous poser quelques questions au sujet de samedi soir, signor Vio», lui spécifia-t-il.

Ce dernier les fixa l'un après l'autre, bouche bée, sans un mot. Il était immobile – telle une proie –, en attente, trop effrayé pour pouvoir bouger d'un iota.

Brunetti sourit de nouveau; c'était l'amabilité faite homme. «Pourriez-vous nous éclairer sur ce que vous avez fait samedi soir, signor Vio?

— Je… Je suis allé me promener.

— Étiez-vous chez vous lorsque vous avez décidé d'aller faire cette promenade?» s'enquit Griffoni. Elle lui sourit pour suggérer que son but était simplement de faire passer le temps.

— Oui.

— Et où habitez-vous, si je puis vous le demander?

— Près de Sant'Eufemia.

— Je vous prierais d'être patient avec moi, signor Vio, énonça-t-elle avec un sourire plus doux; je ne suis pas vénitienne, donc je ne sais pas où c'est.»

On aurait dit, le temps d'un instant, que le signor Vio ne le savait pas non plus, mais ensuite, il répondit: «C'est à la fin du canal, juste avant d'arriver chez Harry's Dolci. Au numéro 630.» Il leva un bras, comme pour indiquer sa maison, mais son geste fut bloqué par une grimace de profonde douleur et par une toux semblable à un aboiement. Et voilà son mouchoir ressorti, avec lequel il s'essuya de nouveau la bouche.

«Merci, signor Vio», dit Griffoni.

Brunetti intervint pour ajouter : « Il n'y a pas grand-chose à y faire, le samedi soir, à mon avis. » Puis, pensant qu'il devrait laisser entendre à Vio qu'il connaissait bien l'endroit en question, il précisa : « Même la Palanca ferme à 22 heures.

— Non, non, pas là, rétorqua Vio.

— Oh, où êtes-vous donc allé ? » s'informa allègrement Griffoni, comme s'il n'avait qu'à lui livrer le nom du coin vénitien où il avait décidé de se rendre pour qu'elle le laisse en paix.

Brunetti et Griffoni étaient parvenus à développer un véritable état de symbiose lorsqu'il s'agissait de tromper et de leurrer les suspects ou toute personne qu'ils interviewaient ensemble. Ils alternaient les rôles du bon ou du méchant flic. Ils n'avaient jamais discuté de cette stratégie ni ne se mettaient jamais d'accord avant de parler à quelqu'un : ils cherchaient simplement la faille et s'y engouffraient, aussi instinctivement que des requins.

« De l'autre côté, précisa Vio, de mauvaise grâce.

— Du canal de la Giudecca ? s'enquit Griffoni, comme si elle croyait qu'il pouvait y avoir un autre canal à traverser depuis cette île.

— Oui.

— Et où êtes-vous donc allé ? »

Vio ouvrit la bouche pour répondre, mais avant même qu'il pût proférer un son, Brunetti lui demanda : « Avez-vous vu quelqu'un que vous connaissiez ? »

Vio referma brusquement la bouche, ils le virent se rejouer mentalement son parcours à travers la ville, ce fameux samedi soir. Sa respiration s'emballa et sa nervosité semblait l'empêcher de s'oxygéner suffisamment.

Vio hocha la tête et agita une main, incapable de parler.

Brunetti attendit qu'il se soit calmé, puis lui demanda, sans la moindre once d'amabilité : «Qui avez-vous rencontré ?

— Quelqu'un avec qui je travaille.

— Qui ? » insista Brunetti.

Vio garda le silence un moment et finit par lâcher : «La secrétaire de mon oncle.» Brunetti dissimula son plaisir à cette réponse : en effet, il y avait plus de chances qu'une femme dise la vérité si on lui demandait de corroborer cette information : non pas que les femmes, comme il le disait à ses fidèles informateurs, soient plus honnêtes, mais elles redoutaient davantage les instances judiciaires.

«Et où êtes-vous allé ? poursuivit Brunetti.

— Campo Santa Margherita. C'est là que je l'ai vue.

— Oh, vous avez fait tout ce chemin ?» demanda Griffoni en manifestant une vive empathie, comme si tout trajet dans la ville depuis la Giudecca revenait à aller de Venise à Rome.

«Non, démentit Vio d'une voix presque inaudible.

— Et avez-vous pris un bateau ?

— Oui.»

Telle une étrangère faisant montre de sa familiarité avec les vaporetti, elle demanda fièrement : «*Numero Due*?»

Brunetti voulait surtout savoir si le jeune homme était resté jusqu'au terminus de Santa Marta.

Vio était assis seul face aux commissaires. Il semblait mal à l'aise, comme si une foule de gens l'entourait de tous côtés. Il avait la sensation d'être pris au piège.

Il baissa la tête et murmura quelque chose dans sa moustache.

«Excusez-moi, dit Griffoni plaisamment, je ne vous ai pas entendu.

— J'ai pris…», marmonna-t-il, puis il se leva d'un coup et pivota, comme pour s'échapper. Son pied buta contre la chaise et il se recroquevilla brusquement sous l'effet de la douleur. Il se mit à pousser des gémissements, comme si les gens dans la pièce l'avaient blessé dans sa chair. Il s'affaissa sur la table, et commença à glisser en se lamentant plus fort.

Puis, comme si cette scène choquante n'avait pas suffi, il fut soudain pris par une violente quinte de toux. Un mince filet de salive maculée de sang lui coula de la bouche et il tomba à terre. Cette scène paralysa les trois enquêteurs.

7

Pucetti fut le premier à réagir ; prenant appui sur la table, il bondit auprès de Vio qui était au plus mal. Le jeune officier déchira la chemise de Vio pour prodiguer des soins de premier secours. Il avait superposé ses mains et les tenait au-dessus du torse de Vio, prêt à les presser pour redéclencher les battements de son cœur, mais Griffoni, qui s'était approchée de la table, poussa Pucetti si fort qu'il faillit s'écraser contre le mur.

Brunetti s'agenouilla de l'autre côté de Vio et vit ce qu'elle avait aperçu.

«Regardez !» s'écria-t-elle en désignant la poitrine de Vio.

Cet homme, qui passait la journée à soulever, traîner et déplacer des poids très lourds, avait un torse à faire pâlir de jalousie les culturistes. On pouvait compter ses côtes sur le côté gauche, aussi nettes et distinctes que les lames d'un store. Mais sur le côté droit, elles s'étaient enfoncées dans la chair et n'étaient plus visibles. Toute cette partie de son corps était noire de contusions : formant une bande de la largeur d'un iPad, elles partaient de la clavicule et s'étendaient jusqu'à la taille.

Vio bougea, gémit, puis tout son corps fut saisi de secousses tel un poisson hors de l'eau. Il haleta, encore et encore, puis expira d'un seul coup en crachant un autre filet de salive veinée de sang.

Brunetti sortit son portable et appela les secours, se présenta en précisant son grade et demanda d'envoyer immédiatement une ambulance à la questure. Il raccrocha, sachant qu'il n'était pas en mesure d'expliquer la situation, et il garda la ligne libre au cas où l'hôpital essaierait de le contacter.

Brunetti observa Vio et s'aperçut que les quintes de toux étaient moins rapprochées et s'étaient affaiblies. Griffoni avait trouvé une couverture et l'étendit sur le jeune homme; Pucetti avait disparu. Brunetti n'osa pas toucher Vio, de crainte d'aggraver les lésions si clairement visibles sur son corps. Il se leva, se sentant impuissant face à une souffrance qu'il ne pouvait soulager.

Il resta là, entouré de toute cette technologie de pointe qui lui garantissait la possibilité de demander de l'aide dans tout le pays – voire dans le monde entier – s'il le voulait. Alors qu'un homme était couché à ses pieds, tordu de douleur, en train de saigner, avec des problèmes respiratoires conséquents, et lui ne savait que faire – excepté attendre l'arrivée de ceux qui en savaient beaucoup plus long sur la manière de sauver des vies ou de résoudre les énigmes du corps humain.

Brunetti avait assisté à la naissance de ses deux enfants, si être debout dans le couloir à l'extérieur de la salle de travail – grâce aux relations de son frère au sein de l'hôpital – signifiait y assister. Là aussi, il avait entendu les halètements pénibles de douleur, sans savoir exactement ce qui les provoquait, même s'il savait parfaitement ce qui y mettrait un terme. Et c'est ce qu'il advint.

L'arrivée de l'ambulance, toutes sirènes dehors, le fit revenir à la réalité, à ces plaintes, à cet homme et son mal-être. Puis la cacophonie s'apaisa. Brunetti posa sa main sur l'épaule de Griffoni et désigna du menton l'autre côté de la pièce, qu'ils gagnèrent d'un seul pas. Un instant plus tard, une femme en blouse blanche entra rapidement, suivie de près par un membre de l'équipe d'urgence qui portait une bonbonne d'oxygène et un masque.

À la vue de Griffoni et de Brunetti, la médecin leur demanda, avec un calme étonnant : « Dites-moi ce qui est arrivé. »

Brunetti prit la parole. « Nous étions en train de l'interroger pour les besoins d'une enquête. Il toussait beaucoup et avait du mal à respirer. Et tout d'un coup, il s'est levé, a perdu l'équilibre et est tombé.

— Quand cela s'est-il produit ? »

Brunetti regarda sa montre. « Il y a seize minutes », répondit-il.

La médecin acquiesça et se tourna vers l'homme derrière elle pour prendre le masque à oxygène, qu'elle appliqua sur le nez et la bouche de Vio, puis elle prit son pouls en regardant ses meurtrissures. Elle sortit un stéthoscope de la poche de sa veste et le posa sur la poitrine du jeune homme. Elle observait son visage en l'écoutant avec minutie, puis elle remit le stéthoscope dans sa poche et se pencha sur Vio.

Deux autres hommes entrèrent dans la pièce : l'un portait un brancard encore plié.

« Signore, dit la médecin en s'inclinant au-dessus du patient, m'entendez-vous ? »

Vio émit un bruit.

«Nous devons vous déplacer», lui expliqua-t-elle. Deux hommes vinrent vers lui en dépliant la civière tandis qu'elle lui parlait.

«Cela va vous faire mal, signore, le prévint la médecin en lui prenant la main. Mais essayez de ne pas bouger. Je pense que votre côte a perforé votre poumon et il faut vous emmener à l'hôpital. Nous devons faire vite avant que la blessure ne crée davantage de problèmes.»

Comme Vio ne proférait aucun son, elle lui demanda : «Avez-vous compris?»

Cette fois, un grognement se fit entendre.

Elle frotta ses mains le long de son pantalon pour les réchauffer et se pencha de nouveau vers lui. «Je vais vous toucher. N'ayez pas peur.»

Comme Vio ne répondait pas, elle attendit un moment avant de poser d'abord une main, puis l'autre de chaque côté de sa poitrine et d'effectuer de légères pressions de ses doigts sur la cage thoracique. Vio resta immobile. Toutefois, lorsqu'elle passa ses doigts sur ses contusions, la plainte se fit plus aiguë.

Elle tira un petit sac vers elle, l'ouvrit et expliqua à son patient : «Je vais vous donner un analgésique, signore ; cela va vous aider, mais vous continuerez à avoir mal. S'il vous plaît, essayez vraiment de ne pas bouger pendant que mes collègues vous hisseront sur le brancard.»

Silence.

«Avez-vous compris?»

En guise de réponse, Vio toussa ; il parvint cependant à dire : «*Sì*», mais pas un mot de plus. Elle prit une petite ampoule remplie de liquide clair et une seringue enveloppée de plastique. D'un geste rapide et efficace, elle lui injecta le liquide et tapota son épaule plusieurs fois, comme pour le réconforter ou le préparer à l'opération qui allait suivre.

La médecin se leva et gagna la porte ; les brancardiers se rapprochèrent de Vio. Brunetti et Griffoni sortirent dans le couloir. Ils entendirent un bruit furtif, un cliquetis métallique sur le carrelage, un soupir, puis un grognement étouffé ; un des hommes passa dans le couloir, suivi du deuxième, en poussant le brancard sur lequel était étendu Vio, pâle comme un linge. Un troisième homme portait l'oxygène, en restant à proximité de la civière.

Brunetti et Griffoni se plaquèrent contre le mur et les virent disparaître peu à peu dans le couloir. Au bout d'un moment, la médecin réapparut, son sac à la main. Elle fit un signe de tête dans leur direction, en leur disant simplement : « Nous l'emmenons à l'Ospedale Civile. »

Brunetti et Griffoni les suivirent dans le hall d'entrée et sortirent avec eux par l'entrée principale. Une ambulance était amarrée sur le quai, avec le moteur en train de tourner. Les brancardiers se dirigèrent vers elle et à ce moment précis, Brunetti entendit un autre bateau s'approcher. Il aperçut la vedette de la police, avec Foa à la barre, Vianello à côté de lui et à sa gauche, un jeune homme aux cheveux bruns, ébouriffés par le vent.

Foa s'arrêta nez à nez avec l'ambulance ; Vianello bouscula le jeune homme et sauta sur la *riva*, livide sous l'effet du choc. « Que se passe-t-il ? » demanda-t-il à Brunetti.

Sans attendre la réponse du commissaire, le jeune homme bondit du pont du bateau et courut vers la civière que les brancardiers avaient laissée sur l'appontement en attendant que se dénoue la cohue des bateaux. Ne tenant absolument pas compte des gens debout près du brancard, il s'agenouilla et se pencha au-dessus de

Vio. «Marcello, Marcello!» cria-t-il, d'une voix étranglée par la panique.

Brunetti s'avança vers eux, mais Griffoni le saisit vivement par le bras et le tira assez fort pour le faire revenir sur ses pas.

Vio ouvrit les yeux et dit quelque chose, puis bougea la main vers le jeune homme. Duso – qui d'autre pouvait-ce être? – la couvrit des siennes, sans un mot.

La médecin le rejoignit et lui tapota l'épaule. «Bon, cela suffit maintenant. Nous allons le transporter à l'hôpital.» Elle se tourna vers les trois assistants en leur ordonnant de le descendre dans le bateau.

Ils s'exécutèrent et soulevèrent le brancard et la main de Duso se détacha de celle de Vio. Ils grimpèrent à bord et glissèrent la civière à l'intérieur, puis la médecin monta après eux. Le troisième homme alla se placer près du pilote. Duso resta agenouillé par terre, trop surpris pour réagir: il ne pouvait que suivre l'ambulance des yeux, jusqu'à ce qu'elle disparaisse au loin.

Brunetti aperçut les larmes sur ses joues avant qu'il ne parvienne à les essuyer. Encore sous l'effet du choc, perceptible dans sa voix, il demanda: «Que s'est-il passé?

— Il s'est évanoui pendant que nous étions en train de lui parler, expliqua Brunetti. La médecin pense qu'il s'est cassé une côte et qu'elle lui a perforé le poumon.»

Sans laisser le temps à Duso de répliquer, Brunetti poursuivit, en inventant l'histoire que le jeune homme devait sans doute avoir besoin d'entendre. «Ils vont lui faire passer des examens complémentaires par prudence.» Il vit que Duso réagissait aussi bien au calme de sa voix qu'à ses propos.

Brunetti lui suggéra, en désignant la porte de la questure : « Voulez-vous nous suivre par ici ? Ce ne sera pas long. » Une fois à l'intérieur, il marcha près de Duso tandis que Griffoni les conduisait tous deux à l'arrière du bâtiment, vers la salle des interrogatoires attenante à celle où Vio avait perdu connaissance.

Cette pièce était parfaitement en ordre : elle présentait deux lampes de bureau sur la longue table, des chaises de chaque côté et même une carafe d'eau et quatre verres.

Brunetti indiqua un siège loin de la porte et attendit que Duso s'assoie. Cette chaise se trouvait exactement à l'opposé d'un double dispositif électrique : une partie était en fait constituée de la lentille d'une caméra qui projetait l'image de la personne interrogée sur un écran de télévision situé dans la pièce contiguë, tandis que la grande lampe de bureau captait les sons.

Brunetti et Griffoni prirent place de l'autre côté de la table et Brunetti s'installa précisément en face de Duso. La certitude que Vianello fût en train d'observer le jeune homme le réconfortait : son ami avait une sensibilité aux voix digne d'une chauve-souris et il était imbattable pour déceler les non-dits : là où certains entendaient de la méfiance, lui détectait de la peur. Là où d'autres entendaient de la soumission, lui percevait de la tromperie.

Brunetti porta son attention sur le jeune avocat.

Ce n'était jamais une chose aisée que d'interroger un avocat, Brunetti le savait, tout comme Griffoni. Persuadés d'être les seuls véritables exégètes de la loi, les avocats partent souvent du présupposé que la police connaît mal les nombreux méandres et circonvolutions de la légalité, ses apparentes contradictions et les multiples interprétations qu'elle peut offrir à ses disciples. Le jeune Duso, en début de carrière, et donc moins expérimenté, pourrait presque oublier que ses deux interlocuteurs avaient fait des études de droit et auraient pu devenir avocats, s'ils l'avaient souhaité. Il aurait pu également être surpris d'apprendre que leurs années conjointes d'expérience en matière juridique excéderaient probablement celles de son père ou de tout associé dans son cabinet.

Chez les jeunes, la pensée s'exprime souvent de manière allégorique, et plus rarement sous forme verbale. Il était donc possible que l'avvocato Duso se vît comme un tueur de dragons, capable de pulvériser tout obstacle entravant son chemin. Mais s'il se rendait à l'Accademia et s'il avait eu l'occasion de visiter la collection du musée, il aurait certainement vu le petit Mantegna représentant saint Georges dans son armure, le regard orienté vers la gauche, afin de détourner les yeux du spectateur de ce qui gît à ses pieds : un dragon, avec sa gueule transpercée qui semble sortir du cadre du tableau en un triomphant effet de trompe-l'œil.

Le contact de la main de Griffoni sur son bras le fit sortir de sa rêverie et il revint au jeune avocat. « Avvocato Duso, commença-t-il de façon formelle, permettez-moi de me présenter : je suis Brunetti, commissario di polizia. Et voici ma collègue, commissario Claudia Griffoni. Nous vous avons demandé de venir afin d'éclaircir certaines de nos interrogations. Je vous informe que cette conversation est enregistrée. Est-ce clair ? »

Filiberto Duso était un beau jeune homme. Il avait de hautes pommettes bien marquées et le nez fin et droit. Ses dernières traces de bronzage faisaient ressortir davantage encore ses yeux bleus. Il était rasé de près et avait des fossettes quand il souriait. Mais ses cheveux auraient eu besoin d'une bonne coupe.

«Filiberto Duso, finit-il par dire, sans la moindre tentative de tendre la main par-dessus la table.

— Signor Duso, merci d'être venu, commença Brunetti, curieux de voir comment Duso réagirait à une remarque qui appelait une réponse sarcastique.

Le jeune homme avait eu de toute évidence le temps de se ressaisir du choc dû à la vision de son ami transporté en ambulance car il répliqua, avec une certaine assurance : «Comme je suis avocat, il est de mon devoir, mais c'est aussi mon ambition, d'aider la police.

— Merci», répliqua simplement Brunetti en se tournant du côté de Griffoni. Sans doute serai-t-elle plus douée que lui pour le provoquer?

«Nous aimerions vous parler des événements survenus samedi soir, signor Duso, expliqua-t-elle.

— Quels événements?» demanda Duso.

Ignorant sa question, Griffoni enchaîna : «Nous souhaiterions savoir où vous étiez ce soir-là, et vérifier si vos propos sont similaires à ceux de signor Vio.»

Si Brunetti ou Griffoni s'étaient imaginé que l'évocation du nom de Vio aurait affecté Duso, ils se seraient bien trompés, car il répondit calmement : «J'ai dîné avec mes parents à 20 heures et je suis resté avec eux jusqu'à 22 heures.

— Et ensuite? s'enquit-elle d'un ton affable.

— Ensuite, je suis rentré chez moi.

— Pouvez-vous nous préciser votre adresse?

— Dorsoduro. Au numéro 950, compléta-t-il de sa propre initiative. Au bord du canal, juste à l'angle de la gelateria da Nico.»

Elle opina du chef, feignant de savoir exactement où c'était.

« Ah, près de l'arrêt de bateau, intervint Brunetti. C'est un emplacement idéal pour la Giudecca.

— Par ailleurs non loin de la gare, ajouta Duso, comme s'il achevait la phrase de Brunetti. En prenant le numéro 5.2, j'y suis en dix-huit minutes. » Il spécifia le temps du trajet à Brunetti, comme s'il espérait que cette remarque lui soit utile à l'avenir. Brunetti le remercia.

Quel petit malin, songea Brunetti. *Il pourrait rester toute la matinée à parler allègrement d'horaires de vaporetto et de trajets.*

« Revenons à votre appartement, signor Duso, si vous voulez bien, suggéra Brunetti d'une voix amicale. Vous habitez donc tout près du campo Santa Margherita, n'est-ce pas ? »

Duso s'enfonça dans son fauteuil et sourit aimablement. « Je crains de ne plus avoir l'âge de fréquenter le campo Santa Margherita, commissario. J'y ai passé énormément de temps quand j'étais à l'université, sans doute trop. » Il soupira, à l'instar d'un vieil homme faisant remarquer que la phase des enfantillages était révolue.

Duso croisa les mains devant lui. « En outre, ce n'est plus comme à mon époque. » Brunetti observa que Duso se retint de secouer la tête tristement avant de poursuivre : « Il y avait de l'alcool, en ces années-là, beaucoup d'alcool, mais beaucoup moins de drogue. »

Brunetti attendit de voir quelle gestuelle adopterait Duso pour exprimer sa désapprobation, mais il poursuivit. « Aujourd'hui, c'est une véritable foire à la débauche : les gens au bureau me disent qu'on y trouve de tout.

— Cela ne vous intéresse pas ? » s'enquit Griffoni.

Duso sourit à sa question, haussa les épaules et avoua : « Non, plus maintenant. Je ne pense pas que les arrestations soient rétroactives, donc je peux vous dire que j'ai pris de la drogue une ou deux fois, pour essayer : du haschich, de la marijuana ; j'ai même pris des pilules qu'on m'a données une fois afin de rester réveillé pour préparer un examen. » Il semblait étonné de ce qu'il avait pu faire étudiant.

« Mais à présent, non, réitéra-t-il, en les regardant tous deux d'un air sérieux.

— Tout cela est assurément très intéressant, signor Duso, affirma Brunetti. Mais pourrions-nous revenir à la question du campo Santa Margherita ?

— Et aux événements du samedi soir », ajouta Griffoni.

Duso afficha un air surpris. « Je ne vois pas où vous voulez en venir, signori, et je ne comprends pas pourquoi vous insistez sur cette histoire de campo Santa Margherita.

— Y étiez-vous samedi soir dernier ? » lui demanda Brunetti sans ambages.

Duso regarda le commissaire, puis Griffoni, puis la table et Brunetti pouvait presque l'entendre peser le pour et le contre. Marcello ne parlerait pas, donc qui pouvait l'avoir vu là-bas ? Qui, parmi les nombreux groupes de jeunes, l'aurait aperçu, reconnu, ou se serait souvenu de lui ? Qui aurait pu les voir monter dans le bateau avec les deux Américaines ?

Duso reprit ses esprits. « Pourquoi voulez-vous le savoir ?

— Parce que nous sommes des officiers de police et que nous enquêtons sur une affaire ayant débuté au campo Santa Margherita. »

Le temps qu'il mit à réagir attestait combien il avait l'esprit occupé. « "Ayant débuté" ?

— Oui, répondit Brunetti, c'est pourquoi nous voulons savoir si vous étiez là-bas.

— De quel affaire s'agit-il ?

— Un délit de fuite, commença Brunetti, avec violation des règles de la navigation. Non-assistance à personne en danger. »

À ces mots, Duso rétorqua : «Mais nous...», puis il se tut.

«Vous quoi, signor Duso ? Les avez transportées à l'hôpital et les avez laissées sur le quai ? Sans appeler personne ? À 3 heures du matin ? »

Duso demanda, d'une voix désormais moins ferme : «J'ai le droit de passer un coup de fil, n'est-ce pas ? »

— Oui, approuva Brunetti. Vous êtes libre d'appeler ici, à tout moment. »

Sans un mot de plus, Duso sortit son *telefonino* de la poche intérieure de sa veste et appuya sur un numéro. À la troisième sonnerie répondit une voix d'homme.

«*Papi*, c'est Berto, dit Duso d'une voix de petit garçon. J'ai des ennuis. »

8

Comme j'aurais préféré ne pas avoir entendu cet appel, songea Brunetti. Cela aurait pu être son propre fils : contrit,
effrayé, sans trop savoir quels préjudices son comportement
pouvait causer à la carrière de son père. Cette crainte ne
transparaissait pas dans les mots du jeune homme, mais
bien dans la peur, le respect et la honte qui se mirent à
l'assaillir de tous côtés lorsqu'il appela son père, jusqu'au
moment où il lui dit au revoir. Il resta assis, les yeux fermés,
la main retournée sur la table, comme un Christ des temps
modernes se préparant à la perforation du premier clou.

Brunetti se rendit compte qu'il avait pris plaisir à traiter
avec le jeune avocat et qu'il avait été ravi de cette joute
oratoire avec lui. Il avait apprécié ses manières, même si
tous deux avaient commencé par se lancer des piques. Le
jeune homme avait l'esprit vif et il ne s'abaissa jamais à
recourir au sarcasme ; il fit montre également d'une poli-
tesse à toute épreuve.

Ils sont si fragiles, ces jeunes, pensa Brunetti ; *leur assurance
n'est qu'une façade.* Plus de trente ans séparaient les deux
hommes et la génération de Duso avait grandi dans des nids
douillets, bichonnée par des parents qui avaient réussi leur
vie, étant eux-mêmes les héritiers des artisans du miracle
économique des années soixante.

Brunetti était allé à l'université avec leurs parents. Il se rappelait encore combien il en enviait certains, avec leurs vestes signées Duca D'Aosta, le magasin disparu depuis longtemps de la Frezzeria et transféré à Mestre – tiens, comme c'est étonnant! Et leurs belles chaussures Fratelli Rossetti, qu'ils changeaient à chaque nouvelle saison, et combien il avait désiré sa paire de mocassins à glands marron qu'il aurait portés sans socquettes après avoir suffisamment économisé pour pouvoir s'en acheter. Et maintenant, il en avait une paire qu'il n'aimait plus trop et qu'il portait avec des chaussettes.

Il se pencha sur sa chaise en disant: «Signor Duso?»

Pas de réponse.

«Signor Duso?» répéta-t-il d'une voix normale.

Duso ouvrit les yeux, vit sa main ouverte et la referma brusquement avant de se redresser. Il descendit les manches de sa veste et resserra sa cravate. «*Sì*, commissario? fit-il, en parvenant presque à garder une voix ferme.

— Nous allons devoir poursuivre notre entretien, s'enquit Brunetti. Vous étiez en train de nous parler de samedi soir», ajouta-t-il, sachant pertinemment que c'était faux. Mais cette formulation aiderait peut-être Duso à raconter son histoire.

«Marcello et moi sommes allés au campo Santa Margherita pour voir si nous pouvions rencontrer des filles, commença-t-il, les bras croisés.

— Marcello Vio?» s'informa Brunetti.

Duso fit un signe d'assentiment en expliquant: «Oui. Nous le faisons toutes les deux semaines et samedi, c'était probablement la dernière fois où il aurait fait assez chaud pour passer la soirée dehors.

— Avez-vous du succès, habituellement?

— La plupart du temps, oui. Certaines d'entre elles étaient en classe avec moi ou sont encore étudiantes, donc je les connais. Nous voyons aussi des filles que connaît Marcello et nous sortons avec elles ; ou bien nous faisons la connaissance de touristes ; parfois, nous allons nager.

— Et les filles que vous avez rencontrées samedi, vous les connaissiez ? »

Il secoua la tête. « Non. Nous avons commencé à bavarder. Je parle anglais, Marcello pas vraiment, mais cela ne les dérangeait pas. »

Il marqua une pause et Brunetti se demanda alors si Duso n'était pas en train d'échafauder tout un discours à l'encontre des deux jeunes femmes pour expliquer qu'elles avaient insisté pour aller dans la *laguna* de nuit, parce que ce devait être si romantique. Et peut-être que ce sont les filles mêmes qui leur ont suggéré de les emmener sur une plage, quelque part.

« Comment avez-vous engagé la conversation ? » demanda Griffoni, sans doute parce qu'elle ne voulait pas entendre les propos auxquels s'attendait Brunetti.

« Il se trouve qu'elles avaient atterri à cet endroit, après avoir marché toute la journée dans Venise, et j'ai cru comprendre, à la manière dont elles en parlaient, qu'elles avaient beaucoup d'intérêt pour la ville ; puis l'une des deux a dit qu'elle aimerait voir les canaux la nuit. Il était minuit passé, précisa-t-il.

— Mais vous êtes sortis dans la *laguna*, n'est-ce pas ? s'enquit Griffoni.

— Oui, mais après, répondit-il simplement.

— Après quoi ? insista-t-elle.

— Nous avons circulé une heure environ dans la ville, mais après ce tour, Marcello m'a dit qu'il en avait assez, qu'il avait faim et voulait aller au bar des Tolentini qui reste ouvert jusqu'à 2 heures du matin. J'en ai touché un mot aux filles; elles ont ri et ont dit qu'elles avaient plein de provisions avec elles.

— À 1 heure du matin?» s'étonna Griffoni.

Duso continua, comme si elle n'était pas intervenue. «Nous sommes allés à la Punta della Dogana[1] et nous nous sommes assis sur les marches.» Il se détendit un peu à l'évocation de ce souvenir. «Elles avaient de tout avec elles: du saucisson, du jambon, du fromage, et deux miches de pain, des olives et des tomates. Assez à manger pour nous tous et même une bouteille de vin. Je leur ai demandé pourquoi elles avaient toutes ces victuailles et elles ont expliqué qu'elles les auraient ramenées dans leur chambre le soir si elles n'avaient pas trouvé un joli endroit dans la ville où pouvoir dîner. Si bien que nous avons pique-niqué. Une fois le repas terminé, elles nous ont fait tout ramasser: les papiers, les déchets, les serviettes et les emballages. On a dû tout rassembler dans un des sacs en plastique et celle qui s'appelait Jojo l'a mis sous le siège à l'arrière et nous a dit de le jeter le lendemain matin à la poubelle. Elles nous l'ont fait promettre.

— Et puis, qu'avez-vous fait? s'enquit Griffoni.

— Nous sommes sortis... dans la *laguna*.

— Où dans *la laguna*? insista Brunetti.

— Nous avons pris la direction de Sant'Erasmo[2].

— Ce n'est pas tout près, observa le commissaire. Surtout la nuit.

---

1. La pointe de la Douane.

2. Une des îles de la lagune nord, considérée comme le jardin potager de Venise.

— Je sais, je sais… Je l'ai dit à Marcello, mais il m'a répondu qu'on était déjà en route, qu'il ferait le tour de l'île et reviendrait par le même chemin. Que c'était sans risque. Je lui ai demandé de se dépêcher. Il faisait froid et il était 2 heures passées, mais Marcello n'est vraiment heureux qu'en bateau : comme s'il avait de l'eau salée dans les veines, c'est vraiment ce qu'il préfère au monde. Donc nous avons continué, les filles avaient froid, moi aussi, mais c'était lui le capitaine, et il n'avait pas envie de rentrer. »

Il cessa de parler.

« Que s'est-il passé alors ? » l'aiguillonna Brunetti.

Duso inspira un grand coup, conscient que le moment de vérité était enfin arrivé. « Elles étaient toutes les deux debout, en train de sauter pour se réchauffer. Elles avaient déjà nos pulls sur les épaules, mais elles avaient froid. »

Brunetti eut la sensation que Duso cherchait à tout prix à retarder le moment de passer aux aveux, mais il finit par céder. « Il y a eu un bruit, on aurait dit une explosion, et le bateau s'est arrêté. L'eau montait par-dessus la proue et sur les côtés, on était trempés. On était bloqués, comme si on était rentrés dans un mur en plein *caigo*. » Il était vénitien, après tout : il eut donc recours au dialecte local pour désigner le plus épais des brouillards.

« Les filles sont parties en avant. J'étais tout près d'elles, mais je suis moi-même tombé de mon siège et je n'ai pas pu les retenir. L'une a fait une chute contre le flanc du bateau et s'est cogné la tête et l'autre est tombée par terre, à moitié sur moi, et a quand même heurté le plat-bord. Elle a dû se casser quelque chose, le poignet ou le bras.

— Qu'avez-vous fait ?

— Pendant un moment, je suis resté au sol : je me suis blessé à la tête si fort que j'en suis resté hébété. Puis toutes les deux ont commencé à crier et j'entendais Marcello gémir, comme s'il avait reçu des coups. Je ne savais pas quoi faire, confessa-t-il. Je ne savais pas où nous étions ou si le bateau allait couler. Je me souviens encore de l'obscurité. Je pouvais voir des lumières, à l'horizon, peut-être sur Sant'Erasmo. Il fait si noir, là-bas, et c'est tellement loin de tout», raconta-t-il d'un ton haletant.

Ni Griffoni ni Brunetti ne soufflèrent mot: ils attendaient que Duso s'apaise.

«J'ai demandé aux filles si elles allaient bien. J'avais si peur qu'elles ne soient plus vivantes... Elles gémissaient de douleur. Je les ai allongées l'une à côté de l'autre et je leur ai mis une couverture. Puis j'ai demandé à Marcello ce qui n'allait pas. Il m'a dit qu'il était tombé contre le bord du siège en face de lui et qu'il avait très mal. J'ai insisté pour qu'on aille à l'hôpital: pour lui et pour les filles.» Sentant sa voix échapper à son contrôle, il prit quelques profondes inspirations et ferma les yeux jusqu'à ce qu'il recouvre son calme.

«Mais qu'aviez-vous heurté? s'enquit Griffoni.

— Une *bricola*[1]. Beaucoup d'entre elles se sont décrochées à cause des fortes marées et elles flottent dans la *laguna*. Elles sont *vraiment* grandes, et les gens n'arrêtent pas d'en percuter.»

Avant que Duso ne se mette à expliquer en long et en large les dangers de la navigation dans la *laguna*, Brunetti demanda: «Et que s'est-il passé ensuite?

— Marcello a dit qu'il fallait qu'on rentre, peu importe comment. Je ne savais pas où nous étions, ni comment il aurait pu naviguer, mais il y est arrivé.

---

1. Les pieux ou ducs d'albe qui limitent les chenaux praticables dans la lagune.

— Et puis ?

— Les filles étaient couchées au fond du bateau ; on les entendait se plaindre. Je me suis assis près de Marcello et je l'entourais de mon bras, pour essayer de lui tenir chaud. Le moteur fonctionnait encore ; il m'a demandé de l'aider à ramener les filles.

— Qu'est-ce que cela signifiait ?

— Qu'il fallait qu'on les amène au Pronto Soccorso.

— Combien de temps avez-vous mis pour arriver à l'hôpital ? demanda Brunetti.

— Je ne sais pas, peut-être une demi-heure. Je n'avais plus les idées très claires, mais j'ai eu l'impression qu'on avait mis beaucoup plus de temps que pour arriver à Sant'Erasmo.

— Et une fois là-bas ?

— Marcello a dit qu'il pouvait grimper sur le quai et tenir l'amarre, mais il fallait que je hisse les filles sur le ponton parce qu'il avait trop mal pour le faire lui-même.

— Est-ce bien ce qui s'est passé ? »

Duso opina du chef plusieurs fois. « Il a garé le bateau contre le quai ; il est monté, mais il a fallu que je le pousse par-derrière afin qu'il puisse grimper à l'échelle. Puis je lui ai passé la corde d'amarrage.

— Avez-vous réussi à les soulever ? demanda Brunetti.

— Oui, je les ai prises l'une après l'autre – elles étaient toutes les deux menues – et je les ai déposées sur le quai. Elles ne disaient rien. J'ai pensé que peut-être – vous savez bien – elles s'étaient plus ou moins évanouies. » Brunetti se remémora la vidéo de surveillance : Duso y était visible et il n'avait pas eu de grosses difficultés, apparemment, à lever les filles jusqu'au niveau du quai et à les pousser sur la plate-forme en bois. Sur les images, elles n'avaient pas bougé d'un pouce, mais Brunetti n'avait pas le souvenir de pulls sur elles.

— Et Marcello?

— Il est resté inerte. Je lui ai demandé d'actionner le bouton d'alarme près de la porte mais il n'avait même plus la force de parler. Donc j'ai grimpé sur l'appontement et j'ai appelé pour prévenir les gens à l'intérieur de l'hôpital qu'il y avait un problème. Il restait là, une main levée, comme pour m'empêcher de sonner, mais sans rien dire. J'ai fini par redescendre l'échelle et au bout d'une minute, Marcello m'a rejoint et nous sommes partis.

— Je vois», fit Brunetti.

Lorsqu'il regarda Duso, le jeune homme avait les yeux grands ouverts, rivés sur le mur derrière le commissaire. Il hésita un moment puis confessa: «J'ai vu son visage quand je l'ai posée par terre.»

9

«Où êtes-vous allés après?» s'enquit Griffoni, en brisant le silence qui s'était installé dans la salle.

Brunetti et Griffoni échangèrent un regard mais se turent jusqu'à ce que la commissaire précise : «Après avoir déposé les jeunes femmes sur le quai de l'hôpital.

— Marcello a pris la direction de l'Arsenal à vive allure. Il n'arrêtait pas de dire qu'il fallait qu'il ramène le bateau.»

À ces mots, Brunetti se demanda quelle était l'étendue réelle des dégâts de l'embarcation, mais estima que ce n'était pas le moment de poser cette question à Duso.

Le jeune homme poursuivit : «Nous avons remis nos pulls. Ils étaient trempés, mais ils nous protégeaient du vent. Je me suis assis à côté de Marcello : je voulais continuer à lui tenir chaud. Mais je me suis endormi.

— Où êtes-vous allés?

— Vers l'Arsenal, mais ensuite, il a tourné dans un canal; nous sommes passés devant l'église des Greci, avons débouché sur le *bacino*, et à partir de là, il a vraiment pris de la vitesse et je ne me souviens plus que de l'instant où il s'est arrêté devant le hangar à bateaux de son oncle.

— Sur la Giudecca? demanda Brunetti.

— Oui.»

Brunetti n'insista pas sur ce point. Il pourrait y revenir plus tard. « Qu'avez-vous fait ?

— Marcello a dit que nous devions amarrer le bateau et le couvrir après l'avoir nettoyé ; il était devenu complètement raide, donc c'est moi qui ai dû le faire.

— Quelle heure devait-il être, signor Duso, lorsqu'il vous a demandé de mettre le taud ? s'informa Griffoni, percevant, pour la première fois, une irritation croissante dans la voix du jeune homme.

— Environ 4 heures, je suppose, répondit-il après un instant de réflexion.

— Merci, dit Brunetti. Pourriez-vous nous dire ce que vous avez fait ensuite ?

— Je suis allé à la Palanca attendre le vaporetto, mais je me suis endormi sur le ponton et c'est le *marinaio*[1] qui m'a réveillé à l'arrivée du bateau. »

Brunetti songea que ce ne devait pas être la première fois qu'une équipe de nuit ait à secouer un passager en train de dormir sur les bancs à l'intérieur d'un *imbarcadero*. Il hocha la tête, puis demanda : « Êtes-vous rentré chez vous ?

— Oui, bien sûr. Je n'avais nulle part ailleurs où aller, ajouta-t-il avec une pointe de tristesse.

— Et le lendemain ? s'enquit Griffoni.

— J'ai dormi jusqu'à midi et je suis allé prendre un café et un croissant chez Nico. »

Brunetti se retint d'observer que cette explication le dispensait de donner des précisions sur une bonne partie de la journée. « Et ensuite ? enchaîna-t-il.

— Je suis rentré chez moi et je suis retourné au lit.

— Jusqu'à quelle heure ? s'informa Brunetti.

---

1. Matelot.

« — Jusqu'à 8 heures du soir.

— Qu'avez-vous fait après ? demanda Griffoni.

— Je suis allé dans la cuisine et j'ai mangé les restes que ma mère m'avait donnés le samedi.

— Et ensuite ? s'enquit-elle.

— Je suis retourné me coucher. »

Sachant qu'il était facile de vérifier ses appels, Brunetti lui demanda : « Avez-vous parlé au signor Vio ?

— Non, répondit Duso, ému à l'évocation du nom de son ami.

— N'a-t-il pas appelé ? »

Duso retourna ses mains et en lut les lignes qui visiblement lui communiquèrent qu'il n'y avait pas de danger à dire la vérité. « Il a appelé trois ou quatre fois, mais je n'ai pas répondu. »

Brunetti se remémora une remarque attribuée à Staline : « Pas d'hommes, pas de problèmes. » Formulée de cette manière, elle pouvait sembler sinistre et impitoyable, mais la vie quotidienne permettait de lui substituer maints autres termes : pas de contacts, pas d'e-mails, pas de coups de fil… En cas de perte de mémoire, nos appareils éternellement bienveillants régleraient avec grand soin tous les détails et le problème disparaîtrait comme par enchantement.

« Pour quelle raison, signor Duso ? » demanda Griffoni.

— Je ne voulais rien savoir.

— Avez-vous appelé l'hôpital ? » s'informa-t-elle.

Il sombra de nouveau dans le mutisme, mais Griffoni et Brunetti étaient déterminés à attendre sa réponse qui finit par tomber : « Non, je n'ai pas téléphoné. »

Il cessa de parler, mais ils appliquèrent la même stratégie : attendre qu'il reprenne la parole.

« Lundi, je suis allé travailler. Quelqu'un avait *Il Gazzettino* et j'ai lu l'histoire. Tout ce que disait l'article, c'est que les filles avaient été laissées à l'hôpital dans la nuit, qu'elles y avaient été prises en charge et que l'une des deux allait être envoyée à Mestre pour se faire opérer.

— Cela vous a-t-il suffi ? demanda doucement Griffoni.

— Oui. Si elles étaient à l'hôpital, elles étaient en sécurité. »

Brunetti réprima son envie de remettre en question cette équation et préféra demander : « Vio a-t-il cherché de nouveau à vous joindre ?

— Oui, il m'a appelé pour me dire qu'il avait lu l'article.

— C'est tout ? s'enquit Brunetti.

— Non. Nous en avons parlé, puis il m'a raconté qu'il s'était blessé en tombant dans le bateau. »

Brunetti lui coupa la parole et déclara : « Avvocato Duso, je crains que vous n'ayez oublié qu'il y a des conséquences légales à prendre en considération. » Il lui laissa le temps de répondre, mais Duso s'en abstint.

« Comme je vous l'ai dit tout à l'heure, vous avez omis de déclarer un accident en mer où des passagers ont été blessés, mais, et c'est bien plus grave, vous avez aussi omis de porter secours à ces personnes. Vous vous êtes donc rendus coupables de crime à la fois en mer et sur terre.

— Mais nous leur avons porté secours, rétorqua Duso. Nous les avons emmenées au Pronto Soccorso.

— Nous pourrions donner une interprétation différente de votre intervention et proclamer que vous les avez abandonnées sur le quai, signor Duso », nota Griffoni.

Le visage du jeune homme rougit de colère, de peur et de honte. «Ce n'est pas vrai du tout. J'ai tiré sur la sonnette d'alarme près de la porte.

— Votre ami vous a-t-il vu le faire?» s'enquit Griffoni.

Au bout d'un moment d'hésitation, Duso répondit: «Je ne sais pas. Je suppose que oui, mais je ne pourrais pas l'affirmer.» Puis, s'apercevant que le visage de la commissaire n'avait rien perdu de sa dureté, il demanda: «Vous n'allez quand même pas imaginer que je les aurais laissées là sans sonner, non?»

Griffoni s'enfonça sur sa chaise et croisa les mains sur ses genoux. Elle regarda ses pouces levés et les tapa à plusieurs reprises avant d'assener: «Je crains d'être obligée de croire cette version des faits.

— Laquelle?

— Que vous les avez laissées là sans tirer la sonnette d'alarme.

— Je ne comprends pas! s'écria-t-il.

— Il n'y a pas de sonnette d'alarme à l'entrée, signor Duso. Il y en avait une, autrefois, mais elle a été enlevée il y a six mois environ.

— Je ne comprends pas, répéta-t-il désespérément.

— Ils recevaient trop de fausses alertes, signor Duso. Surtout pendant l'été. Les bateaux s'arrêtaient là, habituellement tard dans la nuit; il y avait des gens qui sautaient sur le quai et appuyaient sur la sonnette, puis remontaient dans leur bateau et s'en allaient aussitôt; le temps que quelqu'un arrive, ils étaient déjà loin.»

Elle attendit que Duso saisisse le sens, et les conséquences, de ce qu'elle venait d'énoncer, puis elle poursuivit, sans lui laisser le temps de poser la moindre question: «J'y suis allée hier. Il n'y avait pas de bouton d'alarme. Les filles ont été trouvées par le plus grand des hasards, par quelqu'un qui était sorti fumer une cigarette.»

Tous deux purent remarquer l'effet de choc que produisit cette déclaration sur l'avocat. «Ils m'ont emmenée sur le quai pour me montrer où elle se trouvait dans le passé», poursuivit Griffoni.

Duso semblait davantage confus qu'effrayé. «Mais j'ai appuyé, sur ce bouton.»

Griffoni s'agrippa à la table en se tournant vers Brunetti qui anticipa la signification de son geste. «Claudia, puis-je te parler en privé?» lui proposa-t-il, en parlant plus fort qu'il ne l'aurait voulu.

Il se leva, en faisant exprès de bien racler la chaise par terre et en la remettant en place avec beaucoup de bruit. Griffoni se leva à son tour, aussi calmement qu'il avait été bruyant, et se dirigea vers la porte. Duso était plongé dans ses pensées.

«Qu'est-ce que tu as à me dire?» lui demanda Brunetti, une fois dans le couloir.

Elle le regarda droit dans les yeux et secoua la tête, profondément confuse. «J'étais pressée, Guido. Je suis sûre qu'il y avait un panneau, mais je ne me souviens pas d'avoir vu un bouton.

— Est-ce que tu as le numéro du Pronto Soccorso? Quelle que soit la personne qui répond, demande-lui d'aller sur le quai, de prendre une photo et de nous l'envoyer», lui suggéra-t-il.

Elle sortit son *telefonino* et acquiesça avec un sourire. Elle déclina son grade et son nom à l'employé qui décrocha et expliqua qu'elle avait une requête en lien avec les deux jeunes femmes qui avaient été laissées sur le quai pendant le week-end. L'allusion aux victimes fit sauter tous les verrous et la photo arriva sur son téléphone en l'espace de quelques minutes.

«PRONTO SOCCORSO» était imprimé en rouge sur une plaque en plastique blanc, accrochée sur le mur à droite des portes automatiques : deux morceaux de Scotch noir d'électricien barraient en forme de X le cercle rouge dessiné sous ces mots. On pouvait voir des traces de rouge dans les interstices où se croisaient les deux morceaux de ruban adhésif.

Elle montra la photo à Brunetti qui pencha la tête et plissa les yeux. «C'est possible, constata-t-il. Avec la nuit, la confusion, la peur.»

Griffoni regarda la photo de plus près. «Les paris sont ouverts», déclara-t-elle, et au bout de quelques secondes, elle admit : «Si je la voyais, j'essaierais probablement de l'actionner.

— On ne parle toujours pas d'accident», nota Brunetti sans grande conviction, sachant comme il serait difficile de présenter cette instance à la cour. Combien de temps aurait mis une ambulance pour arriver sur les lieux et pour emmener ensuite les jeunes femmes à l'hôpital ?

«On y retourne ?» proposa Griffoni.

Comme une idée venait de traverser l'esprit du commissaire, il ignora la question de sa collègue et resta devant la porte de la salle, à se remémorer les interrogatoires des deux jeunes hommes. Vio ne se pressa pas pour arriver à l'hôpital, alors que la fille avait raconté qu'il filait à toute allure avant l'accident en question ; la police lui avait déjà dressé un nombre incalculable de contraventions pour excès de vitesse.

Quel était donc l'élément particulier, cette fois ? Le bateau avait dû être endommagé, certes, mais si Vio avait réussi à rentrer à la Giudecca, les dégâts ne devaient pas être bien graves. Il aurait sûrement à rendre des comptes à son oncle à ce sujet, mais il n'avait pas hésité à ramener le bateau à l'anneau d'amarrage de Borgato et à l'y attacher.

«Guido? l'appela Griffoni.

— Oui?

— Retournons à l'intérieur.»

Il ouvrit la porte et la laissa passer la première. Duso avait toujours l'air d'être sous le choc, comme s'il avait été heurté par un objet très lourd qu'il n'avait pas vu venir.

«Vous pouvez partir, signor Duso», déclara Brunetti, sans justifier leur absence ni donner les motivations de cette décision.

Griffoni prit le relais en spécifiant: «Abandonner une personne blessée est un grave délit, vous n'êtes pas sans le savoir. C'est pourquoi vous êtes dans l'obligation de nous informer si vous avez l'intention de quitter la ville. Et quelle qu'en soit la raison», précisa-t-elle.

Le jeune homme se leva, leur fit un vague signe de tête et sortit discrètement.

«Qu'est-ce que tu en penses? demanda Brunetti de retour dans son bureau.

— Je pense qu'il a été sincèrement surpris quand je lui ai dit qu'il n'y avait plus d'alarme.» Griffoni s'était installée dans un des fauteuils en face de la table de Brunetti et tendait les jambes devant elle, puis elle déclara: «C'était mal éclairé. Ils étaient tous deux choqués par l'accident. Peut-être aussi par leurs agissements. Il est donc plausible qu'il se soit trompé pour l'alarme.

— Tu le crois, alors? demanda Brunetti.

— Je pense que c'est possible», se limita-t-elle à affirmer.

Ils restèrent assis silencieusement un certain temps, puis Griffoni reprit la parole : «Je soupçonne Duso d'avoir passé ces derniers jours à consulter les statuts concernant l'omission de secours à personne en danger. Et il a probablement jeté un coup d'œil aussi à la législation maritime. Ils n'avaient aucune intention de leur faire du mal et ils les ont emmenées à l'hôpital aussi vite qu'ils ont pu. Ça, c'est certain..., enchaîna-t-elle. Mais Vio a-t-il vraiment cru pouvoir s'en sortir? Les déposer grossièrement devant l'hôpital pour ensuite rentrer chez lui, sans que personne ne se demande qui les y avait emmenées et ce qui leur était arrivé? Crois-tu qu'il puisse être idiot à ce point?»

Plutôt que de perdre leur temps à discutailler sur le QI de Vio, Brunetti et Griffoni préférèrent réfléchir au comportement du jeune homme. «Pourquoi n'est-il pas allé au Pronto Soccorso pour lui-même? Il savait qu'il était blessé.

— L'adrénaline, suggéra-t-elle tout haut. Ils en débordaient, tous les deux.

— Dans ce cas, répliqua-t-il en guise d'explication, il aurait dû retourner à l'hôpital une fois qu'elle était retombée. Or il ne l'a pas fait. Il redoutait quelque chose, conclut-il.

— Et maintenant?» demanda Griffoni, au moment où Brunetti affirmait: «Je ne comprends pas.» Tous deux plongèrent dans le silence, puis le commissaire finit par déclarer: «Je pense aller à la Giudecca demain, observer de plus près ce qui se passe dans cette entreprise de transport.

— Veux-tu que j'y aille avec toi?» lui proposa-t-elle.

L'idée le tenta sur le moment, mais il songea ensuite à la tournure que prendrait cette enquête s'il se mettait à poser des questions à des Giudecchini en compagnie de cette grande et belle blonde qui, à chaque fois qu'elle ouvrirait la bouche, leur prouverait qu'elle n'était pas du coin. «Je préfère y aller seul, finit-il par lui répondre.

— Tu pourras les interroger de cette manière sournoise et insidieuse que vous autres, petits malins de Vénitiens, vous utilisez les uns aux dépens des autres!

— C'est un peu cela, répondit-il en souriant. Je ne veux pas les déstabiliser.»

Comme pour lui montrer qu'elle n'était en rien vexée, elle ajouta: «Si je devais y aller, il faudrait que je prenne mon passeport.

— Je crois que les gens de la Giudecca sont plus qu'habitués à voir des insignes de policiers, Claudia», répliqua-t-il, et comme ils avaient eu une longue journée, il lui dit qu'il était temps pour elle de rentrer à la maison.

Elle ne se fit pas prier.

Une fois partie, Brunetti consulta son ordinateur et trouva, bien sûr, l'information voulue: Borgato Trasporti, Giudecca 255, proposant des transports par voie fluviale et des expéditions dans toute la *laguna* et ses alentours, jusqu'à Jesolo et Cavallino. Devis gratuit. Entreprise fondée en 2010. Propriétaire: Pietro Borgato. Il vérifia l'adresse et s'aperçut que le siège se trouvait sur le rio del Ponte Longo. Il prit son téléphone, et se mit en route pour rentrer chez lui.

Sur le chemin, Brunetti établit mentalement une liste des gens qui pourraient le renseigner sur cette entreprise ou sur son gérant. La première personne qu'il appela fut le lieutenant du poste de police près de Sant'Eufemia qui lui dit qu'il connaissait Pietro Borgato et ne l'aimait pas beaucoup. Non, il n'avait jamais eu de problèmes avec la police, n'avait jamais été arrêté, mais quelques années plus tôt, il les avait appelés pour dire que le chien d'un de ses voisins l'avait mordu et qu'il fallait piquer la bête. C'est le genre de situations, expliqua-t-il à Brunetti, qui laisse un arrière-goût dans la bouche. Brunetti le remercia et se retint de demander ce qu'il était advenu du chien.

Il appela ensuite un ancien camarade de classe qui travaillait aux Ressources humaines à la Veritas, la société préposée au ramassage des ordures dans la ville, et après quelques échanges au sujet de leurs enfants, Brunetti lui annonça qu'il voulait demander une faveur aux *spazzini*.

«Les *spazzini*? répéta son ami. Mais, au nom du ciel, pourquoi veux-tu parler aux éboueurs?

— Pas à tous, Vittore, seulement à celui qui est affecté au numéro 255 à la Giudecca.

— D'accord» répondit son ami après un bref moment d'hésitation, et il pria Brunetti de rester en ligne, le temps de jeter un coup d'œil à son organigramme.

«Valerio Cesco, 378 446 39 67, lui dicta-t-il.

— Parfait», répondit Brunetti en notant les coordonnées de cet homme, qu'il appela aussitôt. Son correspondant répondit au bout de deux sonneries.

«Signor Cesco, commença-t-il, en essayant à tout prix d'adopter un accent vénitien à couper au couteau, je suis le commissario Brunetti.

— Un commissario de police? s'enquit-il.

— *Sì*», répondit Brunetti.

Il attendit que Cesco prenne la parole, mais comme il s'en abstint, il enchaîna: «Je voudrais vous poser des questions au sujet d'une des personnes chez qui vous effectuez votre service.

— Qui donc?

— Pietro Borgato.»

Un long silence s'installa, puis son interlocuteur lui demanda : «Que voulez-vous savoir à son sujet?

— Il a attiré notre attention, expliqua Brunetti.

— Il a une entreprise de transport. Beaucoup de bateaux et de va-et-vient.

— Eh bien, je suis ravi d'apprendre qu'il est occupé par son travail!

— Effectivement.

— Pouvez-vous me parler de sa société?»

Cesco soupira. «Pas au téléphone.»

Bon réflexe, songea Brunetti. «Pouvons-nous nous rencontrer quelque part?

— D'habitude, je prends le vaporetto de 6 h 52 qui va des Zattere à Palanca, mais si vous préférez, je peux vous retrouver à l'embarcadère à 6 h 40 et prendre le bateau précédent.

— Je suppose que vous parlez de demain matin? spécifia Brunetti.

— *Sì*, signore.»

Comme le commissaire mit un certain temps à réagir, Cesco précisa : «Estimez-vous heureux que nous ne soyons pas en janvier!»

Brunetti ne put s'empêcher de rire et confirma le rendez-vous. Il raccrocha et dit tout haut : «Mais qu'est-ce que je viens de faire?»

10

L'atmosphère du dîner aida Brunetti à envisager plus sereinement l'ordalie qui l'attendait le lendemain matin et il en vint même à se moquer de son inquiétude initiale à l'idée de se lever aussi tôt.

Paola avait décidé de faire du poulet rôti qu'elle avait farci d'un mélange de quinoa, romarin et thym. Elle leur expliqua qu'elle avait volé ces plantes aromatiques dans le jardin d'un collègue qui l'avait invitée à aller chercher un livre après les cours.

« Volé ? » s'enquit Chiara.

Paola regarda sa fille dans les yeux. « Les plantes poussaient à foison ; elles étaient négligées, toutes sèches – on pourrait même dire abandonnées –, donc je n'ai fait que les couper. Je les ai délivrées d'une souffrance terrible !

— Mais tu n'as pas demandé la permission de les couper ? insista Chiara.

— Je ne les ai aperçues qu'au moment de partir », répliqua Paola avec un brin d'agacement dans la voix.

Chiara, qui voyait d'un mauvais œil le fait de manger de la viande, vit d'un plus mauvais œil encore la justification d'un délit.

« Si elle avait cessé de porter un bracelet, et qu'il te plaisait, tu aurais agi de la même façon » ?

Raffi suivit la conversation d'un air amusé, tout en se focalisant sur son délicieux repas.

Au lieu de répondre à sa fille, Paola se tourna vers Brunetti en disant : « C'est toi l'expert de la famille en logique et syllogismes.

— Je suppose que oui, admit-il, en piquant avec sa fourchette un autre morceau de poulet.

— Alors, que penses-tu de l'argumentaire de Chiara ? »

Brunetti finit sa bouchée et but une gorgée de vin. Il posa son verre et, avec beaucoup de sérieux, déclara, en fixant sa fille : « Je crains que tu n'aies eu recours, conformément à ta vieille habitude, à *l'argumentum ad absurdum*. Les deux actions semblent similaires, mais elles ne sont pas pareilles, même si la comparaison peut être tentante. »

Il vida son verre et le remplit de nouveau à moitié, en ajoutant : « Donc c'est juste une ruse rhétorique. » Sans lui laisser le temps de se défendre, Brunetti sourit à Chiara en précisant : « C'est très astucieux, je dois dire, et susceptible d'être efficace.

— C'est bien ce que je pensais, conclut Paola. Mais je me suis dit que ça aurait plus de poids si ça venait de toi.

— Parce que je suis le roi de la logique ?

— En quelque sorte », concéda Paola.

Chiara constata, en posant ses couverts : « Beaucoup de gens y ont recours, en faisant croire que deux choses sont semblables, alors que c'est faux.

— C'est plus que monnaie courante en politique, carillonna Raffi.

— Je ne sais pas pourquoi les gens s'embêtent à parler de politique ! lança Chiara.

— Que veux-tu dire ? fit Paola.

— Tu m'as bien entendue, Mamma. Pourquoi se donner ce mal ? Les gens parlent de politique, le gouvernement change, les gens continuent à parler, il y a d'autres élections, et après, les gens et les hommes politiques répètent en boucle les mêmes choses, et rien ne change.

— Il faut dire que je pensais pareil quand j'avais ton âge. Et quelque part, c'est ce que je pense aujourd'hui encore », remarqua Paola.

Brunetti se rendit compte tout à coup combien il avait envie qu'elles changent de sujet. Combien d'heures de sa vie avait-il perdues à parler de déceptions politiques ? Question plus intéressante encore : à quoi aurait-il pu consacrer ce temps précieux ? Il aurait pu apprendre une autre langue ; apprendre à tricoter et faire des pulls irréguliers, ou même obtenir une ceinture de judo.

« Guido ? Guido ? »

Il regarda Paola à l'autre bout de la table et lui demanda, avec un sourire : « Oui, mon amour ? »

Elle leva les yeux au ciel, mais pas les mains, car elle tenait un saladier. « Je t'ai demandé si tu voulais des kakis et de la crème. » Elle posa le récipient sur la table près d'un autre qui débordait d'un océan de crème. Elle mit deux grandes cuillerées de mousse de kakis dans un bol et fit glisser la crème sous le nez de Brunetti.

« Tu me fais confiance avec ce formidable dessert ? demanda-t-il d'un ton exagérément inquiet.

— Non, mais tu n'oserais jamais laisser les enfants mourir de faim ! » Elle rajouta de la crème onctueuse de kakis dans deux des bols restants et en passa un à chacun d'eux.

Brunetti avait aplati la surface de sa mousse avec le dos de sa cuillère et laissé tomber dessus quatre ou cinq cuillerées de crème fouettée. Il avait l'impression de voir une mer orange, avec d'épais nuages flottant à la surface.

Il reprit de la mousse de fruits, tint la cuillère au-dessus de son bol et laissa la mousse orange perforer les nuages.

«Guido, dit Paola de son ton de maîtresse d'école, si tu continues à jouer avec la nourriture, je t'envoie dans ta chambre.

— Est-ce que je peux prendre le bol avec moi, m'man?»

Paola ferma les yeux, poussa le bol devant elle sur la table et soupira. «Il va me rendre complètement folle! Et il rigolera moins quand il aura à s'occuper seul des petits.»

Même s'il aurait aimé entendre la suite du scénario, Brunetti – qui aurait trouvé cruel de continuer à manger pendant qu'elle exposait son tragique destin – dit d'une voix douce: «C'est vraiment excellent, Paola. Tu as raison d'ajouter toujours un peu de sucre dans la crème.»

Paola se redressa, le remercia du compliment et continua à savourer son dessert. Il y avait longtemps que les enfants avaient terminé le leur et, tels des poussins, ils tendaient calmement leurs bols vides en émettant de petits sons plaintifs.

Brunetti se réveilla au milieu de la nuit: il venait de rêver qu'il était au volant d'une voiture et roulait à tombeau ouvert. Au moment où il arrivait à un virage sur une route longée d'arbres, il prit sur le siège d'à côté une bouteille de gin, une boisson qui lui répugnait. Lorsqu'il porta la bouteille à ses lèvres, il se réveilla en sursaut: la voiture, la route, le gin avaient disparu, et il comprit enfin pourquoi Vio avait navigué si lentement sur le chemin de l'hôpital.

S'il avait été arrêté par la police, avec les jeunes femmes blessées à bord et les dégâts du bateau encore visibles, on l'aurait soumis, ainsi que Duso, à l'Alcootest et au test de drogues, et si le résultat avait été positif, on lui aurait retiré son permis et il aurait peut-être même été accusé de crime. Mais, une fois les filles transportées à l'hôpital, toute trace d'accident aurait disparu et il courait donc un risque bien moins élevé.

Après cette révélation, il se rendormit jusqu'à ce que son réveil sonne à 6 h 15.

Lorsque Brunetti arriva à l'*imbarcadero* des Zattere, il y avait déjà sept personnes à l'intérieur. Il procéda par exclusion : une fois les trois femmes et le prêtre éliminés, le choix se limita entre un homme portant un jean bien repassé, des chaussures de sport en cuir blanc et un blouson brun en daim, un homme à cheveux blancs en costume cravate et un homme d'une trentaine d'années, portant un jean déchiré à la mode, des tennis blanches et une courte veste bleue croisée, lui donnant un style résolument marin.

Il s'approcha de l'homme au blouson et lui demanda : «Signor Cesco?»

Ce dernier le regarda d'un air surpris, mais l'homme à la veste bleue lui dit : «C'est moi, signor Brunetti.» Il s'approcha du commissaire, lui serra la main et sortit un paquet de cigarettes de sa poche. «Allons dehors, le temps que je fume une cigarette.»

Il avait la peau tannée, comme la plupart des gens travaillant en plein air; il avait les cheveux foncés, coupés court, avec une mèche blanche juste au-dessus des oreilles. Son visage était couvert de vieilles cicatrices d'acné; il avait un regard vif et sur sa bouche se dessinait un large sourire.

«Je suppose que je n'ai donc pas l'air d'un *spazzino*», observa-t-il.

Une fois sortis sur la plate-forme en bois s'étendant devant le ponton couvert, il alluma sa cigarette et expira la fumée en signe de bienvenue. «Dois-je le prendre comme un compliment?» s'enquit-il.

Brunetti haussa les épaules. «Mon père était manœuvre au port, répliqua-t-il dans un vénitien moins marqué que celui de son interlocuteur, donc je ne vois pas pourquoi on devrait cacher son métier de *spazzino*.

— Parlez-en à mes camarades de classe, rétorqua Cesco.

— Quels camarades de classe? s'informa Brunetti, sincèrement intéressé.

— Ceux de l'IUAV[1]. J'ai passé mon diplôme d'architecture il y a six ans.»

Brunetti ne dit mot.

«Comme vous, mon père ne pouvait pas me faire entrer dans sa société, ni même demander à un ami de me pistonner.» Il tira quelques fois sur sa cigarette, en regardant du côté de San Basilio d'où devait arriver le bateau. Il aspira longuement une dernière bouffée, puis alla éteindre son mégot en le frottant contre une des poubelles situées à l'entrée de l'embarcadère et le jeta dedans.

Revenu près de Brunetti, il inclina la tête en direction de la poubelle: «Ça fera moins de travail pour mes collègues chargés de ce côté-ci du canal.»

Brunetti fit un signe d'assentiment, puis lui demanda: «Qu'avez-vous à me dire sur Pietro Borgato?

---

1. École d'architecture de Venise. Sigle pour Istituto universitario di architettura di Venezia.

« — Êtes-vous autorisé à me dire pourquoi vous vous intéressez à lui ? » s'informa-t-il, les mains agrippées à la balustrade, mais son attention fut soudain attirée par l'arrivée d'un bateau sur la droite, qui heurta doucement le ponton et s'arrêta.

Brunetti monta à bord, suivi de Cesco et de la plupart des gens qui attendaient à l'arrêt. Le nautonier referma la barrière coulissante. La plupart des passagers restèrent sur le pont, le temps de la brève traversée, pendant laquelle les deux hommes n'échangèrent aucun mot. Ils descendirent de l'autre côté et gagnèrent la *riva* s'étendant face au débarcadère. Brunetti finit par répondre à la question de Cesco : « Non, je ne peux pas vous le dire.

— C'est bien ce que je pensais, mais je suis ravi de voir que des gens comme vous s'intéressent à lui. »

Brunetti fut surpris par cette remarque.

Cesco s'écarta du garde-corps, puis pivota pour y reprendre appui en se tenant aux barres en fer.

« Il a fait une ascension fulgurante, ce Pietro. Et puis je ne l'aime pas, ajouta-t-il avec un large sourire.

— Pour quelle raison ?

— Parce qu'il me donne des ordres. Et qu'il me dit comment faire mon travail.

— Pourriez-vous être plus précis ? » demanda Brunetti.

Cesco rit tout en se hissant à petits coups contre la rambarde, le temps de réfléchir à sa réponse. « Une fois, il est sorti avec un sac d'ordures à la main, pendant que j'étais en train de nettoyer quelque chose – une crotte de chien, sans doute –, et il m'a dit de laver cet endroit à l'eau, puis il a laissé tomber son sac d'ordures par terre. Il aurait très bien pu le mettre dans mon chariot ; mais non, il l'a lancé sur le sol.

— Qu'avez-vous fait?

— J'ai ramassé la crotte de chien, puis j'ai pris son sac-poubelle et je suis parti.

— A-t-il dit quelque chose?

— Il m'a traité d'étron. Il m'a dit: *Sei uno stronzo*[1].

— Et vous?

— J'ai continué ma tournée.

— Et lui?

— Je ne saurais vous dire. J'étais absorbé par mon travail.»

Brunetti décida de changer de sujet. «Comment savez-vous qu'il a fait cette ascension fulgurante? Si je puis vous demander.

— Parce que je suis un éboueur, expliqua Cesco en retrouvant le sourire. Sur mon trajet, il y a une cour située de l'autre côté du canal où il amarre ses bateaux. C'est là que je m'arrête habituellement le matin pour fumer une cigarette. Quelquefois, j'y laisse mon chariot et je vais prendre un café, puis je reviens fumer une autre ciga-rette.» Brunetti commença à se demander s'il n'était pas tombé sur un hurluberlu prêt à lui raconter que Pietro Borgato faisait partie de ces gens qui jettent leurs ordures dans le canal, et qui lui demanderait d'aller l'arrêter. Puis comme rien ne le laissa penser, il fit signe à Cesco de continuer.

«Il y a quelques mois, quand je suis arrivé sur le cam-piello Ferrando situé en face de chez lui, j'ai remarqué deux bateaux, des *cabinati*[2], amarrés devant son entrée, toutes cabines fermées. De gros engins, qui avaient l'air neufs,

---

1. Littéralement: «tu es un étron». Insulte équivalant à être un con.
2. Embarcation dotée d'une ou plusieurs cabines.

mais pas flambant neufs, si vous voyez ce que je veux dire.»

Brunetti opina du chef.

«Ils étaient différents de ses bateaux habituels ; ils ressemblaient davantage à des taxis, mais en plus grand. Puis deux types sont sortis de son entrepôt avec un moteur d'au moins 250 chevaux, peut-être même plus.» L'éboueur partait du principe que Brunetti était en mesure de jauger la puissance – on pourrait presque dire la majesté – d'un moteur de cette taille, bien plus grand que nécessaire, même pour transporter la plus lourde des cargaisons.

Brunetti s'exclama effectivement : « *Madonna Santissima*[1] !» pour exprimer sa surprise, puis il demanda : «Qu'avez-vous fait ?

— J'ai garé mon chariot au même endroit que d'habitude et j'ai fait un peu de bruit en y mettant mes balais ; j'ai allumé une cigarette et je me suis posté derrière mon chariot. C'est ce que j'ai fait six fois par semaine pendant ces quatre dernières années.

— Vous vous fondiez dans le décor, d'une certaine façon», commenta Brunetti pour lui montrer qu'il suivait bien l'histoire et qu'il savait où il voulait en venir.

Cesco acquiesça : «Exactement. J'étais là, en train de fumer ma cigarette, et je les observais. Ils sont retournés dans l'entrepôt et ont ramené un autre moteur. De la même taille.» Il marqua une pause et, comme dans un scénario, Brunetti savait que le moment fatidique n'allait pas tarder. Il décida d'accélérer les choses et demanda : «Qu'ont-ils fait alors ?

---

1. Oh, très Sainte Vierge !

— Ils ont commencé à installer le premier moteur. Borgato était là ; il dirigeait les opérations, comme s'il avait eu affaire à des mulets. Il jurait contre eux, corrigeait leurs gestes, maudissait leurs mères, en leur disant de se dépêcher de le mettre en place. »

Il regarda Brunetti qui ne souffla mot mais hocha la tête, pour laisser à Cesco tout le plaisir d'atteindre l'apothéose de l'histoire.

« J'ai regardé ma montre : cela faisait dix minutes que j'étais là. J'ai fait le tour de mon chariot, j'ai jeté mon mégot et j'ai balayé la cour, comme chaque jour, puis j'ai remis mon balai dans le chariot et je suis parti.

— Vous ont-ils aperçu ?

— Comme vous l'avez fait remarquer, dit Cesco avec un large sourire, je me fonds dans le décor. J'ai fini ma tournée : cela m'a pris trois heures environ, puis j'ai ramené mon chariot au *magazzino*[1] où nous les rangeons après notre service.

— Et ensuite ? s'enquit Brunetti.

— Je suis revenu dans la cour et les deux bateaux étaient partis. Depuis ce jour-là, je les ai revus pas mal de fois ces bateaux, ce qui veut dire qu'il s'en sert. Mais ils arrivent tôt le matin. »

Comme Brunetti nota que Cesco hésitait à donner d'autres détails, il joua, tel un chêne la carte de la patience, de la bienveillance et de l'assurance.

Cesco céda à la tentation ; il sortit ses cigarettes et en alluma une, puis il se tourna vers Brunetti en racontant : « Une fois où j'avais mis mon chariot ici – il bruinait –, j'ai vu un des gros bateaux sur l'autre rive. Lui et son

---

1. Entrepôt.

neveu – comment il s'appelle, déjà? Marcello? – étaient en train d'en faire le tour avec un tuyau d'arrosage, pour le laver comme il faut. Son neveu était à genoux, il essuyait l'eau avec des bouts de chiffon qu'il essorait par-dessus bord. Borgato n'arrêtait pas de lui dire de s'activer.»

Il se tut un moment, en tirant de temps à autre sur sa cigarette; Brunetti ne bougeait pas.

«Borgato est retourné dans l'entrepôt et en est sorti avec un sac-poubelle industriel; il s'est mis à ramasser des choses au fond du bateau et à les jeter dedans.

— Pouviez-vous voir ce que c'était?

— Une veste, une paire de chaussures, un foulard. Je m'en souviens parce que, même sous la pluie, toutes ces couleurs vives produisaient un effet joyeux.

— Avez-vous réussi à distinguer autre chose?»

Cesco secoua la tête, puis enchaîna: «À la fin, ils sont montés dans le bateau et le neveu a démarré; ils ont remonté le canal en marche arrière, ont tourné et sont partis.

— Avez-vous une idée de l'endroit où ils ont pu aller?

— Non.»

Cesco retourna à l'entrée de l'embarcadère et frotta son mégot avant de le jeter dans la poubelle. Il rejoignit Brunetti et spécifia, sans sourire cette fois non plus: «Déformation professionnelle.» Il s'arrêta à un pas du commissaire pour lui déclarer: «Je n'ai plus jamais revu ces bateaux à cet endroit.» Il remonta la manche de sa veste pour voir quelle heure il était. «Je dois y aller», annonça-t-il.

Cesco s'éloigna de la rambarde et s'écarta de l'eau. Il tendit la main à Brunetti, qui la lui serra avec plaisir.

«Merci pour votre aide», lui dit le commissaire.

Cesco enfouit sa main dans la poche. «Ravi d'avoir pu vous l'apporter», répliqua-t-il. Il s'éloigna de Brunetti et se mit à descendre la *riva*, tel un homme allant au travail.

Quelques minutes après le départ de Cesco, Brunetti entra à la Palanca et prit un café, un croissant, puis un deuxième café. Il quitta ensuite le bar et se dirigea vers le Ponte Piccolo, le traversa, s'engagea dans la première *calle* sur la droite et se rendit au campiello Ferrando qui donnait sur un canal. Il tourna à droite, et en quelques pas, il se retrouva dans une cour où s'étendait sur la droite un jardin. Sur la rive opposée se dressait un entrepôt devant lequel étaient amarrés deux grands bateaux: il supposa que c'était celui de Borgato.

Il revint sur la *riva* et y resta un moment à regarder la lumière du soleil inaugurant une nouvelle journée. Il jeta un coup d'œil à sa montre et, surpris de constater qu'il n'était même pas 8 heures, il descendit jusqu'à l'arrêt du Redentore pour attendre le numéro 2.

11

Comme Brunetti avait tout son temps, il décida de descendre à l'arrêt San Marco Vallaresso et d'aller à pied à la questure pour profiter, à cette heure matinale, de la tranquillité de la Piazza. Comme il s'y attendait, il y avait si peu de monde qu'il aurait pu compter les gens s'il l'avait voulu. Il déambula, prit plaisir à regarder les drapeaux flottant dans la brise et les chevaux figés qui, avec leurs pattes antérieures délicatement levées et les yeux baissés sur la place, semblaient s'être bloqués dans leur élan pour décider où aller. Quelle splendeur, même si ce n'étaient que des copies ; ils emplissaient son champ de vision de hardiesse et de majesté, comme tellement d'autres détails encore.

Il contempla la Piazza, encore parsemée de rares passants, et il pensa à la mise en garde récurrente de sa mère de ne jamais formuler de vœu, de crainte qu'il ne soit exaucé. *Pendant des années, nous autres Vénitiens, avons souhaité voir disparaître les touristes pour retrouver notre ville. Eh bien, notre désir a été concrétisé, et voilà le résultat*[1] *!*

---

1. Allusion à la grave crise économique qu'a connue Venise à cause de l'absence de tourisme due tout d'abord à la grande *acqua alta* du 12 novembre 2019, puis à l'épidémie de Covid-19.

Il chassa cette pensée, s'arrêta après le campanile et se tourna pour jouir de cette vue panoramique incomparable. Était-il pensable qu'un individu reste indifférent face à un tel paysage ? En l'absence de réponse et pas très enclin, en fait, aux questions rhétoriques, Brunetti haussa les épaules et reprit son chemin vers la questure.

Il fit tout d'abord une halte chez la signorina Elettra, mais elle n'était pas là. Au moment où il pivotait pour partir, il aperçut le vice-questore Giuseppe Patta, debout dans l'embrasure de son bureau, en train de le regarder. La première réaction de Brunetti fut le soulagement de se trouver à un bon mètre de la table de travail de sa collègue et en face d'elle, ce qui lui évitait d'être accusé d'examiner les papiers posés dessus.

«Bonjour, vice-questeur, dit-il. J'espérais voir la signorina Elettra.

— Pourquoi?» lui demanda Patta, à sa grande surprise: le vice-questore affichait peu d'intérêt, habituellement, pour les affaires de la police, à moins qu'elles ne mettent son autorité en cause ou nécessitent une prise de décision de sa part.

«J'ai demandé à la signorina Elettra de procéder à quelques recherches pour moi, dottore, répondit Brunetti, en restant le plus vague possible sur le sujet.

— À quel propos? s'enquit Patta d'un ton suffisamment calme pour que Brunetti y subodore un piège caché.

— Elle a dit que son père connaissait un excellent horloger sur la Giudecca. J'ai une vieille Omega de mon grand-oncle…

— Sur la Giudecca? le coupa Patta. N'est-ce pas un lieu malfamé?»

Brunetti émit un petit rire complaisant. « C'est une idée un peu folklorique, à mon avis, dottore, qui date de la génération de mes parents.

— Vous ne cherchez pas à protéger ces gens, n'est-ce pas, Brunetti ? »

Au lieu de demander — comme on le ferait avec une personne ignorant tout de Venise — de quelle protection avaient besoin les Giudecchini, Brunetti réitéra son petit rire et déclara : « Bien sûr que non, monsieur le vice-questeur. » Cette réponse sembla satisfaire Patta qui retourna dans son bureau et referma la porte derrière lui.

Brunetti tenta ensuite sa chance avec Vianello. Il descendit le couloir du premier étage et entra dans le bureau où travaillait l'inspecteur. Il le vit en train de parler avec deux autres officiers ; tous trois étaient en uniforme. Lorsqu'il aperçut le commissaire, Vianello leva une main pour lui signaler qu'il serait disponible sous peu. Voyant *Il Gazzettino* du jour sur le bureau de Vianello, Brunetti gagna le fauteuil de son collègue et se mit à feuilleter le journal. En une figurait l'arrestation de deux hommes politiques en Lombardie pour avoir acheté des voix ; un autre article rapportait l'arrestation de 138 personnes qui faisaient partie d'un groupe collaborant avec la Mafia : des hommes politiques, des hommes d'affaires et des avocats, ainsi qu'un banquier, tous impliqués dans un terrible réseau de prêts usuraires. L'article était illustré par une de ces photos désormais familières d'un pont d'autoroute menaçant de s'écrouler avec en gros plan des piliers en ciment effrités qui, avec leurs fils en pagaille, étaient peu rassurants pour toute personne devant prendre une voie suspendue sur de tels pylônes.

123

Il mit de côté ce journal sans intérêt et trouva caché en dessous *La Repubblica*, qu'il ouvrit à la page culturelle car il n'en savait que trop sur l'état de son pays. Et quel ne fut pas son émerveillement à la découverte d'une recension d'une nouvelle traduction des *Annales* de Tacite. Étudiant, il avait lu ce texte en s'aidant d'une traduction que, même à l'époque, il trouvait tout sauf captivante, mais il avait pressenti le génie de la plume latine avec lequelle il se battait.

Sentant que quelqu'un s'approchait, Brunetti détourna son regard du journal et aperçut Vianello. «*Il Gazzettino* ne te convient pas? s'enquit Vianello en désignant du menton le journal que Brunetti avait repoussé sur le côté.

— Je ne sais pas s'il convient à qui que ce soit.

— Alors pourquoi le lis-tu chaque jour?

— Pour sa bonne vieille *vox populi*, répliqua Brunetti. Je trouve qu'il reflète vraiment la voix des gens d'ici: leurs préoccupations, leurs préférences, leurs crimes...»

Vianello semblait peu convaincu par les arguments de son collègue.

«Il donne même la liste des pharmacies de garde!» conclut Brunetti en superposant les journaux.

Vianello tira le fauteuil devant son bureau et s'assit. «Quel bon vent t'amène?

— Je voudrais te parler de quelque chose», répondit Brunetti.

Vianello, sensible au changement dans la voix de Brunetti, se rapprocha de lui.

«J'ai été à la Giudecca ce matin, commença le commissaire. Je suis allé voir où se situe l'entreprise de transport de l'oncle de Vio. Mais avant, j'ai parlé à l'éboueur qui s'occupe des rues autour.

— L'éboueur? répéta Vianello, étonné.

— Il m'a dit que Borgato s'était procuré de nouveaux bateaux, mais qu'il ne les amarrait pas à cet endroit.» Avant même que Vianello ne lui demande des précisions, Brunetti lui rapporta sa conversation avec Cesco sur les moteurs et sur leur taille disproportionnée pour des cargaisons ordinaires.

Vianello répliqua du tac au tac: «Si ce n'est pas un pêcheur utilisant de très grands bateaux, il n'a aucune raison d'avoir des moteurs de cette puissance. Est-ce tout ce qu'il t'a dit? s'enquit l'inspecteur, dont la curiosité avait été piquée par ce récit.

— De manière explicite, oui, mais je n'ai pas l'impression qu'il éprouve une grande sympathie pour ce Borgato.

— Ce qui n'en fait pas un témoin bien fiable», conclut l'inspecteur.

Brunetti haussa les épaules à cette réflexion, sachant très bien que les témoins fiables se comptaient sur les doigts d'une main. «Il est loin d'être sot et a un sens très fin de l'observation: il a vu les hommes qui installaient sur les bateaux des moteurs d'au moins 250 chevaux, selon lui. Ses sentiments envers Borgato ont bien peu d'importance face à la scène à laquelle il a assisté.»

Vianello s'enfonça dans son fauteuil et croisa les bras, en silence.

«D'accord, d'accord, Lorenzo, concéda Brunetti. Mais il s'agit de gros moteurs qui appartiennent à quelqu'un qui fait des transports de marchandises dans la *laguna*, et que l'on dit impliqué dans des histoires de contrebande.

— Il est possible que son entreprise se soit mise à transporter de plus grosses quantités», suggéra Vianello, puis après une longue pause, il ajouta, d'un ton plus doux:

«Bon, tu as gagné, je vais demander à des collègues d'aller voir ça d'un peu plus près.

— Il se peut aussi qu'il sorte dans l'Adriatique pour se procurer ces plus grosses quantités, répliqua Brunetti.

— De quoi?

— Je crains que nous ne devions demander l'aide de la Guardia Costiera sur ce coup-là.»

Un sourire traversa soudain le visage de Brunetti au souvenir d'un ami qui pourrait lui prêter main-forte dans cette affaire.

Au fil des années, Brunetti avait noué de nombreuses amitiés : certaines personnes étaient restées amies, après des décennies entières ; certaines l'avaient côtoyé quelque temps, puis la vie leur avait fait prendre des chemins différents. Parmi ses amis figuraient ceux que Paola appelait les «animaux errants de Guido», des hommes et des femmes qui, au premier abord, donnaient l'impression de ne pas être à leur place dans la vie qu'ils avaient choisie ou qui les avait happés un jour. Ce n'étaient pas des poissons hors de l'eau, car la plupart d'entre eux avaient trouvé un bocal à leur mesure, où mener une existence confortable et heureuse, mais aux yeux de la planète, ils restaient une énigme irrésolue.

Brunetti savait par expérience comment les gens pouvaient se retrouver piégés dans une vie qui ne leur convenait pas : il lui suffisait de songer à Giovanni Borioni, le fils d'un *marchese*[1] dans le Piémont – il ne parvenait jamais à se souvenir du nom de la ville – qui avait suivi trois ans de cours de latin avec lui. Ce Giovanni «Rocca truc muche» – c'est ainsi qu'il s'était baptisé quelques mois après leur

_____

1. Marquis.

rencontre, et ce nom s'était substitué au vrai –, avait vécu à Venise avec sa mère, légalement séparée du *marchese* qui était resté à Turin et qui avait décidé que la filière classique était la meilleure formation pour son fils aîné, d'où le *liceo classico* et les cours de latin, pour lesquels Giovanni n'était pas vraiment taillé.

Le commissaire avait servi de tuteur à son ami Giovanni pendant trois ans, et pas seulement en latin. Après cette collaboration, Brunetti, tout comme le *marchese*, le père absent de Giovanni, avait ressenti une grande fierté lors de la cérémonie de remise des diplômes à la fin du *liceo* : il était resté à ses côtés et il le prit dans ses bras lorsqu'on proclama son nom. Peu importait si, le temps qu'arrive ce grand moment, Giovanni avait déjà complètement oublié la conjugaison « *amo, amas, amat* ». Après son baccalauréat, non seulement son ami avait allègrement occulté la grammaire latine, mais il avait aussi renoncé aux projets que son père avait forgés pour lui et s'était inscrit à la faculté d'agriculture de l'université de Modène. Aujourd'hui, il n'était pas seulement *marchese*, mais aussi un paysan qui avait transformé le vaste domaine de famille, à Rocca truc muche, en un domaine d'agriculture biologique. Les enfants de Brunetti avaient passé des semaines entières, l'été, à travailler pour Giovanni ; ils revenaient à Venise bronzés et en pleine forme, et emplis d'un plus grand respect encore pour la Nature et sa valeur incommensurable.

Mais ce n'était là qu'une digression : en effet, l'importance de cette amitié ne résidait pas en la personne de Giovanni lui-même, mais en celle de son jeune frère, Timoteo, un avocat spécialisé dans les lois maritimes, expertise qui lui valait d'être consultant auprès de la marine et de la Guardia Costiera, les polices chargées de la défense des côtes italiennes.

Au fil des années, Brunetti et Timoteo étaient restés plus ou moins en contact ; l'avocat avait toujours éprouvé un vif intérêt pour le travail du commissaire, contrairement au sien qui était, comme il aimait à le répéter : « une ennuyeuse accumulation de documents, dossiers et rapports ». Brunetti, féru d'histoire vénitienne, était fasciné par le droit maritime. Comme la nature humaine présente, entre autres faiblesses, celle d'apprécier les gens qui nous accordent de l'attention, ces deux hommes, qui s'étaient rarement vus mais avaient communiqué avec une certaine régularité, se considéraient comme de bons amis.

Ainsi Brunetti avait-il spontanément songé à appeler Timoteo pour lui demander de le présenter au responsable de la Guardia Costiera à Venise ; et le capitano Ignazio Alaimo, l'officier à la tête de la Capitaneria di Porto, avait été tout aussi disposé à recevoir un appel du commissario Guido Brunetti, sur la requête de son ami, Timoteo Borioni.

Les moulins à prières tournent avec une extrême lenteur, mais ceux de la bureaucratie italienne sont capables d'atteindre une vitesse vertigineuse, selon la main qui les actionne. Dans le cas d'un avocat spécialisé dans le droit maritime, frère d'un *marchese*, lui-même proche d'un ou deux amiraux – dont l'un d'eux avait fait monter en grade le capitano Alaimo –, demander une faveur à ce capitaine revenait à donner un ordre. C'est ainsi que l'on transmit l'appel du commissario Guido Brunetti au capitaine, qui proposa de le recevoir l'après-midi même, si ce rendez-vous lui convenait. Ou le lendemain matin ? Aucun problème ! 11 heures ? Parfait.

Le département d'italien de l'université d'Oxford où Paola avait soutenu sa maîtrise lui avait suggéré d'y retourner un jour en qualité de professeure invitée ; elle était libre de proposer le texte anglais de son choix, dans la mesure où il permettait d'établir des parallèles avec l'Italie. Elle s'était donné un mal fou à trouver un texte de Henry James, jusqu'à ce que, par le plus grand des hasards, elle emporte en vacances le roman de Maria Edgeworth, *Patronage*. Brunetti se revit allongé sur une plage en Sardaigne, en train d'essayer d'avancer son Tite-Live, alors que Paola n'arrêtait pas de lui lire des passages entiers sur l'ascension sociale des idiots, des scélérats et des indolents grâce au pouvoir et au piston des amis de leurs parents.

Au début, Brunetti craignit que ce livre ne déclenche chez elle une crise et ne l'incite à mener une action de dénonciation éthique et politique, à la vue de ces fils dénués de toute morale, de ces cousins ineptes, de toute cette clique de fieffés incompétents, propulsés en haut de l'échelle grâce aux réseaux politiques de leurs familles, ou à la suite de chantages purs et simples.

Mais en réalité, Paola avait passé ses journées à lire, ne s'interrompant que le temps de s'exclamer énergiquement : « Oh, on dirait mon oncle Luca ! » Ou bien : « Voilà comment Luigino a obtenu son emploi ! » Ou encore : « Il me fait penser à cet ambassadeur révoqué parce qu'il avait eu une liaison avec la femme du ministre de l'Agriculture. »

12

Le lendemain matin, Brunetti ne s'encombra pas l'esprit de ces considérations de la veille et se rendit avec Griffoni à la Capitaneria. La vedette de la police et son pilote Foa resplendissaient au soleil.

Un marin en uniforme salua leur bateau à son arrivée, puis aida les deux commissaires à grimper sur le quai en face de l'édifice orange vif de la Capitaneria, qui se dressait sur les Zattere. Heureusement, les rares entreprises privées, situées le long de cette longue promenade parallèle à la Giudecca, n'en avaient pas altéré la beauté : même le supermarché, pourtant de très grande taille, installé sur le quai à proximité de San Basilio, était d'une architecture discrète. Brunetti dit à Foa qu'il pouvait retourner à la questure : ils rentreraient en vaporetto.

Le marin en veste blanche les contourna rapidement et se hâta de traverser la large *riva* pour aller leur ouvrir la porte principale ; il attendit qu'ils entrent, puis leur annonça : «Je vais vous conduire chez le capitano Alaimo.»

Comme ni l'un ni l'autre n'étaient jamais entrés dans ce bâtiment, ils regardaient autour d'eux avec curiosité, ne serait-ce que pour voir comment vivait l'autre moitié du corps de police. La questure ne jouissait pas, il fallait le reconnaître, d'une vue beaucoup plus belle depuis la porte d'entrée : certes, elle donnait sur un canal et sur une église, mais à Venise, ces éléments étaient courants à presque chaque angle de rue. Ici, en revanche, lorsque l'on sortait du bâtiment, on avait en cadeau le panorama sur la Giudecca tout entière, s'étendant du Molino Stucky à l'autre extrémité du quai où étaient amarrés certains des bateaux imposants de la Guardia Costiera.

Ils continuèrent à traverser le *palazzo* dans le sillage de la veste blanche scintillante du marin et ils empruntèrent un large escalier en marbre. Tout en gravissant la première volée de marches, ils s'approchèrent du mur où se déployait une vaste peinture qui représentait probablement la bataille de Lépante. Des galions et des galéasses, sur lesquelles flottaient le croissant de lune des Turcs ou la croix des Européens, tapissaient entièrement le golfe de Patras où les bateaux avançaient face à face, en lignes droites ; leurs canons crachaient de toutes petites nuées blanches pendant que la Madone, d'un air approbateur, suivait depuis les cieux l'issue des combats.

« Et voici, en prime, une photo en noir et blanc du président de la République », nota Griffoni.

Brunetti estima plus sage de s'abstenir de tout commentaire.

Au sommet de l'escalier, le marin les mena vers la deuxième porte sur la droite. Il frappa, attendit, puis entra et se tint au garde-à-vous sur le seuil. Deux hommes en uniforme étaient en train de travailler. Derrière l'homme sur la droite, une carte de la lagune nord couvrait quasiment tout le mur. Sur la gauche s'étendait la partie sud de la *laguna*, jusqu'au niveau de Chioggia.

Lorsque Brunetti détourna son attention de ces cartes, il nota que le marin se trouvait à présent devant la porte à l'autre bout du bureau, accompagné de Griffoni. Au moment où il les rejoignit, le marin les scruta tour à tour, comme si son regard avait le pouvoir de les immobiliser et il se pencha pour frapper.

«*Avanti*[1]» dit une voix d'homme depuis l'intérieur.

Le marin ouvrit la porte, les laissa entrer, claqua des talons, salua, puis referma la porte derrière lui et sortit.

Un petit homme, qui faisait penser à une statue en miniature, se dirigea rapidement vers eux, serra la main de Griffoni et s'inclina pour l'embrasser, puis serra celle de Brunetti en disant : «Je vous en prie, je vous en prie ; entrez et installons-nous ici, où nous pourrons parler.»

Alaimo avait un physique plutôt lambda, était de taille moyenne pour un homme et empli d'assurance. Il avait des cheveux foncés épais et bouclés. À sa peau, on pouvait deviner le nombre d'années qu'il avait passées sur les ponts des bateaux ; des rides se dessinaient en éventail au coin de ses yeux et deux lignes verticales striaient ses joues de chaque côté de la bouche. Il avait des yeux gris pâle qui contrastaient avec son visage.

Brunetti détacha son regard d'Alaimo et se rendit compte alors des dimensions du bureau, assez grand pour contenir la table de travail du capitaine et, à droite, un divan pour quatre personnes et trois fauteuils assortis, séparés du canapé par une table basse.

Sur un signe d'Alaimo, Griffoni s'installa sur le divan pour bénéficier de la vue et Brunetti prit le fauteuil en face d'elle. Le capitaine Alaimo s'assit à égale distance des deux officiers de police, en formant ainsi une sorte de triangle isocèle humain. Brunetti remarqua qu'Alaimo avait choisi

---

1. Entrez.

un fauteuil plus bas que le sien, de manière à pouvoir toucher par terre.

Le commissaire jeta un coup d'œil dans la pièce et vit plusieurs tableaux représentant des scènes d'éruption du Vésuve. L'une avait été peinte depuis la mer, une autre d'un point éloigné, vraisemblablement vers le nord. Deux autres montraient de gigantesques rangées de fumée blanche et de flammes s'élevant au-dessus du cratère du volcan, dont l'une accompagnée d'un fleuve de magma se frayant un chemin de feu le long de la pente. Sur un autre tableau figuraient trois messieurs de dos avec leurs cannes, en train de regarder, au loin, les flammes de l'éruption. Dans le dernier tableau, des bateaux à voiles blanches naviguaient tranquillement sur une mer calme tandis qu'à l'arrière-plan s'élevaient d'épais nuages de fumée blanche, dix fois plus hauts que le volcan lui-même.

Notant l'intérêt que son invité portait à ces peintures, Alaimo expliqua : « C'est un de mes ancêtres qui a peint celle du milieu. »

Brunetti se leva immédiatement et lut effectivement la signature « Giuseppe Alaimo » inscrite en bas du tableau.

« Était-il un peintre professionnel ? demanda Brunetti. C'est un très joli travail !

— Non, répondit Alaimo en riant, il était médecin.

— De quelle éruption s'agit-il ? s'informa Brunetti, en continuant à regarder l'œuvre de près. Le savez-vous ?

— Il n'y a pas de date inscrite, mais d'après la légende familiale, c'était celle de 1779.

— Une des plus terribles », intervint Griffoni en laissant s'échapper son accent napolitain que Brunetti perçut pour la première fois et dont il avait détecté un léger soupçon dans la voix d'Alaimo.

Alaimo se tourna comme une flèche dans sa direction. «Comment?

— Pas aussi grave que certaines du XVIIIe siècle et pas spécialement dramatique par rapport à toutes les éruptions historiques connues, mais tout de même.

— Vous travaillez pourtant ici, observa-t-il comme si ce fait excluait la véridicité de ce qu'il venait d'entendre.

— Mais je suis de là-bas», dit-elle en désignant les peintures de la main.

Clairement gêné, Alaimo répliqua: «Je suis désolé, mais je n'ai pas entendu votre nom de famille.

— Griffoni, précisa-t-elle, Claudia Griffoni.

— *Oddio!* s'exclama Alaimo, en portant ses mains à la tête, comme s'il voulait l'empêcher d'exploser. J'aurais dû le savoir. Une femme aussi belle que vous, signora, ne pouvait venir que de Naples!

— Il en va de même pour un homme aussi galant que vous, capitano.»

Ces échanges incitèrent Brunetti à se demander à quel moment on mettrait un bateau de la Capitaneria di Porto à la disposition de Griffoni, pour son usage personnel. Il garda son calme, captivé par son observation assidue des tableaux.

Il s'ensuivit toute une kyrielle prévisible de récriminations: où peut-on trouver à Venise un café digne de ce nom? Une mozzarella? Le capitaine s'en faisait livrer une fois par semaine, et si elle voulait... Comment pourraient-ils survivre un autre hiver ici? Connaissait-elle untel ou unetelle? Sa tante était l'abbesse du couvent de San Gregorio Armeno. Ils avaient des amis en commun; leur pizzeria préférée se trouvait en plein cœur du quartier espagnol et ils discutèrent même de la manière la plus rapide d'aller à l'aéroport.

Après toutes ces critiques, ils glissèrent dans la conversation certains des aspects agréables de la vie à Venise, sans doute parce que Brunetti était présent.

Comme le commissaire leur tournait le dos, il fut particulièrement sensible à leurs voix et à l'accent napolitain de Griffoni, qui se marquait davantage au détour de chaque phrase. Il nota, à sa grande surprise, que lorsqu'elle donnait libre cours à ses inflexions dialectales, elle perdait de son éclat intellectuel et gagnait en vulgarité au fur et à mesure qu'elle énonçait, d'un ton plaintif, la liste des maux de Venise, dont le bouquet final fut l'absence d'une bonne *discoteca*.

Depuis le temps qu'il travaillait avec elle, Brunetti n'avait jamais entendu dans sa bouche ce genre de discours, ni perçu cette voix. Était-ce là ce que les gens évoquaient quand ils disaient du mal des *terroni*? Les gens du Sud semblaient-ils cultivés et intelligents uniquement lorsqu'ils s'adaptaient aux codes du Nord? Mais chassez le naturel, il revient au galop... Ou est-ce que la présence d'un Napolitain lui avait tellement mis les hormones sens dessus dessous qu'elle s'était adonnée à un flirt digne d'une bécassine?

Il estima qu'il l'avait suffisamment entendue déblatérer de bêtises, se détourna des tableaux et demanda: «Puis-je vous interrompre, signori? Et vous prier de revenir à nos moutons?»

Alaimo se tourna, sans parvenir à masquer un brin de soulagement, et répondit: «Bien sûr, commissario.

— On peut si facilement tout oublier quand on commence à parler de chez soi», ajouta Griffoni en minaudant. Elle fit à Alaimo un sourire hollywoodien et lui demanda, d'une voix rajeunie de dix ans : « Puis-je vous demander un verre d'eau, capitano ? »

Alaimo bondit sur ses pieds en s'excusant : « J'ai vraiment manqué à tous mes devoirs de ne vous avoir rien proposé à boire. Et que puis-je vous offrir, commissario ?

— Un café, peut-être », suggéra-t-il, prêt à accepter toute boisson capable de le remettre de la stupeur provoquée par les dernières minutes de conversation.

Alaimo ouvrit la porte et passa la tête à l'extérieur pour s'adresser à un membre du personnel. Griffoni en profita pour taper du pied le genou de Brunetti. Encore sous le choc, il se pencha machinalement en avant pour frotter sa jambe endolorie.

« Laisse-moi faire, Guido », dit-elle d'un ton ferme.

Brunetti s'apprêtait à protester, mais il aperçut la froideur de son regard.

« Vraiment », insista-t-elle en s'enfonçant dans son fauteuil, puis elle sourit à Alaimo qui revenait vers eux.

Le capitaine s'assit, leur annonça que leurs boissons seraient là dans un instant et, ignorant Brunetti, demanda à la commissaire la raison de leur visite.

Griffoni reprit son accent napolitain et expliqua, avec un rire qui parvint – là encore, pauvre petite – à paraître vulgaire aux oreilles pourtant désormais aguerries de Brunetti : « Je suis sûre que vous avez vu les photos que nous vous avons envoyées des deux garçons qui ont emmené les touristes américaines au Pronto Soccorso la nuit dernière. » Sa prononciation lui rappela les filles de Forcella qu'il avait connues pendant qu'il était en poste à Naples, il y a fort longtemps.

Alaimo acquiesça. «Ils sont de la Giudecca, n'est-ce pas?» s'enquit-il.

La porte s'ouvrit à cet instant et un autre cadet en veste blanche fit son entrée; il portait un plateau avec trois verres d'eau et trois cafés. Pendant qu'il les posait en silence devant Alaimo et ses invités, le capitaine observa: «J'ai pensé que vous auriez aimé aussi une tasse de café, dottoressa.

— Oh, comme c'est aimable à vous», dit-elle sans le moindre commentaire sur le mauvais goût du café «ici, au nord». Elle avait enfin achevé sa tirade sur Naples.

Mon Dieu, songea Brunetti, *est-ce bien la femme en qui j'avais aveuglément confiance?*

Après avoir fini leurs cafés, Griffoni enchaîna: «Oui, de la Giudecca; tout du moins, l'un d'entre eux: Marcello Vio. L'autre, Filiberto Duso, habite à Dorsoduro.

— Que voudriez-vous savoir à leur sujet, dottoressa?

— Ni l'un ni l'autre n'ont jamais fait l'objet d'un rapport ou d'une arrestation, déclara-t-elle en posant son verre sur la table. Bon, Vio a déjà eu des amendes pour excès de vitesse, mais il est jeune et c'est un Vénitien, donc je pense que nous pouvons passer outre.»

Alaimo sourit de nouveau et haussa les épaules, comme pour suggérer qu'il faut bien que jeunesse se passe.

«Nous n'avons rien sur eux dans nos dossiers à la questure. Et n'oublions pas qu'ils ont emmené les jeunes femmes à l'hôpital. Donc, avant de tirer des conclusions à leur sujet, je voudrais savoir... si vous avez eu des problèmes avec l'un d'entre eux.»

Alaimo s'enfonça dans son fauteuil, croisa les mains et répondit, au bout d'un moment: «Je connais bien le nom de Vio. Par contre, l'autre ne me dit rien du tout. Ce que je peux faire pour vous, c'est vérifier si ces jeunes ont été impliqués dans des affaires ou ont suscité des problèmes. Ce dossier peut-il attendre quelques jours? Cela me donnera la possibilité de voir ce que savent les gens qui travaillent dans ce bureau.»

Brunetti opina du chef; Griffoni esquissa un sourire.

Tous trois se levèrent à l'unisson. Alaimo les raccompagna à la porte et leur serra la main, en étant particulièrement chaleureux envers Griffoni, et les congédia.

«Orsato!» appela le capitaine.

L'homme assis devant la carte de la lagune nord se leva d'un bond.

«Sì, capitano.

— Voulez-vous descendre avec les commissari?

— Bien sûr, capitano», dit-il en saluant son supérieur.

Le cadet les conduisit au rez-de-chaussée et leur ouvrit la porte donnant sur la *riva*. Ils retrouvèrent, dans toute sa splendeur, la vue sur la Giudecca.

Brunetti tourna sur la gauche et se dirigea vers l'*imbarcadero* pour aller prendre le numéro 2. Après quelques pas à peine, il ralentit et demanda à Griffoni: «À quoi rimait tout ce cinéma?

— C'est un menteur, il ne faut pas lui faire confiance, rétorqua-t-elle dans un accent moins prononcé.

— Que veux-tu dire? s'enquit Brunetti qui avait considéré le comportement de sa collègue pour le moins étrange.

— Depuis douze ans, l'abbesse du Chiostro di San Gregorio Armeno est une Philippine, suora Crocifissa Ocampo, donc je ne vois pas comment ce peut être sa tante, comme il l'affirme.»

Brunetti mit un moment à réagir. «Je ne suis pas certain que cet argument suffise. Peut-être qu'il se vantait, tout simplement?

— Alors pourquoi s'est-il calmé quand je me suis mise à minauder? Ou quand je lui ai bien fait comprendre que Vio ne nous intéressait pas spécialement?»

Brunetti se rejoua la scène. Effectivement, Alaimo avait semblé bien plus à son aise dès l'instant où Griffoni avait renoncé à la retenue due à sa profession et avait révélé la trivialité de ses centres d'intérêt personnels. Tout individu ayant été témoin de son comportement n'aurait pu voir en elle une véritable menace.

Les plaisanteries au sujet de Naples, le folklore autour du volcan, les banalités dégoisées : tout ce jeu avait semblé plaire au capitaine. Mais quelque chose ne tournait pas rond.

13

Brunetti retourna à l'arrêt des Zattere avec Griffoni qui avait plongé dans le silence. Il songea au capitano Alaimo, chez lequel il reconnut le charme commun à la plupart des Napolitains qui, ayant souffert de l'invasion de peuples innombrables pendant plus de deux mille ans, avaient acquis l'art et la manière de se montrer affables et de sourire en signe de bienvenue. Ils avaient souri aux Grecs, aux Romains, voire aux Ostrogoths, pour ne pas parler des Byzantins et des Normands, des Angevins et des Espagnols ainsi que des Allemands et des Alliés. Ils avaient cherché à les chasser, avaient négocié avec eux, les avaient soudoyés, s'étaient rendus et, de guerre lasse, avaient ouvert leurs portes aux vainqueurs. Des siècles entiers sous ce régime avaient développé en eux la stratégie de la survie : amabilité, flatterie, jovialité, tromperie. Où trouve-t-on encore les Grecs de l'Antiquité ? Les Ostrogoths ? Les remparts de Byzance ? Mais les Napolitains ? Ne sont-ils pas toujours chez eux, et ont-ils perdu de leur pouvoir de séduction ?

Brunetti chassa ces idées ; c'était trop facile d'interpréter à son gré les actions accomplies par des peuples et des cultures disparus depuis longtemps.

«Excuse-moi, dit-il à Griffoni lorsqu'elle s'arrêta et lui posa la main sur le bras.

— Je ne sais pas à quoi tu penses, Guido, mais tu n'es plus parmi nous.

— J'étais en train de penser à Naples.»

Elle ne parvint pas à masquer sa surprise. «Tu pensais à quoi exactement?

— À la manière dont vous avez survécu aux invasions, à l'occupation, à la guerre, à la destruction: ce genre de choses.

— Et encore, tu as oublié qu'on a construit notre ville près d'un volcan actif qui peut éructer quand bon lui semble. Et que le jour où cette éruption se produira, il y aura plus de trois millions de personnes qui chercheront à s'échapper.

— Y compris ta famille?

— Ils vivent à dix minutes à pied de la baie, donc ils essaieront de s'enfuir à la nage, je suppose.

— Tu n'as pas du tout l'air inquiète à cette perspective, constata Brunetti.

— Ou tu l'es, ou tu ne l'es pas, répliqua-t-elle, d'un ton résigné. Je l'étais, mais je ne le suis plus.

— On peut vraiment oublier sa peur sur un simple claquement de doigts?»

Elle se dirigea vers la machine, présenta sa carte d'abonnement sur le capteur et les deux barrières de métal s'ouvrirent pour la laisser entrer. Au moment précis où elles allaient se refermer, un homme élégamment vêtu se précipita derrière elle, sans veiller à sortir la sienne.

Cela ne me regarde pas, se dit Brunetti. Il présenta à son tour sa carte sur l'appareil et rejoignit Griffoni. «Explique-moi pourquoi Alaimo ment, à ton avis, et, qui plus est, au sujet d'une abbesse.

— Je pense qu'il voulait me faire croire qu'il provenait d'une grande famille.

— Être abbesse est donc si important?

— La religion, c'est différent pour nous.

— Cela signifie-t-il que tu es…, commença-t-il en s'échinant à trouver la bonne expression… croyante?»

Elle émit un bruit, à mi-chemin entre le grognement et le rire. «Bien sûr que non. Mais il est important d'en donner l'impression et de faire preuve de respect.»

Comme Brunetti s'abstint de toute remarque, elle poursuivit: «C'est un de nos codes de comportement: courtoisie envers les dames et solennité envers la religion.» Sans lui laisser le temps de mettre en cause cette assertion, elle enchaîna: «Si tu ne me crois pas, viens au Duomo le jour où l'évêque montre le sang de San Gennaro[1]. Je veux dire, la liquéfaction du sang.

— Et Alaimo y croit?

— Peu importe, rétorqua-t-elle. Mais vu mes origines, il doit s'imaginer que moi j'y crois et que je puisse être très impressionnée par le fait qu'il ait une tante abbesse. C'est absurde ce qui peut passer par la tête des gens.»

Brunetti s'apprêtait à parler, mais elle leva une main en disant, en guise d'explication: «Crois-moi, Guido. Nous sommes roublards jusqu'à la moelle.»

Le vaporetto arriva. Une fois à bord, elle lui énonça à voix basse: «C'est simple. Il ne veut pas nous dire ce qu'il sait sur ce qui est en train de se passer.»

Brunetti songeait aux propos de Griffoni tandis qu'ils se rapprochaient de l'arrêt Palanca. Le vaporetto s'arrêta, s'amarra, attendit que les passagers descendent et qu'il en monte d'autres, fit une légère marche arrière, puis se

---

1. Saint Janvier, le saint patron de Naples, une figure extrêmement populaire.

dirigea tout tranquillement vers le Redentore. « Mais pour quelle raison ? » s'enquit Brunetti.

Griffoni ne dit rien, sans doute habituée, désormais, à la façon dont Brunetti réagissait aux informations perturbantes : il ouvrait un tiroir et se mettait à le vider, pour en examiner le contenu.

Brunetti brisa le silence de sa collègue en déclarant : « Quelle qu'elle soit, la raison pour laquelle le chef de la Capitaneria di Porto cherche à nous tenir à l'écart d'un éventuel suspect est importante.

— Patrouiller les eaux n'est pas de notre ressort, Guido. Tu n'es pas Andrea Doria[1]. »

Ignorant cette remarque, Brunetti insista : « S'il ne veut pas nous mettre au courant des agissements de Vio, il doit y avoir une bonne raison, tu ne crois pas ?

— Peut-être qu'Alaimo sait qu'ils sont sur un coup et qu'il veut les arrêter personnellement, suggéra Griffoni.

— Il n'est pas policier, Claudia. C'est nous qui procédons aux arrestations. Alaimo peut les attraper en mer, mais c'est nous qui les arrêtons. »

Brunetti enfouit ses mains dans les poches et se balança sur ses pieds à plusieurs reprises. Le bateau heurta l'*imbarcadero* à San Zaccaria, mais le commissaire resta insensible au choc et continua son mouvement d'oscillation. Le bruit d'ouverture de la barrière interrompit sa rêverie et il se mit de côté pour laisser Griffoni sortir avant lui.

Ils tournèrent à droite, en direction de la questure. Il allait prendre la parole, mais comme il sentit qu'elle voulait

---

1. Condottiere et grand amiral de la république de Gênes à la Renaissance.

ajouter des éléments, il se tut. Devant la nouvelle tentative avortée de Griffoni de parler, il lui demanda :

«Dis-moi ce que tu as sur le cœur, Claudia.»

Sans réagir le moins du monde aux paroles de Brunetti, Griffoni continua à marcher. Au moment où ils arrivèrent au ponte della Pietà, elle s'écarta pour s'approcher de l'eau et s'arrêta au bord de la *riva* pour contempler San Giorgio. «Je souhaitais te parler du *veneziano*, dit-elle en gardant les yeux rivés sur l'église.

— Que voulais-tu me dire à ce sujet ? répondit-il, étonné.

— Je crois que je m'y suis habituée. Quand toi et Vianello, et les autres, vous parlez en vénitien, j'écoute ce que vous dites et j'en comprends une bonne partie. Pas tout, mais la majeure partie.

— J'en suis ravi, répliqua Brunetti, sans trop saisir pourquoi ils avaient engagé cette conversation – en admettant que c'en soit une – en cet instant précis.

— Je ne…, commença-t-elle en se tournant pour le regarder en face. Il vous suffit de sortir deux mots pour que j'aie la sensation de n'avoir affaire qu'à des dockers ou à des marins, sans un sou de culture ; c'est plus fort que moi.

— Ravi aussi de l'apprendre, affirma Brunetti, encore plus confus, mais résolu à écouter sa collègue.

— Cependant, poursuivit-elle sans tenir compte de la réplique du commissaire, dès l'instant où je commence à parler avec un accent napolitain – et je ne parlais pas napolitain avec Alaimo, sinon…, elle marqua une pause ici pour prendre une inspiration, je t'assure que tu aurais pu t'évanouir à ces sonorités.»

Brunetti sentit une profonde déflagration lacérer sa conscience et le rouge lui monter aux joues.

«Dès que vous entendez mon accent, vous commencez à supposer que tout ce que j'ai fait par le passé est discutable et que, au fond, je reste l'ignorante *terrona* que beaucoup de nos collègues persistent à voir en moi.»

Il lui fallut un énorme effort de volonté pour parvenir à soutenir le regard de Griffoni et pour lui laisser percevoir la bouffée de honte qu'il ne put ni contrôler ni endiguer. Pendant un instant, il eut l'horrible sensation de ne pouvoir retenir ses larmes.

Il ouvrit la bouche pour parler, mais sans réussir à trouver les mots. Il était son plus proche collègue ici, il connaissait des détails de sa vie dont personne d'autre n'était au courant, et pourtant, elle avait encore cette image de lui. Le pire était qu'elle avait raison. Il se frotta les yeux jusqu'à ce qu'il pût la regarder de nouveau.

«Je te demande pardon, Claudia, dit-il solennellement. Je t'en prie, pardonne-moi.

— Nous sommes amis, Guido. Et il y a suffisamment de bonté en toi pour compenser ce tort.»

Griffoni s'approcha pour lui toucher la joue. «C'est fini, Guido. N'en parlons plus.»

Elle se détourna et reprit sa marche. Lorsqu'il la rejoignit, elle lui demanda : «Nous allons donc partir du principe qu'Alaimo mérite que l'on se penche un peu plus sur lui ?»

Il voulut répondre que c'était elle l'experte de Naples, mais il se dit qu'il était peut-être sage de garder ses distances vis-à-vis de cette ville volcanique et il se sentit coupable d'être aussi fermé d'esprit. Il se demanda comment contrer ce moment de gêne. Pour elle, c'était réglé, mais pour Brunetti, c'était trop frais ; il fallait laisser le temps au temps.

«Oui», finit-il par répondre. Il regarda sa montre et vit qu'il était presque midi et demie. «Nous nous pencherons sur tout cela après le déjeuner, suggéra-t-il, conscient d'avoir besoin de digérer la pertinence des remarques de Griffoni et son propre aveu de lâcheté.

— Bonne idée. Alors à cet après-midi», approuva-t-elle en souriant.

Comme les enfants étaient rentrés manger, il ne fit aucune allusion à cet incident avec Griffoni, qu'il aurait été d'ailleurs bien en peine de qualifier : était-ce une scène, un échange, une confrontation, une conversation ? Paola avait préparé un risotto au chou-fleur et des escalopes de veau panées, deux de ses mets favoris, mais il eut peu d'appétit. Il ne but pas non plus de vin, contrairement à son habitude au repas de midi.

Ce furent ainsi les enfants qui firent la conversation ; ils rivalisaient d'enthousiasme pour les séries télévisées étrangères qu'ils regardaient sur leurs ordinateurs. Brunetti craignait que ces émissions ne soient hackées — il préférait le terme «piratées» — et se demanda si Raffi serait capable d'un tel acte. Il éluda la question, ne sachant comment réagir si son fils — ou sa fille — lui avouait ce délit.

Il était sûr que ni l'un ni l'autre n'avaient jamais commis le moindre vol : Chiara avait trouvé un jour une serviette dans un vaporetto et comme elle n'était pas certaine de l'honnêteté de l'équipage, elle préféra la donner à son père lors du déjeuner et lui laissa le soin de l'ouvrir, de découvrir le nom du propriétaire et de l'appeler pour lui remettre son dû.

Mais tous deux, apparemment, estimaient de bonne guerre de jouir des services de diffusion en continu. Il s'était renseigné à ce sujet quelque temps auparavant et on lui avait assuré que, comme les émissions et les films n'appartenaient à aucun individu en particulier, personne n'était lésé, même si on ne les payait pas. Lorsque Brunetti allégua la question des droits, on lui répondit qu'il n'y avait pas un seul et unique auteur, mais qu'il s'agissait de terribles sociétés multinationales qui possédaient d'immenses plantations d'huile de palme en Indonésie et qui avaient renoncé à tout droit moral. On pouvait donc presque tout justifier par les combinaisons les plus inattendues. Comment avait-il pu passer à côté de cette apothéose du *non sequitur*?

Après le départ des enfants, Paola lui demanda ce qui le tracassait; Brunetti l'embrassa sur la joue, lui répondit qu'il le lui dirait plus tard et se rendit à la questure en grommelant tout le long du chemin.

14

De retour à la questure, Brunetti commença par appeler Griffoni. Il lui demanda de descendre, sous prétexte qu'il n'avait pas envie de risquer de nouveau sa vie avec ces obstacles que constituaient son fauteuil et son bureau. Il vit dans son rire le prélude à une réconciliation et l'espoir de retrouver leur agréable collaboration.

Quelques minutes plus tard, elle entra sans veiller à frapper et s'installa dans son fauteuil habituel, en face de lui. Elle se pencha pour poser une chemise en papier kraft sur son bureau. «De la part d'Elettra. Au sujet de Vio et Duso», expliqua Griffoni.

Enfin, se dit Brunetti, *elles s'appellent par leurs prénoms.*

«Eh bien? demanda Brunetti.

— Voici le casier judiciaire de Vio lorsqu'il était mineur. Celui de Duso est vierge.

— La signorina Elettra n'est pas là?

— Pas aujourd'hui, mais son esprit est toujours parmi nous», répondit-elle d'un ton moqueur. Puis elle poursuivit : «Comme elle ne nous estime pas capables d'infiltrer certaines bases de données sans laisser de traces, elle m'a envoyé ses recherches. Elle ne veut pas m'expliquer comment elle obtient des informations sur le milieu militaire, sur les crimes perpétrés contre les enfants, ou encore sur les affaires requérant un accès au Vatican », poursuivit-elle – réflexion qui rappela au commissaire que la signorina Elettra considérait certains domaines comme sa chasse gardée.

Songeant que ce n'était pas le moment de remettre en question la décision de la signorina Elettra, il préféra désigner l'enveloppe sous la main de Griffoni.

« Que nous apprend son casier ? s'informa-t-il.

— Rien de bien surprenant. Vio et ses bateaux, encore et toujours Vio et ses bateaux. Les grands qu'il conduit sans le permis requis. Des excès de vitesse. Conduite de nuit sans phares. Il a de la chance qu'on ne lui ait pas encore retiré son permis.

— Tu as dit "de la chance" ?

— J'imagine que certains des agents qui l'ont arrêté le connaissaient, ou connaissaient son oncle et ont fermé les yeux sur ces petits délits. Les gens du monde nautique se serrent les coudes. Il n'y a aucune mention d'infraction aux règles maritimes.

— Aux *lois* maritimes, rectifia Brunetti.

— Aux lois, répéta-t-elle avec un sourire. Son problème, ajouta-t-elle en agitant le dossier en l'air, tout du moins à ce que je vois, c'est la *testostérone*.

— Et que sont alors ces documents ? s'enquit-il en désignant les autres papiers posés sur son bureau.

— Ils racontent un peu l'histoire de la famille, et surtout celle de l'oncle de Vio, Pietro Borgato, spécifia-t-elle en souriant.

— Est-ce que la signorina Elettra te les a envoyés ? demanda Brunetti sans parvenir à masquer sa surprise.

— Non. Comme elle n'a pas eu le temps de commencer ses recherches sur lui, j'ai jeté moi-même un coup d'œil pendant la pause déjeuner. Ce sera plus simple si je te présente directement les points qui m'ont semblé intéressants. »

Au signe d'assentiment de Brunetti, elle enchaîna : « Cette famille a l'eau dans le sang. Le père de Borgato a commencé à travailler à l'ACTV[1] comme membre d'équipage à tout juste vingt ans. Vers l'âge de trente ans, il est devenu pilote de vaporetto. Son fils Pietro l'a suivi dans la société en tant que matelot. Il paraît que ça aide si quelqu'un de la famille glisse un mot en ta faveur, et que c'est encore mieux si quelqu'un de la famille travaille déjà dans le circuit.

— Comme partout », observa Brunetti.

Elle opina du chef et continua : « Mais Pietro était d'une autre étoffe. Il a un mauvais dossier professionnel : il se plaignait, se disputait avec les passagers, contrôlait les billets — ce qui n'était pas de son ressort — et il a fini par être sanctionné pour s'être battu avec un collègue, puis licencié à la suite de violences envers un passager. Le dossier de l'ACTV ne précise pas la raison de cette bagarre. Le passager en question était une femme, apprit-elle à Brunetti, à sa grande surprise. On dirait qu'on a étouffé l'affaire et qu'on l'a laissé partir sans faire d'histoires.

— Aucune plainte n'a été déposée contre lui ?

— Non. Je suppose que l'ACTV a décidé d'acheter le silence de la femme.

— C'est tout à fait plausible, affirma Brunetti. Ménager les touristes, quoi qu'il arrive.

---

1. Sigle pour Azienda Consorzio Trasporti Veneziani (Consortium d'entreprises des transports vénitiens).

— C'était une Vénitienne, spécifia Griffoni. Anna Bruzin, trente-cinq ans, femme au foyer, demeurant à Cannaregio 4565.

— D'autres éléments?

— Les histoires classiques, répondit-elle en tournant une page. Quelques bagarres dans des bars, pour lesquelles nous sommes intervenus. Une seule plainte, pour avoir jeté un homme à l'eau. Mais deux jours plus tard, cet homme est venu nous dire qu'il était ivre et qu'il est tombé dans le canal alors que Borgato essayait de le retenir. Et la plainte a été retirée.

— Est-ce que tu connais par hasard un...? commença-t-il, puis il demanda, au bout d'un moment: Cet incident s'est-il produit sur la Giudecca?»

Griffoni vérifia et confirma que oui.

«Je n'ai jamais entendu parler d'un Giudecchino qui, ivre ou pas, soit tombé à l'eau, nota-t-il.

— Après avoir été licencié, il a disparu de la circulation. Il est revenu à Venise il y a une dizaine d'années; c'est là qu'il a acheté son entrepôt et deux bateaux; il a embauché deux hommes et s'est lancé dans son entreprise de transport. Depuis, il a acheté deux autres gros bateaux et un plus petit, et il est devenu un homme d'affaires qui a le vent en poupe.

— Et que penses-tu de sa testostérone?» s'enquit Brunetti.

Griffoni haussa les épaules. «Ou elle s'est affaiblie avec l'âge, ou il a appris à la contrôler. Il n'y a plus jamais eu de mention pour violence.»

Elle parcourut les pages, les feuilleta jusqu'à la dernière et affirma: «Il n'a plus attiré l'attention de la police – fluviale – que pour amarrage illicite. À part cela, rien à signaler.

— Est-ce que tu sais où il est allé après avoir quitté Venise ?

— Non ; je n'ai pas vérifié ses changements d'adresse, mais s'il a voulu louer un nouveau logement, il y a forcément une trace écrite.

— Et s'il travaillait, il doit y avoir des dossiers à son nom, il devait payer des impôts. À moins qu'il ait travaillé au noir, nota-t-il avant qu'elle n'évoque cette possibilité.

— De toute façon, c'était forcément sur un bateau : comme pêcheur, ou transporteur.

— Alors ce pourrait être Trieste, suggéra Brunetti en longeant mentalement la côte italienne, ou Ancône, Bari, Brindisi, les ports siciliens, Naples, Civitavecchia, ou encore Gênes.

— Je vais commencer par vérifier cette question du domicile, proposa Griffoni. Ce sera plus facile à trouver que l'endroit où il peut avoir travaillé. » Elle allait ajouter une observation, marqua une pause et conclut : « Guido, je ne vois pas bien pourquoi nous nous donnons tout ce mal pour lui.

— Borgato ?

— Oui.

— Moi non plus, avoua Brunetti. Mais toute cette histoire m'intrigue, et donc m'intéresse, je suppose.

— On dirait que tu es fatigué de regarder des émissions criminelles à la télévision et que tu veux changer de chaîne pour voir une série plus captivante.

— Pour l'amour du ciel, loin de moi ce malheur ! » répliqua-t-il en riant.

Elle leva les yeux sur lui et il revit sa Claudia de toujours, curieuse, souriante, de retour au travail.

«Lorsque Borgato est revenu à Venise, poursuivit Brunetti, il a eu les moyens de s'acheter un entrepôt et deux bateaux ; il a donc bien fallu qu'il gagne tout cet argent quelque part, pendant toutes ces années. Alors jette un œil du côté des finances : ses dossiers bancaires, ses emprunts et tout le bataclan.

— Je vais voir ce que je peux faire », déclara-t-elle en sortant.

Comme Paola dînait avec ses collègues, la famille, livrée à elle-même ce soir-là, se retrouva dans l'obligation de pratiquer la chasse et la cueillette pour survivre : les enfants avaient quémandé une invitation auprès de leurs grands-parents et Brunetti s'était résigné à faire des pâtes agrémentées de la sauce que Paola avait laissée pour lui au réfrigérateur.

Il n'y avait personne à son arrivée ; il alla donc immédiatement dans le bureau de Paola qui, au fil du temps, était devenu son cabinet de lecture. Sa femme lui avait envoyé un message dans l'après-midi pour le prévenir que la nouvelle traduction de Tacite était arrivée et qu'elle se trouvait sur son bureau. Il s'en saisit et parcourut le résumé sur la quatrième de couverture, débordant d'éloges. Il enleva ses chaussures d'un coup de pied, s'allongea sur le canapé et commença sa lecture.

Brunetti avait toujours préféré lire allongé. C'était probablement une habitude résultant de la pauvreté de sa famille : tout enfant adorant lire et ayant grandi dans une maison chauffée au strict minimum, développe inévitablement l'habitude de lire au lit. Encore maintenant, dans une maison bien plus cossue, et bien mieux chauffée, il atteignait un plus haut degré de concentration s'il lisait des ouvrages posés contre sa poitrine.

Il sauta l'introduction et les notes du traducteur et décida d'ouvrir le livre et de lire un extrait au hasard pour avoir un avant-goût de ce qui l'attendait. Ainsi tomba-t-il sur l'histoire de Séjan, le préfet de la garde prétorienne, l'homme que l'empereur Tibère qualifiait de «partenaire de [son] labeur», sans se rendre compte que son partenaire se consacrait – comme beaucoup d'historiens l'attestèrent ultérieurement – à se frayer un chemin vers le trône impérial, en assassinant d'abord le fils unique de Tibère tout en ayant l'œil sur ses deux petits-fils.

Une expression attira particulièrement l'attention de Brunetti. «Je donne un seul exemple de la fausseté des commérages et des on-dit, et j'exhorte mes lecteurs à se méfier des fables incroyables, quelle que soit l'ampleur du crédit qu'on leur accorde, et de croire au contraire à la stricte vérité.»

Brunetti laissa tomber le livre sur son estomac et regarda par la fenêtre les toits et les vitres réfléchissant les rayons du soleil couchant. Il y a deux mille ans, la population était massivement illettrée ; la plupart des informations étaient donc transmises par le bouche-à-oreille et Tacite conseillait à ses lecteurs d'être prudents en matière de rumeurs et de ne croire que la stricte vérité. *Quelle qu'elle soit*, lui murmura sa petite voix intérieure. *Tacite aurait-il été un historien doué de visions prophétiques*, se demanda Brunetti, *en anticipant si bien les conséquences de la télévision et des réseaux sociaux ?*

Le commissaire reprit sa lecture et retourna au monde de l'Antiquité. Malheureusement, les fragments concernant les années suivantes n'avaient pas été retrouvés, mais

Séjan devait certainement avoir continué à comploter et à affiner sa tactique de flatterie à l'égard de Tibère. Le texte reprenait à la chute de Séjan et l'imminente destruction de sa famille et de sa mémoire.

Mais pourquoi, se demanda Brunetti, *devrais-je croire l'histoire telle que Tacite la raconte? Ses sources lui disaient-elles la vérité? Presque un siècle s'est écoulé entre ces événements et le moment où Tacite les a consignés dans son livre. La mémoire collective a peut-être déformé certains éléments, voire les a délibérément occultés.*

Brunetti songea aux journaux qu'il lisait et à ceux qui étaient en vente dans les kiosques. Chaque jour, ils relataient les nouvelles et faisaient part aux lecteurs des événements considérés, de l'avis des éditeurs de la rédaction, comme importants du point de vue politique, économique, médical ou social. Mais combien leurs explications différaient-elles, combien leurs interprétations divergeaient-elles? Seules les pages consacrées au sport étaient fiables: il était en effet possible de vérifier et d'authentifier les scores annoncés, tout comme les classements pour les différents championnats. Mais, minute papillon. La presse relayait le salaire inscrit dans le contrat du joueur, d'accord; mais elle ne communiquait pas combien le joueur touchait véritablement. Les publicités, les interviews, les produits dérivés, même leurs apparitions lors d'un dîner ou d'une réception; sans compter les voitures qu'on leur offrait, les chaussures, les vêtements: comment calculer cela? Où était la «stricte vérité»?

Le bruit d'une clef dans la serrure le sortit de ses méditations. Il pensa tout d'abord que c'était Paola, car elle parvenait toujours à introduire la clef du premier coup. Mais il attendit la fermeture de la porte: trop bruyante pour que ce soit elle. Puis le premier pas: tout sauf léger.

« *Ciao* Raffi », lui dit-il pour lui souhaiter la bienvenue.

Son fils apparut à la porte, presque aussi grand que lui, avec une masse de cheveux foncés qu'il n'avait pas le temps de couper, disait-il, et qui avaient tellement poussé qu'ils frôlaient le haut de son sac à dos. Brunetti s'aperçut de la beauté de Raffi. Mais il ne dit mot à ce sujet, afin de ne pas mettre de pression futile sur les épaules de son fils.

Assis chacun à un bout du canapé, ils discutèrent des événements de la journée. Raffi lui expliqua qu'il avait décidé de rentrer pour écrire sa dissertation sur l'histoire de l'Italie au lieu d'aller dîner chez ses grands-parents. Il parla du professeur qui tenait ce cours, un activiste de la Lega[1] de la première heure qui aspirait à la séparation de l'Italie du Nord, dénommée Padania, mais qui comprenait à présent tout le pays.

Raffi et son professeur avaient déjà été en désaccord sur un certain nombre de points, dont la présence italienne en Abyssinie avant la Seconde Guerre mondiale, période que l'enseignant dépeignait comme l'âge d'or de ce pays. Lorsque Raffi évoqua l'utilisation des gaz toxiques répandus par avion, pendant ce qu'il désigna intentionnellement comme une «invasion», le professeur nia ce fait. «Les gens lançaient des fleurs aux pieds de nos soldats» répliqua-t-il avec insistance.

«Pourquoi rejette-t-il tout ce que je dis? Même si je lui cite mes sources?»

---

1. La Ligue du Nord pour l'indépendance de la Padanie est un parti politique italien initialement régionaliste et fédéraliste, souvent décrit comme populiste, d'extrême droite, eurosceptique, voire xénophobe.

Malgré son envie de se pencher pour ébouriffer les cheveux de son fils et de lui enjoindre de se calmer, Brunetti étendit les jambes et posa les pieds sur la table devant eux. «Cela ne sert à rien d'essayer de raisonner avec lui, Raffi, lui dit-il d'une voix douce. Il a décrété une fois pour toutes ce qui est vrai ou pas et il ressentira le moindre de tes arguments contre lui comme une provocation.

— Mais c'est un professeur, papa. Il est censé nous dire ce qui s'est produit dans le passé et où en trouver les preuves.»

Rien de plus vrai, songea Brunetti.

«Ton grand-père était là-bas» assena-t-il soudain.

Raffi se tourna vers son père, bouche bée sous l'effet de la surprise.

«Quoi?

— Mon père. Ton grand-père. Il était là-bas pendant l'occupation.

— Je ne savais pas, répliqua Raffi. Comment le sais-tu?

— Ma mère avait gardé ses états de service. Elle en avait eu besoin pour faire sa demande de pension de réversion.

— Ne touchait-il pas déjà une retraite? s'enquit Raffi, confus. De l'armée?

— On lui en avait décerné une, mais d'après la légende familiale, il l'a refusée.

— Mais ta famille était pauvre, non? observa Raffi, comme s'il avait vécu une telle situation et savait de quoi il parlait.

— Il leur a dit qu'il la récusait.

« — C'est fou, objecta Raffi, mais à la vue du regard soudain de son père, il nuança : Vu leurs finances, je veux dire. »

Brunetti haussa les épaules et sourit, comme à son habitude lorsqu'il parlait de sa famille paternelle. « Il trouvait injuste de tirer de l'argent de ses actions accomplies là-bas.

— Donc, il n'avait pas de retraite ?

— Non, pas pour sa mission en Abyssinie ; en revanche il avait accepté les indemnités de guerre.

— Je ne comprends pas. C'était un soldat, pourtant ?

— Oui, confirma Brunetti, soudain mal à l'aise de constater que son fils n'avait pas immédiatement saisi la nuance.

— Alors pourquoi a-t-il refusé sa retraite ?

— N'as-tu jamais rien lu sur ce qu'ont fait nos soldats à Addis-Abeba ? Après l'attaque perpétrée contre Graziano ?

— C'était notre général, n'est-ce pas ?

— Oui, se limita à répondre Brunetti qui n'avait pas envie de se lancer dans une discussion sur le général ou son comportement.

— Que s'est-il passé ?

— Il y a eu un attentat à la bombe contre lui. Au cours d'une réunion. Et il a autorisé ses troupes à… disons, à punir les habitants.

— De quelle manière ? »

Brunetti réfléchit à la meilleure réponse à donner, et finit par déclarer : « Tous les coups étaient permis. »

Le visage de Raffi se vida de toute expression et il blêmit légèrement, ce qui fit ressortir les premières ombres de sa moustache et de sa barbe.

Raffi s'enfonça dans le canapé et croisa les bras. «Je ne comprends pas ce que cela signifie», avoua-t-il au bout d'un long moment.

C'est le monde à l'envers, songea Brunetti : d'habitude, c'étaient les enfants qui révélaient aux parents que l'histoire de leur pays n'avait pas été faite par des anges ni par des saints, que leur nation aussi avait fait le sale boulot requis par l'Histoire, et c'étaient les parents qui essayaient de leur expliquer que c'était une autre époque, que les gens pensaient différemment, nourrissaient d'autres croyances, concevaient la vie autrement.

C'était une jeunesse indignée, découvrant les vipères cachées sous son drapeau, peut-être nichées dans ses plis. Brunetti se souvint du choc qu'il avait ressenti lors de cette prise de conscience, de la vague de honte qui l'avait submergé et de la fausse consolation qu'il avait éprouvée à l'idée banale que tous les pays étaient logés à la même enseigne et seraient probablement prêts à recommencer.

Son fils avait le visage livide, les joues rouges, et lui ne savait pas quoi dire.

Ils restèrent ainsi un certain temps, puis Raffi regarda son père. «Où as-tu appris tout cela, papa? Sur l'histoire et les peuples, et sur leur façon d'être?»

Brunetti n'y avait jamais réfléchi. «Je ne sais pas, Raffi, confessa-t-il. Une bonne partie me vient de l'attention que je porte aux propos des gens et du fait que je ne me fais ma propre idée qu'après avoir entendu tous les sons de cloche.» C'était mal formulé, il le savait. «Et que je lis beaucoup.

— C'est tout?» s'étonna Raffi, comme s'il craignait que son père ne lui tende un piège ou ne fasse de la rétention d'information.

Brunetti se leva. «J'ai aussi plus de trente ans de plus que toi et j'ai donc plus d'expérience.»

Raffi hocha la tête. «Ça aide.»

Brunetti se pencha avec un sourire et passa la main dans les cheveux de son fils, en disant: «Il ne me reste plus qu'à convaincre ta mère!»

15

Le lendemain matin, Brunetti se rendit en premier lieu dans le bureau de la signorina Elettra. Elle était déjà là, vêtue d'un costume en velours bleu foncé, orné d'un fin liseré rouge sur le revers et le long des jambes du pantalon. La lumière faisait scintiller le velours tout neuf de son habit qui lui conférait l'aspect d'un commandant, tandis qu'elle se tenait près de la photocopieuse.

«J'aime bien votre costume, lui dit-il en entrant.

— Oh, comme c'est aimable à vous, commissario, répliqua-t-elle d'un ton gracieux. Peut-être que je ne devrais pas le dire, mais ça me fait plaisir d'être de retour.

— Trop de chaos, à Rome?

— Trop de gens!» rectifia-t-elle avec un frisson théâtral, comme si elle vivait dans une lande du Yorkshire et qu'elle ne voyait personne pendant des semaines et des semaines.

Comme sa remarque lui sembla exagérée, Brunetti demanda: «En ville?

— Oh, je suis désolée, commissario, je ne parlais pas de la ville elle-même, mais de la questure. Il y a des centaines de personnes là-bas.

— On doit commettre plus de crimes, à Rome, se risqua à dire Brunetti.

— Eh bien, commença-t-elle en marquant une longue pause, n'oublions pas que le gouvernement *et* le Vatican sont là. »

Brunetti songea à la meilleure réplique à lui fournir. «J'avais plutôt à l'esprit le fait que ce soit plus peuplé, précisa-t-il.

— Bien sûr, bien sûr, approuva-t-elle. Certes, il faut aussi tenir compte de ce facteur. » Puis, détournant son attention des chiffres, elle ajouta : «Ils détiennent des dossiers délicieusement secrets, là-bas. Où que l'on mette les mains… », nota-t-elle, puis elle se corrigea, «enfin, façon de parler…

— Bien entendu », glissa-t-il et, résolu à ne pas afficher une once d'intérêt pour ce qu'elle qualifiait de «délicieusement secret», il lui demanda s'il y avait des nouvelles sur l'état de Marcello Vio ; elle secoua la tête.

«Et les deux Américaines ?

— Celle avec le bras cassé est sortie hier de l'hôpital et elle est maintenant dans un hôtel. Le père de l'autre est arrivé des États-Unis hier après-midi. »

Face à la réaction de Brunetti, elle expliqua : «Il assistait à un congrès à Washington et a dû rentrer immédiatement. Il loge dans un hôtel à Mestre.

— Et sa fille ?

— L'hôpital n'a voulu livrer aucune information à son sujet.

— Avez-vous indiqué qu'il s'agissait d'une affaire policière ?

— Oui, mais cela n'a rien changé à la situation. »

Brunetti la remercia et sortit du bureau, mais hésita avant de monter dans le sien. Il pouvait être opportun de retourner parler à Vio pendant qu'il était encore à l'hôpital : les gens n'y sont pas nécessairement plus faibles, mais ils sont souvent déprimés et donc plus réceptifs à toute occasion de discuter.

Brunetti prit intentionnellement le chemin le plus long pour aller à l'hôpital et tourna à la Barbaria de le Tole afin de pouvoir passer devant un magasin qui vendait des gravures et des meubles japonais. Il y avait acheté, des années auparavant, un vase en céramique bien pansu, dans lequel ils gardaient aujourd'hui encore un assortiment d'ustensiles de cuisine en bois. Dans sa hâte, il avait dû le dépasser et il revint sur ses pas, pressé de se régaler, comme toujours, à regarder les pièces exposées dans la vitrine, notamment un long panneau calligraphié qu'il avait toujours admiré, qu'il n'aurait su où mettre mais qu'il était ravi, à chaque fois, de revoir et de s'imaginer acquérir.

Le magasin avait disparu. Ou plus précisément, la vitrine qui montrait autrefois cette œuvre était tapissée de papier à l'intérieur et une pancarte annonçait : « *Cessata attività* ». Précaution inutile : la présence du papier suffisait à signaler que ce commerce avait cessé son activité, mais le mot ne fournissait pas plus d'explications. Il entra dans le café d'à côté et s'approcha du comptoir. Un homme chenu leva les yeux.

« Qu'est-il arrivé au magasin japonais ? s'informa Brunetti, en pointant son pouce vers la gauche.

— Comme d'habitude, répondit l'homme en haussant les épaules. Le propriétaire de l'immeuble est mort et son fils a doublé le loyer lorsque le bail est arrivé à échéance. » Il prit un verre et l'essuya avec un torchon d'une propreté douteuse.

« Où sont-ils partis ?

165

— Je pense qu'ils vendent tout en ligne maintenant, mais je n'en suis pas sûr.

— Savez-vous ce que cet espace va devenir ?» demanda Brunetti. Comme ils parlaient en vénitien, il se sentait autorisé à requérir ce genre d'information.

«Un magasin de verre de Murano, répondit le barman en soulignant le dernier mot.

— Du Murano de Chine ?» s'enquit Brunetti.

L'homme émit un grognement en guise de réponse et prit un autre verre.

Brunetti le remercia et se remit en route pour l'hôpital.

Une fois arrivé, on le dirigea vers le service ORL ; il ne posa pas de questions, car il était conscient de cette pratique curieuse consistant à installer les malades dans des services aléatoires, à cause du manque de lits.

Il suivit les panneaux, traversa au rez-de-chaussée le jardin orné de colonnes et, après avoir demandé son chemin à plusieurs reprises, trouva le service en question. Il s'arrêta au bureau des infirmières où l'une d'elles le reconnut. Il expliqua qu'il voulait voir Marcello Vio et on lui indiqua qu'il était dans la troisième chambre sur la droite où il le trouva effectivement, installé dans le lit près de la fenêtre, les yeux rivés sur son téléphone et muni de ses écouteurs. Il était assis et prenait appui contre plusieurs oreillers. L'autre patient dans la chambre était un vieil homme avec un œil recouvert d'un bandage, qui ne s'était pas rasé depuis plusieurs jours.

Brunetti resta dans l'embrasure de la porte pour observer Vio. Il semblait plus maigre que lors de leur dernière entrevue mais aussi plus pâle ; son visage, rasé cette fois de près, accusait des signes de stress et de fatigue. Il était subjugué par son portable.

À la vue de Brunetti, son visage se crispa et il posa silencieusement son smartphone et ses écouteurs sur le dessus de lit.

Brunetti s'approcha et lui tendit la main ; Vio la lui serra puis retourna son téléphone, comme pour le mettre à l'abri de la curiosité du commissaire.

«Bonjour, signor Vio. Je suis venu voir comment vous alliez. Je pense qu'ils vous laisseront sortir sous peu.

— Non, répliqua-t-il en secouant la tête ; ils ont décidé de ne pas prendre de risques et de me garder encore un peu.

— Quels risques ? s'enquit Brunetti avec douceur.

— Je me suis cassé une côte et j'en ai deux autres fêlées, et ils ont peur que ma côte cassée ne me perfore le poumon », répondit-il en passant la main sur la zone en question.

Brunetti hocha la tête pour témoigner sa préoccupation, tandis que Vio baissait les yeux sur ses mains.

De sa propre initiative, Brunetti fit le tour du lit, tira la chaise appuyée contre le mur du côté de Vio et s'assit relativement près de lui. Il vit le jeune homme tenter de s'éloigner un peu, puis s'immobiliser sans pouvoir retenir un gémissement car tout mouvement était encore trop douloureux pour lui.

«Lorsque notre conversation a été interrompue, signor Vio, vous étiez en train de me dire que vous aviez pris un des bateaux de votre oncle et que vous vous étiez rendu au campo Santa Margherita. »

Le mensonge passa comme une lettre à la poste.

Brunetti attendit l'assentiment de Vio avant de poursuivre sa supercherie : «Je n'habite pas très loin du *campo*, donc je sais bien comment c'est le soir, tard ; combien cette place est bondée d'étudiants et de jeunes qui se rencontrent et discutent autour d'un verre.»

Il sourit avant d'énoncer un autre mensonge. «Mon fils y va souvent avec ses amis.»

Vio gardait le silence.

«Il y va pour rencontrer des filles. Est-ce la raison pour laquelle vous y êtes allé ce soir-là, signor Vio? s'enquit-il avec un autre petit rire. Je vous demanderais de bien réfléchir avant de répondre à cette question», lui précisa-t-il avant qu'il ne prenne la parole.

Les yeux du jeune homme s'écarquillèrent, sans doute sous l'effet de la surprise. Ils étaient assis si près l'un de l'autre que Brunetti pouvait voir la sueur perler sur ses tempes. «Pourquoi dites-vous cela, signore ?» demanda Vio en parlant très doucement.

Il posa ses mains de chaque côté sur le matelas et se redressa contre son oreiller, en bougeant aussi précautionneusement qu'un vieil homme.

«Est-ce que c'est comme à la questure ?» s'enquit Vio, d'une voix soudain très jeune. Il leva la main qu'il pointa sur Brunetti, puis sur lui-même. «Je veux dire, vous et moi.

— En un sens, oui. Sauf qu'il n'y a pas d'enregistrement.» Pour montrer sa bonne foi, Brunetti sortit son téléphone, l'éteignit et lui montra l'écran tout noir.

«C'est donc plutôt comme une conversation ? s'enquit Vio.

— En quelque sorte, confirma Brunetti. Mais comme il n'y a ni enregistrement ni témoin, elle ne pourra jamais servir de preuve.

— À quel sujet?

— Au sujet de ce qui s'est passé le week-end dernier, dans la *laguna*.

— Avec les filles?

— Oui.

— Ç'a été un accident, déclara Vio avec toutes les forces qu'il put rassembler.

— Que s'est-il passé?

— Je suis rentré dans une *bricola*. J'étais dans le bon chenal : je connais la *laguna* comme...», commença-t-il, mais il fut incapable de trouver un terme de comparaison. Face au silence du commissaire, il reformula sa phrase et affirma : «Je la connais très bien.

— Et pourtant, cette *bricola*, vous êtes bien rentré dedans, répliqua Brunetti en désignant de la main sa poitrine, et violemment, en plus.»

Il attendit que Vio réponde, mais ce dernier s'en abstint.

«Vous vous êtes cogné contre quelque chose, poursuivit Brunetti, assez fort pour vous casser une côte ; une des filles a une double fracture du bras et l'autre est encore en soins intensifs. Elle est grièvement blessée», assena-t-il.

Vio marmona quelque chose d'inintelligible.

«Pardon? fit Brunetti.

— Je ne voulais pas faire ça.

— Personne ne veut faire ce genre de chose, Marcello. C'est la raison pour laquelle ce sont des accidents. Il faisait nuit, vous alliez trop vite et vous êtes rentré dans quelque chose dont vous pouviez parfaitement imaginer la présence dans l'eau.» Puis, adoptant un ton paisible et dépassionné, il enchaîna : «Ayant la charge du bateau, vous étiez responsable de la sécurité de tout individu à bord.»

Vio resta silencieux et secoua la tête à plusieurs reprises, comme si ce geste pouvait annihiler les remarques de Brunetti et effacer la collision avec l'épais pieu en bois flottant au gré de l'eau.

«Je les ai emmenées à l'hôpital», rétorqua-t-il.

Soudain lassé des justifications alléguées par Vio, Brunetti déclara: «L'une avait reçu un coup au visage, l'autre s'était cassé le bras, mais cela ne vous a pas empêché de mettre un temps fou pour arriver au Pronto Soccorso.

— Je... Je... Je ne voulais pas... , insista Vio.

— Vous ne vouliez pas vous faire arrêter par la police et vous soumettre à l'Alcootest, Marcello. Admettez au moins cela, d'accord? C'est pourquoi vous avez mis tout ce temps, même si la fille saignait abondamment.» Brunetti exagéra volontairement, pour noircir le tableau.

Vio leva les yeux et entra dans une colère soudaine.

«Est-ce Berto qui vous a dit cela?

— Peu importe qui me l'a dit, Marcello. Ce qui importe, c'est que vous l'ayez fait.»

Brunetti se tut et fut surpris de se sentir lui-même trembler d'émotion. Étrangement, il lui était impossible d'en définir la nature: c'était un mélange de rage et de pitié, et de profonde tristesse devant l'impétuosité, la vulnérabilité et la grande fragilité de la jeunesse. Il attendit de recouvrer son calme, les yeux rivés au sol, puis sur le mur: partout, sauf sur le visage de l'homme alité.

Comme Vio fit un mouvement brusque, Brunetti leva les yeux sur lui et le vit s'essuyer le visage avec sa manche de pyjama. Oubliant que c'était un père, et ne gardant présent à l'esprit que son rôle de policier, il reporta son attention sur Vio et proclama: «Vous avez enfreint plus d'une loi, signor Vio. Votre infraction la plus grave est de ne pas avoir porté secours à personne en danger. Et étant un marin, vous savez que c'est votre devoir, ajouta-t-il plus calmement.

— Mais c'est ce que nous avons fait, répliqua Vio tout doucement. Berto a tiré la sonnette d'alarme. Plusieurs fois.»

Brunetti put lire dans le regard du jeune homme son profond désir d'être cru.

«Berto a appelé. Je l'ai vu faire. Il vous le dira. Puis nous sommes retournés au bateau, parce que nous ne voulions pas qu'ils nous voient au moment où ils viendraient les chercher.» Il tendit une main vers Brunetti, grimaça à sa brusque douleur et la ramena vers lui.

«Je vois», fit Brunetti, persuadé que Vio croyait qu'ils avaient actionné la sonnette d'alarme et que les secours ne tarderaient pas à venir. Mais ils ont tardé, et ne sont arrivés qu'au moment où le hasard a fait qu'un fumeur soit sorti fumer sa cigarette dans la nuit.

16

Les deux hommes se turent un certain temps. Vio fit glisser son téléphone sur ses genoux. Brunetti cherchait à se frayer un chemin au milieu des méandres de ses pensées et de ses sentiments. Il n'avait aucune idée de la décision que les juges finiraient par prendre, en cas de procès. Comment mesurer, comment prouver l'intention d'un individu ? Seules les actions comptaient, et il était indubitable qu'ils les avaient emmenées à l'hôpital dans le but qu'elles soient prises en charge.

« Aviez-vous bu ? demanda Brunetti.

— Non, signore. Je ne bois pas quand je sais que je vais prendre mon bateau, déclara-t-il.

— Contrairement à la plupart de vos collègues », nota Brunetti.

Vio eut un franc sourire, comme si cette idée ne lui avait jamais effleuré l'esprit.

« Aviez-vous consommé de la drogue ? s'enquit Brunetti.

— Je n'aime pas ça. »

Comme s'il parlait avec un ami de la pluie et du beau temps, il lui demanda incidemment : « Avez-vous essayé ?

— Une fois. Je devais avoir dans les quatorze ans. Je ne sais pas ce que c'était, mais ça m'a rendu malade, vraiment malade. Et je n'ai plus jamais recommencé.

— Étiez-vous responsable du bateau lorsque l'accident est arrivé ?

— Bien sûr », répondit Vio, incapable de masquer son étonnement à une telle question. Il dut saisir l'expression de Brunetti car il précisa : « À part les deux autres hommes qui travaillent pour mon oncle, je suis le seul qui sache conduire ce bateau. » On aurait dit que Vio était en train d'énoncer le théorème de Pythagore, même si Brunetti douta qu'il le connaisse.

« Je vois », répliqua le commissaire, puis il ajouta, sous l'aiguillon de la curiosité : « Duso n'en est-il pas capable ?

— Si, monsieur. C'est moi qui lui ai tout appris ; c'est un bon pilote.

— Mais pas assez bon pour le bateau de votre oncle ?

— C'est contre le règlement, expliqua-t-il au bout d'un long moment. Il n'a pas de permis, donc il ne peut conduire aucun bateau au-dessus de quarante chevaux. Il ne saurait pas manœuvrer ce type d'embarcation. »

Si Brunetti tenait les mêmes propos à Vianello, songea-t-il, ou à tout homme ayant une certaine familiarité avec les bateaux, et leur déclarait qu'ils n'étaient pas en droit de conduire un bateau d'une taille plus grande que celle autorisée par leur permis, ils mourraient de rire. Le permis était une suggestion, pas une limitation ; c'était une sorte de formalité non contraignante et certains pilotaient n'importe quel genre de bateau, indépendamment de la puissance de son moteur. Pas les bateaux de transport vraiment très gros, mais ceux un peu plus petits, certainement.

« À la questure, reprit Brunetti, vous avez dit que votre permis était valable pour tous les bateaux de votre oncle.

— Oui, confirma Vio, fier comme Artaban. Mon oncle me les a tous fait passer ; il disait qu'il ne voulait pas avoir de problèmes avec la police fluviale.» Il marqua une pause, hésitant à proclamer ce qu'il avait sur le bout de la langue, puis il ajouta : «Je les ai tous réussis du premier coup.»

Son sourire s'élargit à ces mots et le rajeunit.

«Bravo! le félicita Brunetti. Depuis quand travaillez-vous pour votre oncle?

— Oh, j'ai commencé tout petit. Je m'occupais de charger et de décharger les bateaux.

— Quel âge aviez-vous?

— Quinze ans. Il n'avait pas voulu me prendre avant.

— À cause de l'école?»

Vio éclata de rire à cette question, puis il respira faiblement, comme si ce rire lui avait fait mal.

«Non, non. Pour pouvoir travailler comme apprenti, il fallait que j'aie au moins quinze ans. L'école était loin d'être sa préoccupation. Mais je ne devrais pas vous faire ces confidences, n'est-ce pas?»

Cette fois, ce fut au tour de Brunetti de rire.

«J'ai aidé mon père à décharger les bateaux quand j'avais quinze ans, donc ne vous en faites pas pour ça.

— Il me payait, déclara Vio d'un ton sérieux, comme si cette gratification excusait le fait d'avoir interrompu la scolarité de son neveu.

— Le patron de mon père n'en faisait pas autant avec moi.

— Où est-ce que vous travailliez? lui demanda Vio avec curiosité.

— Un peu partout. On embauchait mon père pour la journée, parfois pour la semaine. Habituellement à Marghera, mais de temps à autre, à Rialto. Je l'accompagnais pour faire ce qu'il ne pouvait pas effectuer lui-même.

— Je ne comprends pas, dit Vio.

— Mon père avait des problèmes de poumons, donc il ne pouvait pas assurer une journée entière de travail. Mais il avait bonne réputation : tout le monde savait qu'il n'aurait pas volé une épingle. Ce qui fait que les propriétaires de bateaux l'appelaient et il me prenait avec lui pour être sûr de pouvoir assurer la journée de travail.»

Vio sembla fasciné par le récit de Brunetti, sans doute surpris qu'un policier puisse être aussi un véritable être humain.

«Je suppose que mon père était un peu comme votre oncle», conclut Brunetti avec un sourire.

Vio sembla perplexe. Au bout d'un long moment il répliqua, avec une pointe d'amertume dans la voix : «Oh non, sûrement pas.» Puis quelques secondes plus tard, il leva la main comme pour sceller sa bouche ou y refouler les paroles qu'il venait de prononcer.

Avant que Brunetti n'ait le temps de poser une autre question, leurs échanges furent interrompus par l'arrivée d'une infirmière corpulente. Elle avait l'âge d'être la mère de Vio. Elle fit un signe en direction de Brunetti, sans mot dire.

«Tiens Marcello, j'en ai trouvé un à ta taille.»

Elle brandit, avec un sourire, une sorte de gilet pare-balles marron foncé, réalisé dans un matériau apparemment rigide.

«Mets-le pendant la journée, et je te garantis que tu pourras retourner travailler!»

Elle sourit, fière de sa trouvaille. Elle s'approcha de Vio, qui demeurait immobile.

«Pourquoi ne l'essaies-tu pas pour voir si ça te soulage?»

Elle se tourna vers Brunetti pour lui expliquer : « C'est rigide, signore, donc ça l'aide à rester bien droit et cela empêche ses côtes d'atteindre les poumons. »

Elle se tourna ensuite vers Vio, leva la veste plus haut et la secoua, telle une pochette-surprise. Vio ne bougea pas d'un pouce et regarda à peine la veste.

« Allez, Marcello, essaie-la. Je suis sûre qu'elle te va à la perfection. J'ai dû demander trente-six fois à en voir des différentes dans le service de rééducation et j'allais y renoncer au moment où ils m'ont dégoté celle-ci. »

Elle l'agita de nouveau, en lui faisant un sourire d'encouragement.

Le jeune homme se redressa et fit glisser ses jambes le long du lit. Il posa ensuite un pied précautionneusement par terre, puis l'autre et, les mains agrippées au matelas, il finit par se mettre debout.

« Tourne-toi et tends ton bras droit. »

Vio s'exécuta et elle l'aida à enfiler la veste, puis, heureux à l'idée de s'habiller, il se prêta au jeu et se tourna pour lui montrer le résultat. Cette scène rappela à Brunetti celle où l'on arma Achille d'un bouclier plus étincelant que le feu.

L'infirmière tourna autour de Vio pour vérifier les mensurations dans le dos.

« Comme je disais, c'est parfait ! » s'écria-t-elle.

Elle l'aida à fermer les pattes Velcro disposées sur tout le devant de la veste, ce qui permettait de l'adapter à tout un chacun. Elle sortit brusquement un mouchoir de sa poche, qu'elle agita en l'air.

« Essaie de l'attraper », suggéra-t-elle.

Brunetti fit la grimace en voyant jusqu'où elle le descendit subitement et en imaginant l'effort que coûterait cette position au jeune homme, mais il se pencha et se baissa docilement. Lorsqu'il tendit la main, elle se pencha en même temps que lui et baissa encore plus le mouchoir. Vio continua à s'en approcher et le lui arracha des mains, en riant. Il le souleva au-dessus de la tête et le lui rendit, en s'écriant : «C'est magique, ce truc! Je n'ai mal nulle part.»

L'infirmière regarda Brunetti, un homme plus proche d'elle en âge et en expérience, et déclara : «Ils ne veulent jamais écouter.»

Brunetti répliqua avec un sourire : «*Brava, signora.*»

Vio s'appuya contre le lit et demanda à l'infirmière : «Est-ce que je peux la garder sur moi?

— Oui. Porte-la pour dormir cette nuit et mets-la aussi pour tes radios demain matin. Et après, une fois à la maison, porte-la toute la journée pendant les premiers jours.

— Cela signifie-t-il que je vais bientôt rentrer chez moi? demanda Vio.

— Bien sûr, répondit-elle en souriant.

— Tant mieux, parce qu'il faut que je retourne travailler.»

L'infirmière s'approcha et lui tapota le bras en le mettant en garde : «Mais ne précipite pas les choses, Marcello.»

Elle attendit qu'il se soit de nouveau glissé sous les couvertures pour leur dire au revoir à tous les deux.

«Vous avez moins mal?» s'enquit Brunetti.

Vio inclina la tête d'un côté et fit un signe minime d'assentiment : c'était un homme, un vrai, et les vrais hommes, ça supporte la douleur.

«Oui, mais je vais tâcher de faire attention.»

Lorsqu'il aperçut l'expression de sincère inquiétude sur le visage de Brunetti, il ajouta : «Tout va plutôt bien. Je me suis cassé le pied, une fois, et ça, c'était pire.

— Oui, les pieds, c'est terrible», confirma Brunetti, pensant que Vio avait besoin d'un peu de compassion. Même s'il s'agissait d'une vieille blessure, cela pouvait lui mettre du baume au cœur. Il s'évertua à trouver un centre d'intérêt commun. «Je pense que vous avez de la chance de pouvoir compter sur un emploi stable.

— Comment ça ?

— Mes amis me disent toujours que leurs enfants n'arrivent pas à trouver de travail, quel que soit le domaine.

— Je ne savais pas, répliqua-t-il, fort surpris.

— Certains ont fini leurs études depuis des années et n'ont même pas réussi à obtenir un entretien d'embauche.

— C'est vraiment dommage, dit-il avec une empathie sincère. Un homme a besoin de travailler.

— Je suis bien d'accord avec vous», confirma Brunetti, ravi de pouvoir parler avec Vio à bâtons rompus. Il décida de ne pas mentionner qu'une femme a également besoin de travailler et préféra lui demander : «Vos amis ont-ils eu plus de chance ?

— Il y a toujours du travail quand on a envie de travailler, commença Vio. On a toujours besoin de quelqu'un pour réparer ou charger les bateaux. Vous voyez bien les types qui livrent les marchandises dans toute la ville : ils les déchargent des bateaux, les entassent devant les supermarchés. Il y a énormément de travail dans la restauration aussi. Si on connaît quelqu'un qui a une société, ou si quelqu'un de la famille en a une, on peut toujours trouver du travail, même s'il s'agit juste de transporter des gravats jusqu'aux bateaux ou d'apporter le ciment sur les chantiers. Et des endroits comme Ratti et Caputo[1] ont toujours besoin d'hommes pour livrer les cuisinières et les machines à laver, et pour les brancher. »

Il remua dans son lit et sembla prêt à énoncer d'autres possibilités de travail pour des jeunes gens déliés des chaînes dues à leurs diplômes universitaires, et incapables même de simplement imaginer qu'il existe ce genre d'emplois. Mais ses yeux se fermèrent ; son souffle rauque devint long et régulier, et il s'endormit.

Brunetti observa Vio : il avait tellement l'air d'un grand enfant, avec son visage détendu grâce au sommeil et à l'absence relative de douleur. Le commissaire se sentit soudain parcouru d'un frisson remontant du fin fond de son passé qui lui rappela que, sans la sécurité assurée par la pension de réversion que sa mère commença à percevoir lorsqu'il était encore adolescent, lui aussi aurait certainement estimé avoir eu de la chance de trouver ce genre de travail, ou d'être pistonné par un vieil ami de son père. Pas plus loin que la semaine précédente, il avait lu que la *Veritas* avait publié trois offres d'emploi pour des postes d'éboueur et qu'elle avait reçu presque deux mille candidatures provenant essentiellement de jeunes diplômés.

Le pays de Dante, de Michel-Ange, de Léonard, Galilée et Christophe Colomb, et deux mille hommes en compétition pour collecter les ordures ménagères. « *O tempora, o mores* », murmura-t-il dans sa moustache, et il quitta la chambre en silence.

Une fois sorti de l'hôpital, Brunetti appela Vianello pour voir ce que ses amis de la Giudecca avaient trouvé

---

1. Les deux plus grands magasins d'électroménager de Venise.

sur Pietro Borgato. Les trouvailles furent décevantes. D'après les informations que Vianello avait réussi à subtilement glaner, Borgato était considéré comme un homme dur, et un travailleur acharné. Son ancienne épouse, originaire d'une petite ville de Campanie, était retournée y vivre avec une de leurs deux filles. L'autre habitait à Venise avec son père. Son neveu travaillait pour lui, mais de l'avis général, Marcello ne prendrait pas la relève de l'entreprise, tout simplement parce que son oncle le jugeait incapable de mener une telle affaire. De toutes les personnes interrogées, aucune ne démentit ce jugement. Tout le monde s'accordait à dire que Marcello était un bon gars, mais dans un monde, hélas, où les bons gars n'étaient pas faits pour gérer une société comme celle de Borgato, ou à la manière de Borgato. Se rendant compte qu'il n'en apprendrait pas davantage, Brunetti remercia l'inspecteur et raccrocha.

Lorsqu'il aperçut le commissaire, le planton chargé de l'accueil à la questure le salua dans sa guérite de verre.

« Il y a quelqu'un qui vous attend, commissario, c'est un Vénitien. Je lui ai dit d'attendre là-bas. » Il indiqua l'autre extrémité du vaste hall d'entrée.

Brunetti se tourna à temps pour voir Filiberto Duso se lever de l'une des quatre chaises installées devant la photo affadie d'un des questeurs précédents, à laquelle personne ne prêtait jamais attention.

Le jeune homme fit quelques pas vers Brunetti, s'arrêta, puis se dirigea de nouveau vers lui.

« Signor Duso ! s'exclama Brunetti. En quoi puis-je vous aider ? »

Il alla à sa rencontre et lui tendit la main.

181

Duso ébaucha un faible sourire, lâcha la main du commissaire, s'éclaircit la gorge à plusieurs reprises et finit par déclarer : «Je voudrais vous parler, commissario.» Il regarda Brunetti, puis tout autour de lui, et nuança : «Je dois vous parler.

— Mais bien sûr. À quel sujet?

— Marcello», précisa-t-il d'une voix rauque, comme si évoquer le prénom même le terrorisait.

Face au ton pressant du jeune homme, Brunetti demanda : «Que se passe-t-il?

— Il a peur que quelqu'un ne lui veuille du mal.»

17

Brunetti laissa sa main un moment sur le bras du jeune homme. Duso ne bougeait pas, effrayé par ses derniers mots.

«Suivez-moi», lui dit Brunetti en se dirigeant vers le gardien.

L'homme les vit arriver et, au signal de Brunetti, ouvrit la porte du petit bureau attenant au sien : c'était la pièce où les interprètes transcrivaient les enregistrements des interrogatoires des suspects qui ne parlaient pas italien. Comme Brunetti l'avait espéré, cette pièce était vide ; elle présentait simplement une table, quatre chaises et un placard fermé à clef, contenant les magnétophones et des rangées de dossiers recelant les transcriptions.

Brunetti s'installa sur une chaise face à Duso. Le jeune homme ne s'était pas rasé ce matin-là et il donnait l'impression d'avoir mal dormi. De par sa longue expérience, Brunetti savait qu'il fallait patienter le temps que l'autre personne trouve l'énergie ou le courage de prendre la parole.

Le commissaire perçut un bruit de pas derrière la porte. Le portail donnant sur la *riva*, et vers la liberté, s'ouvrit avec un double grincement et se ferma avec trois couinements. Brunetti, qui n'entendait ces bruits que de temps à autre, prit conscience qu'il deviendrait fou s'il les subissait toute la journée. Il regarda son alliance, la fit tourner quelques fois avec son pouce. Quel plaisir que de toucher cet objet culte, investi de pouvoir magique et toujours à portée de main, comme un esprit bienveillant.

«Je suis allé le voir, hier», lui dit Duso de but en blanc.

Brunetti hocha la tête mais ne fit pas allusion à sa propre visite à l'hôpital le matin même.

«Il avait très mauvaise mine et ne restait pas en place. Il n'arrêtait pas de bouger, comme pour essayer de chasser ses douleurs. Je lui ai demandé si je devais appeler une infirmière ou l'aider à se lever. Je lui ai même demandé s'il avait besoin d'aller aux toilettes», ajouta Duso à voix basse, comme s'il avouait avoir enfreint les codes de l'intimité entre mâles.

«Il m'a assuré que ce n'était pas nécessaire, mais m'a tout de suite avoué qu'il avait peur et qu'il ne savait pas quoi faire.

— Vous a-t-il dit de quoi il avait peur?

— Non, pas tout de suite. Il a changé de sujet et m'a demandé ce que je faisais, mais je voyais bien qu'il avait l'esprit ailleurs. Vous savez, nous sommes les meilleurs amis du monde depuis tout petits», poursuivit-il d'une voix implorante, comme pour inciter Brunetti à partager l'idée que Vio avait donc l'obligation morale de se confier à son ami.

«Qu'avez-vous fait? s'enquit le commissaire.

— J'ai menacé de partir s'il ne me disait pas ce qui n'allait pas; il m'a répondu que je pouvais m'en aller, mais que ce n'était pas un comportement d'ami.»

Brunetti fut frappé de voir comme Duso semblait jeune lorsqu'il dissertait sur la définition de l'amitié, puis combien il était vexé par l'attitude de Vio.

184

Brunetti fit un signe d'assentiment puis finit par demander : « Que s'est-il passé ?

— Je me suis assis, et j'ai simplement attendu qu'il parle. »

Il leva les yeux vers Brunetti, qui lui fit un sourire d'approbation.

« A-t-il fini par se confier à vous ? »

Duso acquiesça, mais il semblait perturbé.

« Je le croyais… mais maintenant, je ne sais plus. »

Les deux hommes examinaient chacun leurs mains : Brunetti avait entremêlé ses doigts, tandis que Duso pétrissait nerveusement les articulations des siens. La porte donnant sur la *riva* s'ouvrit et se ferma à plusieurs reprises.

« Il m'a dit qu'il avait des problèmes, de graves problèmes, et qu'il ne savait pas quoi faire. »

Sans laisser le temps à Brunetti de réagir, Duso enchaîna : « Pas à cause de l'accident… ou disons, pas directement. Je vous ai dit toute la vérité à ce sujet. Et Marcello aussi. J'ai actionné ce qui me semblait être la sonnette d'alarme et je pensais que les secours arriveraient d'une minute à l'autre, c'est pour cette raison que nous sommes partis à toute vitesse. Marcello avait une peur bleue que les urgentistes appellent la police : si on s'était fait arrêter, ils auraient vu à qui appartenait le bateau.

— Si ce n'est pas l'accident qui l'inquiète, de quoi a-t-il peur ? » insista Brunetti.

Duso serra ses mains si fort que Brunetti entendit les articulations craquer. Il regarda Brunetti, puis détourna les yeux.

« Je viens de vous le dire, rétorqua-t-il. Il a peur de son oncle et de retourner travailler pour lui.

— Son oncle s'est-il rendu compte de l'accident avec son bateau ?

— Je ne crois pas. Quand nous sommes revenus à la Giudecca, cette nuit-là, Marcello l'a amarré au quai derrière le bureau. C'est le plus vieux bateau de son oncle – raison pour laquelle il laisse Marcello s'en servir –, il était donc déjà plein de bosses et d'éraflures, mais il est encore solide. La proue n'était pas spécialement plus cabossée qu'avant », expliqua-t-il, visiblement soulagé. Puis il ajouta, en se remémorant la scène : « Il n'y avait pas beaucoup de sang, en fait. Et j'ai nettoyé très vite. »

Il marqua une pause, se laissant envahir par le flot des souvenirs.

« C'est là que Marcello a commencé à avoir mal, spécifia-t-il, d'un ton plus réfléchi. Je pense que nous avions eu tellement peur que nous ne nous étions pas rendu compte de grand-chose. Nous pensions que nous étions hors de danger. »

Maintenant que Duso avait commencé à parler, Brunetti savait qu'il fallait le maintenir sur sa lancée. Il lui demanda, en affichant un air de grande confusion : « Puisque vous étiez tous les deux hors de danger, de quoi a-t-il peur ?

— Je ne sais pas. Marcello est très attaché à son oncle. Il l'a pris sous son aile quand son père est mort, et Pietro n'a que des filles. Peut-être qu'il considère Marcello comme le fils qu'il n'a pas eu. »

Quoi qu'il en soit, il ne considère pas son neveu comme l'héritier de l'entreprise, songea Brunetti. Cela ne signifie pas pour autant qu'il n'aime pas Marcello, mais il a bien réfléchi à la question et est conscient des lacunes de son neveu.

186

Duso secoua la tête violemment. «Je ne sais pas quoi faire. Tout ce que m'a dit Marcello, c'est que son oncle a su que nous avions été interrogés par la questure.

— A-t-il vu son oncle?

— Non. Sa cousine, qui vit ici, est allée le voir à l'hôpital et lui a dit que son père était furieux parce qu'il avait parlé à la police. Il craignait que ça lui cause des problèmes.

— À qui? À Marcello ou à son oncle?»

Duso sembla tout d'abord surpris par cette question, mais il repensa au témoignage de son ami. «À son oncle.

— Le connaissez-vous, cet oncle?»

Duso changea d'attitude. Il recula sa chaise de la table, comme pour instaurer une plus grande distance entre le commissaire et lui. Il changea aussi d'expression, mais resta silencieux. Brunetti pensa qu'il réfléchissait à la réponse la plus adéquate à cette question.

Duso finit par répondre: «Je l'ai rencontré, une fois.

— Quand?

— Il y a dix ans.

— Et plus jamais, depuis?

— Non.

— Si je puis vous parler en tant que père, énonça Brunetti avec un doux sourire, cela me paraît très étrange.

— Pourquoi dites-vous cela? demanda Duso, d'une voix emplie de nervosité.

— Parce que mon fils a beaucoup d'amis. Je ne les connais pas tous, mais je connais très bien son meilleur ami, qui est même venu en vacances avec nous plusieurs fois.»

Duso le scruta, comme s'il portait tout à coup un nouveau regard sur les relations humaines. «Depuis combien de temps sont-ils amis?

— Depuis le début de leur scolarité. Ils étaient assis au même rang à l'école, et ils continuent à s'asseoir côte à côte à l'université », expliqua Brunetti, comme s'il ne pouvait envisager que les meilleurs amis s'assoient différemment en cours.

Duso baissa les yeux, puis recula davantage encore sa chaise, de façon à pouvoir fixer le bout de ses pieds. La tête toujours penchée, il demanda, à voix basse : « Sont-ils seulement amis ? »

Dans l'esprit de Brunetti se mirent alors rapidement en place plusieurs tesselles de la mosaïque. « Ils sont tous deux hétérosexuels, si c'est ce que vous voulez dire. Ce qui ne changerait rien, explicita-t-il.

— Pour vous ?

— Pour moi. Pour Raffi. Pour Giorgio, répliqua-t-il en voyant Duso contenir à grand-peine sa surprise. Ils s'aiment beaucoup. C'est normal, quand on est amis, ne croyez-vous pas ? »

Duso ouvrit la bouche pour parler, mais ne put proférer aucun son.

« Et s'il y avait quelque chose de plus ? » parvint-il à demander, mais sans réussir à exprimer ce que désignait ce *plus* qui ne laissait pourtant aucun doute sur sa signification, « cela ne vous dérangerait pas ? »

Brunetti ne s'était jamais interrogé sur les préférences de son fils ; il réfléchissait pour la première fois à cette alternative.

« Non, cela ne me dérangerait pas. Cependant, nuança-t-il, et il vit Duso devenir soudain fort attentif, cependant, je craindrais que cela ne complique un peu sa vie. »

Il s'accorda le temps d'approfondir cette idée, puis acheva son raisonnement : « Mais ce ne serait pas aussi

difficile ou douloureux que s'il faisait semblant d'être hété-
rosexuel. Cette alternative-là lui gâcherait l'existence et me
ferait infiniment souffrir.

— Je vois, fit Duso. Merci.

— Serait-ce ce qui terrifie Marcello ?

— Peut-être. Tout le monde a peur de Pietro.

— Et vous ?

— Pourquoi est-ce que je ne l'ai pas vu ces dix dernières années, à votre avis ? demanda Duso avec un sourire
qui métamorphosa son visage, ce sourire qui se dessine sur
les lèvres lorsqu'on enlève des chaussures trop serrées. Il
ne croit pas que Marcello et moi soyons juste des amis.
Comme des frères.

— Vous avez de la chance tous les deux d'avoir un
tel lien entre vous.

— Vous pensez vraiment que c'est bien ? s'enquit
Duso.

— C'est un des plus beaux cadeaux de la vie, je dirais. »

Face au soulagement que Duso, à ces mots, eut du mal
à masquer, Brunetti se risqua à demander : « Son oncle a
peur que vous... ne l'influenciez ? »

Duso fit un signe d'assentiment et précisa, en souriant : « C'est pour cela que nous allons au campo Santa
Margherita ; les gens nous voient ainsi partir avec des filles
et vont peut-être le rapporter à son oncle.

— C'est très astucieux de votre part, nota Brunetti
en riant.

— Marcello a eu cette idée. Comme son oncle ne l'a
pas cru quand il lui a dit que nous sortions pour rencontrer des filles, nous allons au campo Santa Margherita le
week-end pour cette raison. Et sa cousine, en outre, peut
nous y voir, parfois, avec des filles.

— Que faites-vous ?

— Excusez-moi, je ne comprends pas.

— Avec les filles.

— Oh, nous discutons avec elles autour d'un verre, puis Marcello leur propose d'aller faire un tour dans la *laguna*. Il laisse toujours son bateau de l'autre côté du pont. Donc nous partons avec elles, et laissons les rumeurs aller bon train. Nous ne faisons que sortir dans la *laguna*, mais vous imaginez bien ce que les autres disent. Parfois nous allons aux Vignole y manger du poulet grillé.

— Et puis ?

— Et puis nous ramenons les filles chez elles. Marcello les raccompagne toujours sur la *riva* la plus proche de leur domicile ou de leur hôtel.

— Rien d'autre ?

— Non, mais le lendemain, il s'arrange pour s'en vanter au travail, sans jamais donner de détails : il se contente de fanfaronner en proclamant comme c'est facile de draguer des filles quand on a un bateau. »

Duso ébaucha un nouveau sourire qui lui redonna toute sa beauté.

Brunetti gardait son calme, conscient que leur conversation en était arrivée au point où Duso se devait de pousser plus loin les aveux, surtout au sujet des craintes de Marcello.

Ils se turent tous deux un long moment ; Brunetti était résolu à ne souffler mot, afin de prolonger cet instant de silence. Il restait assis tranquillement, cherchant à imaginer ce que devait ressentir Vio, pris au piège entre son oncle et son ami.

« Son oncle a usé de violence contre lui, dans le passé, finit par révéler Duso. Un jour, il y a bien longtemps,

Marcello a fait une livraison avec un des petits bateaux – je pense que c'était chez Caputo, car il s'agissait de petits appareils électroménagers, comme des fours à micro-ondes et des mixeurs – et pendant qu'il était en train d'entreposer la première cargaison au magasin, dans la *calle* juste au pied du ponte delle Paste, quelqu'un a sauté dans le bateau et a volé un carton de *telefonini* : les Nokia robustes qu'on utilisait avant les iPhones.

— Que s'est-il passé ?

— Marcello m'a dit qu'il avait appelé son oncle.

— Pas la police ?

— Son oncle lui avait dit de ne JAMAIS appeler la police », expliqua-t-il en secouant la tête.

Brunetti passa outre cette réflexion.

« Comment a réagi son oncle ?

— Il lui a dit de rentrer au bureau.

— Et puis ?

— Marcello a pris les papiers signés de la livraison et il est retourné à la Giudecca, comme son oncle le lui avait demandé. »

La voix de Duso tremblota à ces derniers mots ; il se tut un instant, puis reprit la parole. « Quand il est arrivé, il a attaché le bateau et a commencé à grimper à l'échelle. Son oncle l'attendait au sommet. Marcello m'a raconté, poursuivit Duso, le souffle court, qu'une fois arrivé en haut de l'échelle, son oncle lui a écrasé la main et lui a donné un coup de pied au front pour le faire tomber à la renverse dans le bateau. »

Duso interrompit ici son récit et regarda Brunetti qui s'abstint de parler. Après quelques inspirations il enchaîna, d'un rythme haletant : « Deux des hommes qui travaillent là-bas ont assisté à la scène.

191

— N'ont-ils pas essayé de l'en empêcher?

— C'est leur chef, répliqua Duso en soupirant.

— Je vois, fit Brunetti. Que s'est-il passé ensuite?

— Dès que Pietro est parti, l'un des deux a descendu l'échelle pour aider Marcello à remonter sur le quai. Il s'était cassé deux doigts en se retournant pour amortir sa chute avec les mains, et ils ont dû l'emmener à l'hôpital.

— Qu'a-t-il fait alors? s'informa Brunetti.

— Que pouvait-il faire? Au retour de l'hôpital – il vit chez son oncle –, il lui a dit qu'il s'excusait d'avoir laissé si longtemps le bateau sans surveillance.

— Et puis?

— Son oncle lui a dit qu'il défalquerait le prix des *telefonini* de son salaire et qu'il devait retourner au travail le lendemain.»

Brunetti demeura interdit. Duso attendit un peu et comme Brunetti ne parlait toujours pas, il ajouta: «L'histoire a fini ainsi.

— Et maintenant?

— Il m'a dit qu'il avait peur de retourner chez son oncle à sa sortie de l'hôpital.

— Pourrait-il rester chez vous?»

Duso se figea et laissa tomber les mains sur ses genoux. Brunetti eut l'impression que si le jeune homme l'avait pu, il se serait levé et aurait quitté la pièce, mais il semblait incapable de bouger.

«Il me tuerait», assena-t-il.

À ces mots, il plaqua la main sur ses lèvres, avec l'espoir de pouvoir atténuer la puissance de ces mots.

Passant outre cette remarque, Brunetti demanda: «Pourrait-il aller chez d'autres amis? Ou quitter la ville un moment?

— C'est impossible, affirma Duso en secouant la tête. Où pourrait-il travailler ? Il a toujours été batelier.

— Son oncle ne se calmera-t-il pas s'ils restent un certain temps sans se voir ? s'enquit Brunetti.

— Marcello dit que son oncle est complètement imprévisible. Il est possible qu'il ait besoin de lui et qu'il lui dise de revenir travailler. Dieu seul le sait. »

Après tout, c'est un Giudecchino, pensa Brunetti.

Les deux hommes restèrent silencieux un long moment ; Brunetti était à court d'idées ou de suggestions à donner au jeune homme. « Combien de temps encore vont-ils le garder à l'hôpital ? finit-il par lui demander.

— Pourquoi souhaitez-vous le savoir ?

— J'avais déjà l'intention d'aller parler à son oncle, mais après ce que je viens d'entendre, je veux m'assurer que Marcello soit en sécurité lorsque j'irai m'entretenir avec lui. »

18

Après le départ de Duso, Brunetti se mit à réfléchir à la meilleure stratégie à adopter pour interroger Pietro Borgato. Il pourrait se présenter à l'improviste au bureau de l'entreprise de transport et demander à lui parler, ou jouer les gros bras : arriver inopinément avec la vedette de la police, plus le pilote et l'officier armé, et exiger un entretien. Mais Marcello en paierait les conséquences.

Brunetti avait toujours détesté les brutes : il méprisait leur arrogance, leur dédain envers les plus faibles qu'eux, et leur intime conviction qu'ils obtiendraient toujours plus en écrasant les autres. Leur résister, c'était les provoquer, et les provoquer, c'était aller à sa perte. Provoquer Borgato risquait de mettre en danger son neveu, Marcello.

Il trouva le numéro de Borgato Trasporti sur leur site et le composa. Une voix d'homme répondit d'un ton neutre, en énonçant le nom de la société.

« Bonjour, signore. Je suis l'ingénieur Francesco Pivato du bureau Mobilità e Trasporti. Je voudrais parler au signor Borgato, s'il est disponible.

— C'est moi, répliqua l'homme, au bout d'un long moment.

— Ah, bonjour signor Borgato, dit Brunetti d'une voix chaleureuse, en passant au vénitien. Je voudrais vous parler d'un problème qui vous concerne.»

Après un instant de silence, il demanda : «De quoi s'agit-il?

— Je ne le sais pas au juste, signor Borgato, répliqua Brunetti avec un rire nerveux.

— Que voulez-vous dire? demanda Borgato, d'un ton belliqueux.

— Je pense que cette question relève de la compétence de la Polizia municipale, et pas de la nôtre, expliqua Brunetti, en s'efforçant de paraître pointilleux. Il s'agit de l'immatriculation d'un bateau qui vous appartient et qui aurait le même numéro de licence qu'un bateau immatriculé à Chioggia.»

De nouveau, Borgato laissa s'écouler de longues minutes avant de réagir. «C'est impossible, déclara-t-il brusquement, puis, se rappelant peut-être à qui il avait affaire, il changea de ton et demanda : «Qu'attendez-vous de moi?

— C'est bien la question que j'ai posée à notre directeur, signor Borgato, répondit Brunetti, non sans exaspération. Il m'a dit que ce devait être évident. Mais ça ne l'est pas, donc c'est auprès de vous que je dois me renseigner.

— Ne me dites pas que vous avez peur de votre chef», répliqua-t-il d'un ton moqueur.

Imaginant que l'ingegnere Pivato devait être habitué à subir ce genre de coup de griffe, Brunetti se contenta de répondre : «Je suis simplement en train d'essayer de boucler notre dossier, signore. Cela traîne depuis des mois», et s'arrangea pour laisser percer une première pointe de profond agacement. «Je pensais que nous pouvions régler la question plus rapidement en vous parlant directement. Sinon, il nous faudra passer le dossier à une plus haute autorité», lâcha-t-il.

Borgato réfléchit un instant à ces propos, puis retrouva la posture sarcastique des gens forts.

«Et comment faut-il s'y prendre? s'enquit-il.

— Venir par exemple à notre bureau, signore, et...

— Certainement pas, le coupa Borgato, comme Brunetti s'y attendait. C'est à vous de venir ici, si vous voulez me voir», ajouta-t-il conformément, une fois de plus, aux expectatives du commissaire. Refuser de parler à un gringalet de cet acabit signifiait manquer une occasion de jouer avec lui, de le bousculer un tant soit peu, de montrer à ces bureaucrates qui était le maître à bord.

Brunetti laissa échapper un «ah» étouffé. Il se saisit de quelques papiers qui étaient sur son bureau, les feuilleta bruyamment et annonça: «Je pourrais venir après l'heure du déjeuner, signor Borgato. Vers 15 heures? proposa-t-il d'un ton volontairement hésitant.

— Je n'ai pas que ça à faire. Je vous attends à 16 heures», rétorqua-t-il, puis il raccrocha.

Brunetti avait promis à Paola de rentrer déjeuner, et il tint sa promesse. Ses deux enfants étaient là, rare privilège depuis que leur vie d'étudiants et leurs obligations envers leurs amis leur grignotaient de plus en plus de temps. Il suivait la naissance de ces amitiés, au fur et à mesure que les nouveaux noms fusaient à table, notait les qualités de ces jeunes gens, simplement décrites ou carrément louées, ainsi que leurs opinions toujours rapportées, au début, avec enthousiasme puis, avec le temps, de manière plus pondérée ou, parfois, non sans scepticisme. Il apprit à connaître la vie de famille de certains de ces enfants, car pour lui et pour Paola, ils restaient des enfants. La plupart de ces familles n'avaient rien d'exceptionnel, avec des parents de classe moyenne ayant pour devise : travailler, voyager, consommer.

Il se demandait parfois ce que ses enfants disaient de lui et de Paola à leurs amis. Être un policier – indépendamment du grade et malgré le caractère insolite de ce métier, ne revenait pas à exercer une profession libérale : rien à voir avec le prestige d'un médecin ou d'un avocat, ni avec la chaire de professeur de Paola qui l'insérait tout naturellement dans les rangs des gens acceptables et respectés. Sans compter que la position sociale de ses parents constituait un tremplin supplémentaire d'où regarder le monde ; elle n'avait guère besoin de ses diplômes universitaires pour susciter la considération.

Il reporta son attention sur la conversation familiale au moment où Chiara racontait : « J'étais dans le bus de Mestre, la semaine dernière, et deux garçons ont commencé à crier après un vieil homme. Sans raison ; ils ont juste jeté leur dévolu sur lui et commencé à lui dire qu'il était inutile et qu'il devrait leur faire la faveur de mourir.

— Quel âge avait-il ? demanda Paola, incapable de modérer sa surprise.

— Je ne sais pas. C'est difficile de donner un âge aux vieilles gens. Peut-être soixante ans », précisa-t-elle au bout d'un moment.

Brunetti et Paola se regardèrent, mais sans mot dire.

« Que s'est-il passé ? demanda Raffi entre deux bouchées de pâtes.

— Il les a ignorés. Il a continué à lire sa revue.

— Et puis ?

— Le bus est arrivé à proximité de Piazzale Roma ; nous savions donc tous que le trajet était presque terminé. Je suppose qu'eux aussi, ajouta-t-elle d'un ton pensif. Lorsque le bus s'est arrêté et que les portes se sont ouvertes, l'un des deux lui a arraché la revue des mains et la lui a lancée au visage. Puis ils sont sortis en courant et en s'esclaffant.

— Qu'a fait cet homme ? demanda Brunetti.

— Je crois qu'il était trop surpris pour réagir. Il est simplement resté assis. Mais un autre garçon a ramassé la revue et la lui a rendue. La police ne peut rien faire dans ces cas-là ? » lui demanda Chiara en le regardant droit dans les yeux.

Brunetti posa sa fourchette. « Il faudrait que nous soyons présents au moment des faits, ou que quelqu'un prenne une photo ou fasse un film, et que la personne qu'ils ont importunée dépose une plainte. Et il nous faudrait aussi identifier la personne qui a commis cet acte. Il y a peu de chances de parvenir à les attraper, conclut-il en pinçant les lèvres et en haussant les sourcils

— Ils ne feront qu'empirer, intervint Raffi.

— Je suis d'accord, approuva Paola.

— Moi aussi, confirma Brunetti. Mais tant que nous n'avons pas de preuves ou le nom des garçons, il est peu probable que nous arrivions à les arrêter.

— Dieu merci, nous ne sommes pas en Amérique, observa Chiara, où tout le monde est armé. Ce serait le Far West tous les jours ! »

Brunetti, grand lecteur de statistiques sur la criminalité et conscient de la pertinence de cette remarque, préféra se taire.

Comme il avait rendez-vous avec Borgato à 16 heures, il n'avait pas le temps de retourner à la questure et décida donc d'emmener son Tacite au salon et de relire, allongé sur le canapé, l'épisode de la mort d'Agrippine, un des passages dont il se souvenait depuis l'époque où il était étudiant.

L'index lui indiqua le chapitre 14 où il retrouva la sensation d'horreur que lui avait inspirée le projet sinistrement burlesque de Néron de noyer sa propre mère : le bateau sombra en effet, mais sans l'emporter. Elle nagea jusqu'au rivage et laissa mourir sa servante de noyade à sa place. Le plan de l'empereur se solda par un si pitoyable échec qu'il fut contraint et forcé de dépêcher trois assassins pour l'achever.

Brunetti se remémora alors une vague prophétie, explicitée quelques paragraphes plus bas. « Elle consulta les Chaldéens qui lui annoncèrent que Néron régnerait et tuerait très certainement sa mère. Prédiction à laquelle Agrippine répliqua : "Qu'il me tue, s'il doit régner." »

Brunetti ferma les yeux pour réfléchir à une telle déclaration.

Lorsqu'il se réveilla, il regarda sa montre et, voyant l'heure qu'il était, il regagna leur chambre en toute hâte où il enfila une paire de chaussures marron clair en piteux état qu'il n'aimait plus depuis longtemps, mais qu'il n'avait jamais pu se résoudre à jeter. Il décida de mettre son costume gris qui avait connu des jours meilleurs et qui n'était plus à la mode avec son large revers. Mais avant de le passer, il enleva sa chemise et la frotta entre ses mains pour la froisser légèrement et la remit. Il choisit ensuite une cravate verte, particulièrement peu attrayante. Au fond du placard, dans le cagibi derrière la cuisine, il trouva un vieil imperméable qu'il avait acheté étudiant et dont il n'avait jamais voulu se débarrasser, même s'il n'avait jamais réussi à faire partir la trace de graisse qu'un gond lui avait laissée sur la poche gauche. Il trouva également sa sacoche datant de l'université, en cuir sec et pelucheux, et il la prit sous le bras.

Lorsqu'il entra dans le bureau de Paola pour lui dire au revoir, elle leva les yeux des copies qu'elle était en train de corriger. Elle enleva ses lunettes pour examiner son allure.

«Le carnaval ne commence pas avant février, Guido», observa-t-elle, puis elle ajouta, d'une voix plus douce: «Comme c'est astucieux de ta part d'y aller en Hercule Poirot.»

Debout dans l'embrasure de la porte, Brunetti descendit les mains le long de sa gabardine et simula un gros ventre. «J'avais plutôt tâché de ressembler à Miss Marple, rectifia-t-il.

— Dis-moi que tu es obligé de sortir de cette maison dans cet accoutrement, sinon je vais tout faire pour t'en empêcher.

— Je dois aller interviewer un type persuadé que je suis une mauviette et je vais lui donner ainsi l'occasion de me montrer sa supériorité.

— Alors tu as ma bénédiction!» décréta-t-elle en chaussant de nouveau ses lunettes et en revenant à ses copies.

Pour éviter toute rencontre embarrassante, Brunetti avait demandé à Foa de venir le chercher au bout de la *calle* près de chez lui: il était déjà là lorsque Brunetti arriva. Foa lui jeta un long regard et lui tendit une main pour l'aider à sauter à bord. Le pilote s'abstint de tout commentaire et Brunetti descendit dans la cabine.

Foa coupa par le rio San Trovaso et déboucha dans le canal de la Giudecca. Il amarra à l'arrêt Palanca pour permettre à Brunetti de grimper sur l'embarcadère.

«Voulez-vous que je revienne vous chercher, commissario?» demanda-t-il.

Pour contrer tout refus de la part de Brunetti, il précisa: «Je ne suis pas de service cet après-midi, donc je peux aller garer ce bateau à la questure et revenir avec le mien.» Devançant de nouveau la réponse du commissaire, il spécifia: «Il est beaucoup plus petit et n'a pas de cabine.» Face aux hésitations de Brunetti, le pilote trancha: «Je reviens dans quarante-cinq minutes.»

Il fit marche arrière et repartit en direction de la questure.

Brunetti longea la *riva* et prit la *calle* qui menait au lieu de travail de Borgato. Une femme d'âge moyen, au visage rond, qui était assise à un bureau dans une petite pièce située à droite de la porte d'entrée, leva les yeux à l'arrivée de Brunetti. Il se demanda si ce pouvait être la personne qui avait croisé Marcello sur le campo Santa Margherita.

«Bonjour, signora. J'ai rendez-vous avec le signor Borgato», dit-il en vénitien. Il remonta l'extrémité élimée de sa manche gauche et regarda sa montre. «À 16 heures», précisa-t-il en tournant son poignet comme pour lui montrer l'écran, mais en fait, il posa sa sacoche par terre à côté de lui, la renversa exprès, s'abaissa pour en ramasser le contenu et la fit ensuite balancer au bout du bras.

«Il est dehors, en train d'aider les hommes à décharger un bateau. Si vous sortez par là, suggéra-t-elle en désignant de la main une porte derrière elle, sur la gauche, vous pourrez peut-être lui parler. »

Brunetti la remercia et se dirigea vers la porte. Il se retrouva dans un vaste passage au sol en ciment et percé de portes en bois cadenassées, qui menait à l'arrière du bâtiment et, vraisemblablement, vers un canal.

Brunetti compta trois portes de chaque côté, situées à quatre mètres environ l'une de l'autre : cette distance laissait deviner la succession d'entrepôts d'une taille considérable.

Comme Brunetti l'avait imaginé, le corridor aboutissait à un quai qui s'étendait sur tout l'arrière du bâtiment. Y était attaché un bateau de transport, dont les flancs affichaient au niveau de la proue les dommages de nombreuses années de service : la bande de métal censée protéger le sommet des deux flancs était cabossée et bosselée en de nombreux endroits et les côtés en bois étaient éraflés et striés de traces de peinture d'autres bateaux.

Une grue ancrée au quai était en train de hisser, depuis le pont en bois de l'embarcation, une grande armoire mise en sécurité par des sangles. Enveloppée de ces courroies, elle monta et oscilla lentement au-dessus du quai où deux hommes attendaient pour la réceptionner : l'un était vêtu d'une chemise en flanelle et le plus âgé d'un pull bleu foncé. L'ouvrier en chemise fit pivoter, le plus aisément du monde, l'armoire en bois afin de la descendre parfaitement en axe avec la plate-forme de chargement émergeant d'un chariot élévateur pour petites cargaisons. Au signal de l'homme, l'armoire se posa sur ses quatre pieds sur la plate-forme en question. Il enleva les sangles et les courroies, tandis que l'homme en pull grimpait derrière le volant de l'engin, faisait marche arrière, tournait et fonçait à toute vitesse sur Brunetti.

Le commissaire fit rapidement un pas de côté, veilla à lever les bras comme sous l'effet de la peur. L'homme en contrebas dans le bateau se plia de rire à sa vue. Brunetti se hâta de regagner le corridor et de retourner voir la secrétaire.

« Le signor Borgato porte-t-il un pull bleu foncé ? demanda-t-il.

— *Sì*, signore, confirma-t-elle.

— Y a-t-il un endroit où je puisse l'attendre ?

— Il ne laisse entrer personne dans son bureau en son absence », expliqua-t-elle.

Puis, désignant une chaise à dossier droit de l'autre côté de la pièce, elle ajouta : « Vous pouvez l'attendre là. »

Brunetti acquiesça et gagna la chaise. Il posa sa sacoche à côté de lui, enleva son imperméable qu'il mit sur le dossier, s'assit et reprit sa mallette. Il l'ouvrit et en sortit quelques documents.

Borgato arriva un quart d'heure plus tard ; c'était bien l'homme en pull bleu qui avait manqué de le renverser.

« Pivato ? » demanda-t-il lorsque Brunetti se leva.

Brunetti remit les papiers dans sa sacoche, chercha en vain à la fermer et se dirigea vers Borgato. Borgato lui tendit la main, alors que Brunetti était clairement encombré par sa sacoche et sa veste. La poigne de Borgato ne lui brisa aucun de ses os, mais Brunetti émit volontairement un très net grognement.

Sans dire un mot, Borgato se dirigea vers la porte sur sa gauche et l'ouvrit.

«Si on me cherche, dites que je suis occupé, Gloria», décréta-t-il en direction de la secrétaire.

Refermant la porte après Brunetti, il s'assit à son bureau, face à lui. Borgato avait le gros nez typique des ivrognes et le corps robuste des hommes qui ont passé leur vie à faire de durs travaux physiques. Ses yeux bleu clair ressortaient encore plus sur son visage fortement hâlé.

«Qu'est-ce c'est que toute cette affaire ?!» aboya Borgato.

Brunetti ouvrit sa sacoche, fouilla un certain temps et en sortit deux papiers. Il s'approcha du bureau, se pencha par-dessus et passa le premier papier à Borgato.

«Voici l'immatriculation de votre bateau», affirma-t-il.

Borgato consulta le document et conclut : «C'est bien mon *topo*[1]. Il est enregistré à mon nom, sous ce numéro, déclara-t-il en secouant le papier pour bien souligner ses mots, depuis sept ans.»

Il rendit sèchement le document à Brunetti qui le récupéra et lui en tendit un autre que la signorina Elettra était parvenue à falsifier le matin même. Celui-ci attestait qu'il existait un autre bateau de la même typologie et de la même taille, enregistré sous le même numéro et ayant la même plaque d'immatriculation que son propre bateau. La seule différence résidait dans le nom du propriétaire.

«C'est quoi ces conneries ?!» demanda-t-il instamment à Brunetti, puis bondissant de son siège, il lui lança le papier à la figure.

---

1. Barque vénitienne traditionnelle, affectée au transport des marchandises.

«Je ne suis pas sûr que ce type de vocabulaire soit justifié, signor Borgato, répliqua Brunetti du ton le plus pédant, en se saisissant du document.

— Il est justifié puisque j'ai un exemplaire de l'acte d'immatriculation dans mes dossiers. Avez-vous parlé à ce Chioggiotto[1]? s'informa-t-il soudain, en prononçant ce nom telle une insulte: Samuele Tantucci.

— Qui?» s'enquit le commissaire en le regardant avec une perplexité qui le ferait, à coup sûr, sortir de ses gonds.

Borgato se tourna, lui arracha le second papier de la main et le secoua sous son nez.

«Celui-ci, pauvre crétin, ce Chioggiotto qui a le même numéro! Est-ce que vous vous êtes donné la peine de regarder ces papiers? Est-ce que vous lui avez parlé?»

Brunetti reprit le document et passa un certain temps à enlever les plis qu'avait faits Borgato, puis il glissa soigneusement les deux feuilles dans sa sacoche. Il regarda Borgato en lui disant: «Je suis venu ici pour vous faire une faveur, signore, pas pour me faire maltraiter. Si vous ne voulez pas que je vous aide à régler cette affaire maintenant, vous pouvez toujours attendre que la procédure suive son cours, et lorsque la Guardia Costiera viendra vous poser les mêmes questions, vous regretterez de ne pas m'avoir écouté plus attentivement quand il en était encore temps.»

Il prit ses affaires et se dirigea vers la porte.

Il n'avait pas fait trois pas que Borgato lui ordonna: «Attendez une minute.»

Brunetti avança d'un autre pas et se saisit de la clenche de la porte.

---

1. Terme désignant les habitants de Chioggia, méprisés depuis toujours par les Vénitiens.

«S'il vous plaît, signore», supplia Borgato d'une tout autre voix, où avait disparu la moindre once de colère et d'arrogance.

Brunetti s'arrêta. Il pivota en lui demandant : «Vous êtes-vous décidé à devenir raisonnable ?

— Oui», confirma Borgato en gagnant la chaise de Brunetti. Il la rapprocha de son bureau et avec un simulacre de sourire, il l'indiqua à Brunetti d'un signe de la main.

«Asseyez-vous et reprenons depuis le début», proposa-t-il cordialement, mais il était clair que cette amabilité lui coûtait un effort considérable.

Les deux hommes se rassirent calmement.

«Que voulez-vous savoir ? demanda Borgato.

— Connaissez-vous cet homme à Chioggia – Samuele Tantucci ?

— Non ! hurla-t-il pratiquement, mais il retrouva rapidement le contrôle et répéta, d'une voix plus basse : Non je ne le connais pas.»

Brunetti posa sa serviette par terre en expliquant : «Je ne vois pas pourquoi je ne devrais pas vous le dire. Un bateau portant ce numéro d'immatriculation a été aperçu au large des côtes, de nuit, et l'information a été rapportée à la Guardia Costiera.

— Qui a fait cela ? demanda Borgato d'un ton brusque.

— Je n'ai pas la liberté de vous le révéler, signore, répondit le commissaire de la manière la plus formelle. Tout ce qu'on nous a dit, c'est que votre bateau de transport, celui-ci, précisa-t-il en se penchant pour tapoter sa sacoche recelant l'information en question, a été vu de nuit, au large des côtes il y a deux mois, et que sa présence a été signalée à la Guardia Costiera car il ne s'agissait pas d'un bateau de pêche.

— Salopards de pêcheurs, ils peuvent pas se mêler de leurs oignons!» rétorqua Borgato.

Brunetti s'autorisa un hochement de tête.

«La Guadia Costiera est du même avis et n'a pas envie d'être importunée par cette affaire; c'est pourquoi ils nous ont chargés d'enquêter sur l'existence de cette double plaque d'immatriculation et de les tenir au courant de la situation. De cette manière, poursuivit Brunetti d'une voix plus douce, nous pouvons résoudre la question et clore le dossier.»

«Comme si nous n'avions que cela à faire», ajouta-t-il en murmurant dans sa barbe.

Borgato posa les mains à plat sur son bureau et garda cette position quelques secondes, puis il regarda Brunetti droit dans les yeux.

«Bon, vous pouvez dire à la Guardia Costiera que mon bateau était sorti, cette nuit-là, parce que nous devions faire réviser le moteur quelque part à Caorle et que quand nous sommes allés le chercher l'après-midi, il n'était pas prêt. Nous ne l'avons récupéré qu'à 23 heures – parce que ces fichus ouvriers ont refusé de sauter leur dîner –, ce qui fait que nous avons dû attendre dans ce patelin à la con jusqu'à ce qu'ils aient fini de manger et qu'ils se remettent à bosser sur les moteurs.

— Caorle? s'enquit Brunetti. On ne peut pas les faire réparer ici?

— Le spécialiste pour ces moteurs, c'est une société à Caorle; c'est là que nous les avons achetés.

— Caorle? répéta Brunetti, sans chercher à déguiser son étonnement. Cela doit prendre des heures.»

Comme si l'idée venait juste de lui traverser l'esprit, Borgato demanda: «À quelle heure cette personne dit-elle avoir vu le bateau?»

Brunetti allait s'emparer de sa sacoche, mais il retira lentement sa main.

« Je n'ai pas pris ces rapports-là avec moi. Vous souvenez-vous à quel moment vous avez commencé à rentrer ?

— Non. Minuit peut-être ? Pas plus tard, en tout cas. »

Brunetti sortit un stylo de la poche de sa veste et chercha désespérément un morceau de papier.

« Vous rappelez-vous quel jour c'était ? » demanda-t-il.

Borgato ferma les yeux pour mieux se concentrer et répondit : « Je pense que c'était la deuxième semaine d'août, peut-être le 10, parce que c'est le jour où l'équipe du Lazio jouait contre nous et qu'on a perdu le match. » Puis il ajouta, sur le ton de la plaisanterie : « On n'a pas arrêté la pêche pour autant, ça c'est sûr. »

Brunetti émit un petit rire et prit une note au dos de son bout de papier – c'était le ticket de caisse d'un café qu'il avait pris dans un bar la dernière fois qu'il avait mis cet imperméable –, puis il l'enfouit négligemment dans sa poche.

« Il y a juste une dernière chose, déclara le commissaire en se levant, pourriez-vous me montrer l'original de votre attestation d'immatriculation ?

— Bien sûr », confirma Borgato, devenu soudain affable.

Il se dirigea vers une étagère remplie d'épais classeurs de différentes couleurs. Au bout d'un moment, il en tira un blanc et le posa sur son bureau. Il le feuilleta jusqu'à ce qu'il trouve ce qu'il cherchait, tourna le dossier pour montrer la page à Brunetti et lui annonça : « Le voilà. »

Brunetti ouvrit sa serviette et en sortit un des papiers qu'il confronta avec celui du classeur.

«Très bien», déclara-t-il. Il opina du chef en rangeant le papier, puis demanda à Borgato : «Puis-je prendre une photo?

— Bien sûr», approuva Borgato avec un geste théâtral de la main.

Brunetti sortit son *telefonino* et, fidèle à son rôle, prit son temps avant d'actionner l'appareil photo.

«Bien, affirma-t-il. Un de mes collègues ira voir le signor Tantucci aujourd'hui ; donc tout ce que nous avons à faire, c'est d'envoyer les photos qu'il aura prises, et ces photos-ci, au bureau des permis pour qu'il résolve ce problème. Et ainsi, vous serez sorti d'affaire, signor Borgato.»

Ce dernier sourit pour la première fois, mais cela ne changea pas grand-chose à son apparence. Il raccompagna Brunetti à la porte, et lui serrant la main plus respectueusement.

Brunetti traversa le petit bureau et dit à la secrétaire : «Merci pour votre aide, signora.

— Allez-vous revenir?

— Non, plus jamais, Dieu merci», répondit-il, du ton d'un bureaucrate ravi d'avoir si aisément résolu une situation qui aurait pu tourner au cauchemar.

Elle sourit et Brunetti retrouva Foa qui l'attendait dans son *sàndalo*[1], assis sur une des planches transversales avec la *Gazzetta dello Sport* ouverte sur ses genoux. Brunetti connaissait bien ce type d'embarcation, célèbre pour sa lenteur et sa persévérance.

Le commissaire monta à bord, s'assit en face de Foa et posa la gabardine sur ses jambes. Le pilote portait un jean, un gros pull et un coupe-vent de couleur bleue.

---

1. Barque typiquement vénitienne à fond plat.

«Où puis-je vous emmener, monsieur?

— Chez moi, Foa. Je n'ai pas envie de me rendre à la questure fagoté de cette manière.

— Je m'en doutais, monsieur», répliqua-t-il en passant la marche arrière, puis il fonça vers le canal de la Giudecca.

19

Arrivé chez lui, Brunetti se changea et enfila un jean et un pull. Il mit les chaussures, le costume et la sacoche dans un des sacs à provisions que la ville fournissait gratuitement pour le ramassage du papier et le posa près de la porte. Il se dit qu'il pourrait passer le lendemain matin par l'église des Santi Apostoli et laisser le sac devant la friperie que gérait la paroisse.

Il se dirigea vers la cuisine. Il était 18 heures passées ; il y avait donc encore quelques heures à attendre avant le dîner. Il sortit le casse-noisettes d'un tiroir et prit quelques noix dans le bol posé sur la planche de travail. Après cet encas, il eut envie de boire quelque chose, et quoi de mieux que le masetto nero qu'il avait mis de côté quelques soirs plus tôt. Il l'ouvrit, s'en servit un verre et ne rangea pas la bouteille afin d'en boire au dîner, puis il retourna dans le bureau de Paola pour réfléchir à sa rencontre avec l'oncle de Vio.

Il n'était pas dans les habitudes de Brunetti de prendre des notes pendant ses entretiens avec les gens ou au cours de ses interrogatoires avec les suspects. Il laissait toujours s'écouler un peu de temps après ces conversations et attendait que l'une de leurs réflexions se présente comme leur préoccupation majeure. Borgato avait été irrité par l'erreur autour de son immatriculation, mais cet incident ne l'avait pas inquiété. En revanche, il avait changé complètement d'attitude lorsque Brunetti avait évoqué le risque d'une visite de la part de la Guardia Costiera. Il était alors soudainement devenu accommodant.

Borgato avait inventé en un clin d'œil cette histoire invraisemblable de maintenance réalisable seulement à Caorle, à des heures de route, et avait certifié que personne ne pouvait assurer ce genre de travail à Venise. Même si Brunetti n'avait qu'une expérience limitée en matière de navigation, il serait à même de trouver en moins d'une heure des mécaniciens capables de réparer n'importe quel problème de bateau ; Vianello pourrait probablement en trouver plus d'une dizaine. Ou réparer son moteur tout seul. Seul un idiot comme Pivato pouvait prêter foi à une telle histoire.

Borgato avait dit qu'il était allé à Caorle le 10, ou autour du 10 du mois courant : le fait même qu'il évoque cette date portait à croire que ce n'était pas vrai. La plupart des menteurs s'écartent peu de la vérité ; ce pouvait donc être quelques jours avant ou après le 10. Mais pourquoi Borgato était-il en mer entre Caorle et Venise plus ou moins à cette époque ?

Il but une gorgée de vin dont il savoura le goût. En temps ordinaire, Brunetti aurait appelé le capitaine Alaimo pour voir s'il détenait des informations sur des accidents étranges ou insolites survenus dans l'Adriatique deux mois plus tôt. Mais la confiance qu'il accordait à l'instinct de Griffoni l'empêcha de passer ce coup de fil : si sa collègue sentait que quelque chose clochait, il se devait d'en tenir compte fermement. Même si cela signifiait perdre toute source fiable en lien avec la Guardia Costiera.

Il but une autre gorgée de vin, envoya valser ses chaussures et posa ses pieds sur la table basse en face du canapé. Il avait besoin de ce que Paola appelait un vieux loup de mer, plein d'histoires à raconter. Il s'attarda sur cette pensée et prit conscience que Paola, étonnamment, avait tort. Il avait besoin en fait de quelqu'un qui connaisse la situation actuelle de la Guardia Costiera, qui sache qui étaient les bons gars, et qui étaient les mauvais.

Il reprit sa veste et récupéra son *telefonino*, trouva le numéro de la capitaine Nieddu et appuya sur la touche.

Après quelques sonneries, son timbre de violoncelle apparut sur la ligne.

« Nieddu.

— C'est Guido Brunetti.

— Ah, Je suis ravie que vous m'appeliez, Guido ! répliqua-t-elle avec soulagement.

— Pourquoi donc ?

— Nous avions convenu de partager toutes les informations qui nous parviendraient. J'ai eu vent d'un élément qui pourrait vous intéresser. »

Il put déceler un brin d'hésitation dans la pause qu'elle marqua pour réfléchir au choix des mots qu'elle venait de prononcer.

« Se trouvait-il dans une note écrite au crayon par un membre de votre équipe ? s'enquit-il, pour montrer qu'il se souvenait de ce détail surgi au fil de leur conversation.

— Non, c'est quelque chose que m'a dit une personne avec qui j'ai discuté avant-hier. Une prostituée. Nigérienne » et après une pause passablement longue, elle ajouta : « Je la connais. »

Brunetti prit cette remarque en considération un certain temps avant de demander : « L'avez-vous crue ?

— Pas complètement. Parfois, elle tient des propos…
qui ne sont pas faciles à comprendre. C'est pourquoi je
ne vous ai pas appelé. Elle était en piteux état. Elle m'a
raconté des choses.

— Est-elle détenue?

— Non. Vous savez comment c'est. On les met en
prison, puis on les laisse sortir. »

Brunetti se retint d'énoncer un commentaire et attendit en silence.

« J'ai pensé vous appeler hier, mais j'ai eu divers contre-
temps et je ne l'ai pas fait. Je suis contente que vous en ayez
pris l'initiative, sincèrement.

— Pouvez-vous parler, ou puis-je venir vous voir? »
demanda-t-il, puis il se rendit compte qu'il entendait
en arrière-fond des bruits de rue, et pas le calme d'un
bureau.

« Je suis en ville, commença-t-elle, puis elle ajouta en
riant: «Vous voyez ce qui arrive quand on habite ou qu'on
travaille à la Giudecca? Venise devient "la ville".

— Où êtes-vous?

— Dans le supermarché bio de la calle della Regina.

— Pouvons-nous nous parler?

— Non, pas au téléphone, pas ici. C'est long, et plutôt
compliqué.

— Connaissez-vous le Caffè del Doge?

— Celui qui est de ce côté-ci du pont?

— Oui, confirma Brunetti en se levant lentement. J'y
suis dans dix minutes. »

Elle accepta ce rendez-vous, puis ils raccrochèrent.

Nieddu était déjà là à l'arrivée de Brunetti, assise tout
au fond du café, dans le coin à droite réservé aux habitués

qui venaient lire Il *Gazzettino* du jour. Bien qu'elle fût en face de la porte, Brunetti eut du mal à la reconnaître, car elle n'était pas en uniforme et elle avait tiré ses cheveux en arrière, ce qui la rendait particulièrement jolie.

Elle se leva à moitié et fit alors un léger signe de la main aux deux jeunes femmes derrière le comptoir, comme pour leur prouver qu'elle attendait vraiment quelqu'un. Brunetti étudia la pièce et vit que la plupart des tables étaient occupées et que quatre personnes au moins consommaient debout, au comptoir. Il se dirigea rapidement vers elle et lui tendit la main.

Après leurs salutations, Nieddu lui passa devant et, à la grande surprise du commissaire, changea de chaise, de manière à tourner le dos à l'entrée.

Elle avait les joues rouges, peut-être à cause de la chaleur de cette pièce bondée. Elle lui répéta, avec un sourire : «Je suis ravie que vous ayez appelé.»

Elle se tortilla sur son siège rembourré, puis bougea d'avant en arrière.

«J'avais besoin de parler à quelqu'un, mais je ne voyais pas à qui.

— Votre commandant?» suggéra Brunetti.

Elle secoua la tête, sans répondre.

«Je ne suis toujours pas certaine qu'elle m'ait dit la vérité. Peut-être que l'essentiel pour moi, c'est de m'entendre le raconter à quelqu'un d'autre pour voir si c'est plausible.»

Sa grimace laissa deviner l'absurdité de cette idée, même à ses propres oreilles.

La serveuse arriva pour prendre la commande. Nieddu choisit un spritz à l'Apérol et Brunetti s'en tint au vin rouge.

«L'avez-vous arrêtée ?» s'informa Brunetti une fois la serveuse partie. Comme elle haussait les épaules en guise de réponse, il lui demanda : «Que s'est-il passé ?»

Elle remua de nouveau en rond sur sa chaise avec un soupir, puis elle se calma.

«C'est une énième question de territoire. La police municipale refuse de patrouiller dans le parc San Giuliano, donc c'est nous qui avons dû prendre en charge la plainte déposée par une femme qui était allée s'y promener avec ses enfants et qui a vu ce qu'il s'y passait. Son proxénète — pas la femme avec les enfants, celui de la prostituée —, avait décidé de les faire travailler dans le parc — il y en avait quatre, et une fois qu'elles se sont toutes retrouvées en prison, c'est elle que j'ai interrogée, car je la connaissais.»

Brunetti mit un moment à démêler l'écheveau, mais il finit par saisir l'intrigue.

«D'où la connaissez-vous ?» s'informa-t-il.

Elle baissa la tête pour masquer l'expression lisible sur son visage.

«Nous fréquentons la même église.

— Pardon ?

— Elle a commencé à venir à la messe il y a deux mois environ ; à Mestre, où j'habite. Elle avait un comportement étrange et comme personne ne voulait s'asseoir à côté d'elle, moi je l'ai fait.» Elle le regarda droit dans les yeux et déclara, d'un ton plus aigu : «Pour l'amour de Dieu, c'est une église et nous sommes tous des catholiques qui allons à la messe ensemble, mais aucun n'ira s'asseoir à côté d'elle ! Ou lui serrer la main au moment voulu. Que la paix soit avec vous», ajouta-t-elle, sans cacher son dégoût envers ce que subissait cette jeune femme.

La serveuse arriva avec leurs consommations. Ignorant la sienne, Nieddu poursuivit : «Ainsi avons-nous commencé à discuter, du moins, pour autant que nous parvenions à nous comprendre ; après quelques semaines, nous sommes devenues amies, par le simple fait de nous asseoir côte à côte et d'échanger le signe de paix. Elle s'appelle Blessing.»

Elle prit son spritz et en but une gorgée, puis une autre, et posa son verre.

«Après un mois environ, elle m'a dit comment elle gagnait sa vie. Je suppose qu'elle devait imaginer que j'en serais choquée et que je ne voudrais plus m'asseoir près d'elle.»

Nieddu regarda Brunetti et continua, avec un sourire : «Alors je lui ai dit comment je gagnais ma vie et croyez-moi, je redoutais la même réaction.

— Et en fait?

— Elle a éclaté de rire. Mais d'un rire si fort que j'ai dû la taper dans le dos pour qu'elle s'arrête de tousser.»

Elle prit une autre gorgée, la tête baissée pour dissimuler son sourire. La serveuse apporta une assiette de chips. Nieddu en prit une et la grignota, à l'instar d'un lapin avec son morceau de carotte.

«Après cette conversation sur nos métiers respectifs, nous sommes convenues d'un accord tacite de ne plus en discuter. Ce qui me convenait tout à fait. Le seul moment où ils la laissent seule, c'est le dimanche matin pour aller à la messe et c'est là que nous parlons.

— Parle-t-elle mieux italien, à présent?

— Disons que oui : elle a fait des progrès depuis notre rencontre. Elle comprend ce que je dis. En admettant qu'elle soit capable de comprendre...

— Que voulez-vous dire?»

Nieddu se servit de sa boisson pour temporiser : elle prit son verre lentement, but une toute petite gorgée et le reposa soigneusement sur la table. Brunetti attendait. Elle finit par déclarer : « Vous connaissez l'expression "elle a perdu la raison", n'est-ce pas ?

— Oui.

— C'est ce qui lui est arrivé. Je pense. Ou plutôt, il lui est arrivé trop de choses et elle est… Certains diraient qu'elle est instable.

— Et vous, le diriez-vous ?

— Probablement que oui, si je ne la connaissais pas », confirma-t-elle au bout d'un long moment. Parfois, elle parle toute seule ou elle parle à des gens qui ne sont pas là. Parfois, elle dit des choses bizarres.

— Et quand elle vous parle ?

— Habituellement, non. Elle est très lucide. » Après un moment de pause, Nieddu nuança, avec une certaine hésitation : « Confuse dans ses propos, certes, mais c'est généralement à cause de la barrière de la langue. Je n'oserais jamais dire d'elle qu'elle est instable. »

Comme Brunetti sentit que Nieddu avait besoin d'être encouragée à continuer, il lui demanda : « Que vous a-t-elle raconté ?

— Les histoires classiques, enchaîna-t-elle avec un soupir : sa mère était professeure à Benin City, pour cinquante dollars par mois. Quand elle a été tuée, elle a laissé quatre enfants, et pas un sou. C'est pourquoi la tante de Blessing a parlé à un agent : Blessing a signé le contrat, a participé à la cérémonie du *juju* et a prêté serment d'honorer la dette de son transfert en Europe à son arrivée. » Elle tendit nonchalamment la main pour se servir une autre chips, mais la retira et reprit son récit : « Ils savent qui est sa famille et où elle habite, et si jamais elle essaie de s'échapper, ils iront brûler leur maison et même probablement les tuer. »

La capitaine haussa les épaules et cette fois mangea sa chips.

«Elle m'a dit qu'elle avait dix-huit ans. »

Au ton de Nieddu, Brunetti la soupçonna de ne pas croire cette information.

«Après la signature du contrat, ils lui ont dit combien elle devait à l'agence et lui ont raconté la sempiternelle histoire sur son futur emploi en tant que jeune fille au pair à Milan : vivre dans une famille, s'occuper des deux enfants, avec un jour de congé par semaine. » Sa voix s'emplissait de colère à chaque fausse promesse. «Et voilà, un an plus tard, elle se retrouve à travailler l'été sur la plage de Bibione avec les autres filles. »

Brunetti soupira.

«Vous connaissez la chanson, Guido.

— Nous la connaissons malheureusement tous, Laura.

— Elle m'a raconté qu'elle avait voyagé en minibus, avec dix ou douze autres filles, serrées comme des sardines. Pendant plusieurs jours, sans jamais savoir où elles étaient, et elles étaient maltraitées. Le troisième jour, elles ont toutes compris ce qu'il se passait véritablement. »

Nieddu se tut et leva son verre. Mais au lieu de boire, elle le fit rouler entre les mains puis finit par le reposer, sans y toucher.

«Elles sont arrivées sur une plage — elle n'avait aucune idée de l'endroit où elle se trouvait —, des hommes les ont fait sortir et les ont mises dans un grand bateau. On leur a fait dévaler un escalier en métal et on les a enfermées à clef dans une pièce avec une vingtaine d'autres filles.

Blessing a dit qu'il y avait de grandes caisses dans cet espace, donc c'était probablement un cargo. Elle ne sait pas combien de temps elles sont restées là, mais elle pouvait entendre le bruit des moteurs. Comme le bateau tanguait, elles savaient qu'elles étaient en route. Les lumières étaient allumées en permanence, et personne n'avait de montre ; elles n'avaient rien du tout, d'ailleurs, excepté les vêtements qu'elles avaient sur elles. Certaines sont tombées malades. Puis le bateau s'est arrêté ; les hommes sont descendus, leur ont fait grimper l'escalier à toute vitesse et les ont fait sortir sur le pont ; on leur a fait descendre ensuite une autre échelle pour monter dans un bateau plus petit. »

Nieddu se tut et inspira profondément, comme si elle se projetait dans cette scène.

« Ils ont menotté toutes les filles par deux avant de les faire monter à bord de l'autre embarcation. »

Brunetti n'avait encore jamais entendu parler de ce procédé.

Nieddu le regarda dans les yeux et pinça les lèvres nerveusement en lui apprenant : « Elle m'a dit que c'était un bateau en or.

— Quoi ?

— Elle a dit que le bateau était fait d'or, répéta-t-elle.

— L'avez-vous interrogée à ce sujet ?

— Non. Elle en était persuadée, donc je n'ai pas insisté. Ce qui m'importait, c'était la suite de l'histoire. »

Nieddu croisa les mains sur la table et les fixa un long moment, puis elle reporta son regard sur Brunetti.

« Je suis désolée, Guido. Je me suis laissée aller. Il y en a tellement de ces histoires que je ne supporte plus de les entendre. »

Brunetti émit le même murmure ; lui aussi en avait trop entendu.

« Le bateau en or ayant voyagé un certain temps, elle a vu des lumières à l'horizon ; elle pensait que c'était la terre, mais c'est alors qu'un grand bateau venant du large s'est avancé vers le leur. Il s'est arrêté et a braqué un projecteur sur eux : les gens avaient dû les repérer car c'était la pleine lune cette nuit-là et il n'y avait pas un seul nuage. Blessing a dit que les hommes sur leur bateau – il y en avait quatre, deux Blancs et deux Nigériens qui parlaient édo – leur ont ordonné de se coucher toutes par terre. C'était mouillé et ça sentait mauvais. Les hommes les ont recouvertes de bâches et leur ont ordonné de ne pas bouger. Elle entendait l'autre bateau s'approcher de plus en plus près. »

Nieddu prit une très profonde inspiration et sa voix se noua.

« Elle a entendu le bruit du moteur s'amplifier ; deux des hommes ont soulevé les bâches et ont commencé à jeter les femmes par-dessus bord. »

Brunetti sentit un frisson glacé le parcourir.

« Blessing savait nager, contrairement à certaines des autres filles. Elles criaient dans l'eau. Puis un des hommes blancs a plongé et s'est mis à les ramener vers le bateau. Blessing a saisi une corde qui pendait du flanc du bateau et l'a enroulée autour de son bras. Il y avait une fille tenant son autre bras, mais elle ne pouvait pas lâcher la corde pour l'aider. Puis les cris ont cessé : les filles accrochées par deux avaient disparu et celle qui était menottée avec elle était calme désormais ; Blessing m'a dit qu'elle flottait. De son côté, elle est restée agrippée à la corde. Les hommes dans l'embarcation ont attrapé l'homme dans l'eau et l'ont remonté, en lui hurlant dessus. Entre-temps, le gros bateau est passé près d'eux et a poursuivi sa route. Elle ne sait pas pourquoi. Après qu'il se fut éloigné, elle a entendu les Nigériens s'esclaffer en disant que ce n'étaient pas de vraies sirènes puisqu'elles ne savaient pas nager. Au bout d'un moment, les hommes ont remis le moteur en marche et c'est là qu'ils ont remarqué la fille morte qui flottait dans l'eau. Puis ils ont aperçu Blessing, accrochée à la corde. Alors ils l'ont remontée dans le bateau ; ils lui ont enlevé les menottes et ont jeté l'autre fille à l'eau. Et ils ont continué à plaisanter sur cette sirène hors pair sous les yeux de Blessing. »

Il y eut une autre longue pause et Brunetti, abasourdi par ce qu'il venait d'entendre, fixait un tee-shirt de footballeur exposé sur le mur.

« Puis ils l'ont amenée sur le rivage, seule, et ils l'ont poussée dans un camion. »

Faut-il interpréter cet épisode comme un coup de chance ? se demanda Brunetti. *C'est une jeune femme abîmée par la vie, condamnée à faire des passes sur une plage ou au bord de la route. Est-ce mieux que d'être morte ?*

« Je suis désolé que vous ayez dû subir ce récit, déclara Brunetti.

— Et Blessing ? rétorqua-t-elle.

— Mon Dieu, son histoire me fend le cœur » répliqua-t-il.

Il leur fut impossible de proférer le moindre mot pendant un très long moment.

« Le temps que nous ayons fini de parler, enchaîna Nieddu d'une voix blanche, tout le monde était rentré chez soi. Mes collègues avaient interrogé les autres filles, mais pas très sérieusement, et les avaient laissées partir. Donc j'ai dit à Blessing qu'elle pouvait aussi s'en aller.

— Qu'en est-il à présent ? s'enquit Brunetti.

— Je lui ai donné un de ces *telefonini* Nokia bon marché, qu'on peut s'acheter pour trois fois rien. Mon numéro y est enregistré, ainsi elle peut m'appeler si elle a besoin d'aide. J'ai mis une carte prépayée de vingt euros, ajouta-t-elle avec une ébauche de sourire. C'est le numéro d'une crèmerie à Crémone. Donc elle peut toujours dire qu'elle l'a trouvé, en cas de besoin. Ou le jeter, expliqua-t-elle en secouant la tête à sa propre folie.

— C'est très astucieux.

— Elle a déjà couru assez de risques dans sa vie.

— Son histoire ferait pleurer même un cœur de pierre », déclara Brunetti spontanément.

Elle fit un signe d'assentiment.

« Autrefois, c'étaient des personnes, et aujourd'hui, ce sont des marchandises.

— Qui sont spectatrices du pire de l'humanité », observa Brunetti.

Nieddu acquiesça tristement.

« Il y a de nombreux girons chez Dante, mais c'est toujours l'Enfer. »

Brunetti s'abstint de tout commentaire. Il jeta un coup d'œil à sa montre et vit qu'il était presque 20 heures. Il sortit quelques pièces de sa poche, les posa sur la table et se leva.

Sans comprendre pourquoi il était important de le savoir, il demanda instinctivement : « Y a-t-il quelqu'un qui vous attend à la maison ? »

Elle le regarda, incapable de masquer sa surprise, et lui sourit.

« Oui, répondit-elle en se levant à son tour. Mais comme c'est aimable à vous de me le demander.

— Je suis désolé pour… », commença-t-il, mais sa voix mourut.

Il désigna les verres d'un signe de main, comme s'ils étaient l'emblème des femmes qu'ils avaient évoquées. Un des verres avait dangereusement glissé au bord de la table et menaçait de tomber. Il s'en saisit et le remit en lieu sûr.

« Si seulement ce pouvait être aussi simple », observa-t-elle en lui tapotant le bras plusieurs fois, et elle partit sans lui dire au revoir. Ce n'est que sur le chemin du retour que Brunetti se rendit compte qu'il avait oublié de lui demander son avis sur le capitano Alaimo.

20

Malgré le dîner que Paola et Chiara étaient en train de servir au moment même de son arrivée, Brunetti ne parvint pas à s'alléger l'esprit. Il y avait de la soupe au potiron, qu'il adorait, et du *branzino* grillé, mais même le charme de cette combinaison historiquement magique ne réussit pas, cette fois, à opérer. Il écouta, à table, les conversations, mais sans y prendre part.

Chiara se plaignait d'une nouvelle règle à l'école : à partir de la semaine suivante, obligation pour les élèves de déposer leurs *telefonini* dans des casiers – on en avait assigné un par élève, avec sa clef – pendant les cours. Hormis à l'heure du déjeuner, les *telefonini* étaient interdits en classe et durant les activités scolaires.

Chiara était, bien évidemment, indignée et évoquait son «droit» de rester en contact avec le reste du monde pendant la journée et insistait sur le fait qu'elle était assez grande pour savoir en modérer le temps d'utilisation. «On nous traite comme des esclaves», assena-t-elle de ce ton légitimement outré, typique de ceux dont les privilèges sont remis en cause ou compromis.

Brunetti posa sa fourchette sur son assiette, en veillant à ne pas faire de bruit. «Pardon ?» se limita-t-il à dire.

Elle regarda son père dans les yeux, coupée dans son élan rhétorique par le calme de sa voix. «Quoi? demanda-t-elle, déconcertée.

— Tu viens de dire qu'on vous traitait comme des esclaves, répondit-il.

— Oui!» répliqua-t-elle. Puis, passant outre l'avertissement que constituait le ton dépassionné de son père, elle réitéra: «C'est vrai: ils nous traitent comme des esclaves, confirma-t-elle avec cette certitude jaillissant du *Livre des martyrs* de Foxe.

— Dans quel sens? s'enquit Brunetti en prenant son verre.

— Eh bien, ils nous disent que nous ne pouvons pas nous servir de nos portables à l'école.»

Paola et Raffi se turent et unirent leurs regards à celui de Chiara, rivé sur Brunetti. Regardant sa fille, il déclara, d'une voix douce: «Je ne suis pas bien sûr de comprendre la comparaison.

— Mais je te l'ai dit, papa. Ils ne nous laissent pas utiliser nos téléphones à l'école!

— Ça, je peux l'entendre, mon ange. C'est la comparaison que je ne comprends pas.

— Comment, tu ne la comprends pas? Ils nous empêchent de faire ce qu'on veut.»

Il tint son verre par le pied et fit tourner le vin. Il but une toute petite gorgée et hocha la tête, sans qu'il fût clair si c'était pour saluer la qualité du vin ou la pertinence des propos de Chiara, et il finit par demander: «Et pour toi, c'est cela l'esclavage?»

Un silence de mort régna sur la table.

«Papa, dit-elle avec un sourire; tu es en train de me tendre un de tes pièges habituels, n'est-ce pas?»

Elle mit les coudes sur la table et appuya son menton sur les mains, en le regardant bien en face.

« À la prochaine étape, tu vas me demander une définition de l'esclavage, que je ne serai pas en mesure de te donner de manière adéquate et à chaque fois que j'essaierai de t'en proposer une, tu pointeras toutes les lacunes de mon discours. »

Elle se redressa et sortit son bras gauche pour soutenir le canon d'un fusil invisible, en reculant sa main droite pour pouvoir actionner la gâchette. Elle visa une cible au-dessus de la tête de Brunetti, appuya sur la détente et émit un « BOUM ! » avant de secouer son bras sous l'effet du recul.

Elle se tourna rapidement sur la droite, leva le fusil encore plus haut et s'écria : « Et en voilà une autre, de mauvaise définition ! » Elle suivit du regard le canon du fusil tandis que la deuxième mauvaise définition flottait vers la table. Il y eut un autre « BOUM ! » suivi d'une autre victime, qui tomba cette fois bruyamment lorsqu'elle posa le fusil imaginaire et donna un coup sur la table, pour imiter le son de la chute de cette formulation erronée.

Brunetti observa la scène en silence, choqué comme seuls les parents peuvent l'être face aux récriminations légitimes de leurs enfants. Il posa la tête sur la table, appuya sa joue droite contre la nappe et murmura un vers de Shakespeare : « Comme il est plus tranchant qu'une dent de serpent... », mais avant de pouvoir poursuivre, Chiara, Paola et Raffi finirent le vers en chœur pour lui, « ... d'avoir un enfant ingrat ».

Si l'arrivée du dessert ne permit pas de rétablir tout à fait l'ordre, il restaura du moins un semblant de calme.

Le lendemain matin, Brunetti arriva à la questure à 9 heures précises. Bien qu'il n'eût aucune information à transmettre à Patta, il jugea diplomatique d'aller le voir et de lui demander conseil au sujet de cette affaire. Il était toujours plus facile de ménager Patta quand il se croyait occupé. À son arrivée dans le bureau de la signorina Elettra, il la vit absorbée par *Il Sole 24 Ore* qu'elle considérait depuis longtemps comme le seul journal digne d'être lu. Il ignorait complètement pourquoi elle lisait ce quotidien sur la finance, car elle n'avait jamais manifesté le moindre intérêt pour l'accumulation des richesses, même si elle avait une familiarité certaine avec les plus grandes sociétés nationales et internationales ; elle parlait en bien ou en mal, mais toujours en connaissance de cause, des différents représentants et administrateurs de ces firmes au fur et à mesure qu'ils entraient ou sortaient des salles d'audience – rarement des prisons – du Nord-Est.

«Bonjour, signorina, dit-il. Le vice-questeur est-il dans son bureau ?

— Ah… Le dottor Patta ne sera pas là avant demain après-midi. »

Brunetti resta devant son bureau et lui sourit pour lui montrer qu'elle n'avait pas besoin d'en dire plus.

Elle plia son journal et le posa sur le côté avant de lui demander : «En quoi puis-je vous aider ?»

Brunetti en profita aussitôt pour lui expliquer : «La commissaire Griffoni et moi-même avons parlé au capitano Alaimo à la Capitaneria, avant-hier, commença-t-il, ravi de la voir se saisir d'un bloc-notes, et j'aimerais que vous meniez des recherches.

— Sur quoi ? s'enquit-elle en levant les yeux sur lui, sa curiosité déjà aiguisée.

— Sur tout élément susceptible de nous intéresser. Tout ce que je sais, c'est qu'il est napolitain. »

Du fait de sa longue expérience, Brunetti savait que la signorina Elettra portait sur toute information le même regard qu'un requin apercevant une jambe de surfeur.

« Alors je commencerai par son dossier de salarié » déclara-t-elle. Elle n'était pas accroupie sur un genou, les mains posées sur les starting-blocks, mais l'accélération de son rythme d'élocution suggéra à Brunetti de se hâter de sortir de son bureau.

Avant qu'il ne s'exécute, elle l'informa toutefois qu'elle avait reçu un coup de fil de l'hôpital de Mestre demandant que le commissario chargé de l'enquête sur l'accident des deux Américaines les appelle. La signorina Elettra lui précisa qu'elle avait pris la liberté de leur assurer que le commissario Brunetti les joindrait dès que possible.

Dans le couloir, il composa le numéro de Griffoni et dès qu'elle décrocha, il lui proposa : « Un café ? »

Une fois dans le bar, elle s'arrêta au comptoir et passa sa commande à Bamba, le jeune Sénégalais qui relayait pratiquement tout le temps Sergio, le propriétaire, puis elle s'installa sur la chaise en face de Brunetti.

Avant qu'il ne puisse la mettre au courant, Bamba vint à leur table et servit un café à Brunetti et une tasse d'eau chaude à Griffoni.

« Comme nous n'avons pas de verveine, dottoressa, je vous ai apporté ces infusions », expliqua-t-il en lui présentant une soucoupe avec quatre ou cinq sachets différents, puis il regagna sa place derrière le comptoir.

« Pas de café ? » s'enquit Brunetti en déchirant son sachet de sucre et en le versant dans sa tasse.

La main au-dessus de la soucoupe, Griffoni déclara :
« Si j'en prends un autre, il va me pousser des ailes et j'irai dans mon bureau en volant : je n'aurai même pas besoin de monter l'escalier.

— La fenêtre est trop petite, tu ne passeras jamais.

— Je n'y avais pas pensé, reconnut-elle en immergeant un des sachets dans l'eau chaude. Quoi de neuf depuis hier ? »

Il lui rapporta ses conversations avec Borgato et son neveu ; elle rit de bon cœur à la description de son accoutrement et de son comportement de lièvre peureux. Puis il lui apprit ce que lui avait raconté Duso et à son grand étonnement, elle ne lui posa aucune question. Elle semblait même impatiente qu'il termine.

Il cessa alors de parler et lui demanda : « Qu'est-ce que tu veux me dire ?

— Je suis donc si prévisible ? » répliqua-t-elle avec un sourire.

Brunetti opina du chef, comme pour donner la priorité à une personne arrivant dans une *calle* étroite au même moment.

« J'ai cherché des informations sur les années où Borgato avait quitté Venise, dit-elle en s'efforçant de garder un ton calme.

— Et ? lança Brunetti pour l'exhorter à continuer.

— Il est resté domicilié à son adresse ici. Alors j'ai réfléchi aux traces que je pourrais laisser derrière moi si je vivais quelque part sans y être domiciliée.

— Et qu'as-tu découvert ? s'enquit-il, heureux de l'aiguiller vers la révélation.

— Quelque chose qu'un Vénitien ne pourrait jamais imaginer.

232

— Ai-je droit à trois coups?

— Ça ne sert à rien, Guido, crois-moi.

— Pourquoi?

— Parce que les Vénitiens ne conduisent pas, et plus significatif encore, parce que vous ne roulez pas trop vite, que vous ne brûlez pas les stops et que vous n'avez pas d'accidents de voiture.»

Brunetti fut interloqué par les propos de sa collègue.

«Alors que nous autres Napolitains, irresponsables que nous sommes, nous commettons toutes ces infractions au code de la route. C'est pourquoi je pense tout naturellement à cela, conclut-elle, en égayant Brunetti avec ses plaisanteries habituelles sur les mœurs de ses concitoyens.

— Tu l'as donc trouvé? C'est formidable! Où donc?

— À Castel Volturno; le repaire de la mafia nigérienne.

— Dis-m'en plus.

— Il a eu un accident là-bas, il y a quatorze ans, où il est rentré dans une voiture qui attendait au feu rouge. Puis il a été arrêté pour être passé au rouge à Villa Literno, à dix kilomètres environ de Castel Volturno, il y a douze ans, puis il a été de nouveau arrêté pour excès de vitesse sur une route nationale à côté de Cancello, dix kilomètres plus loin, il y a dix ans et demi. Puis plus rien depuis, et il n'a jamais eu vraiment de gros problèmes avec la police.

— C'est un signe», intervint Brunetti.

Griffoni hocha la tête.

«Est-ce que tu es en train de penser la même chose que moi? s'enquit-elle.

— Oui, si ce que tu penses, c'est qu'il a partie liée avec les Nigériens, et que c'est pour ça que la police le laisse tranquille.

— Pour qui d'autre aurait-il pu travailler? Personne d'autre n'embauche dans cette région et le seul travail possible est d'ordre criminel. »

Tous deux se turent un certain temps, puis Griffoni, lassée du silence, lui demanda: «Que faisons-nous?

— Rien, répliqua immédiatement Brunetti. Partons du présupposé qu'il est impliqué dans leurs affaires et continuons à enquêter sur lui. »

Au bout d'un long moment, Griffoni assena: «Je ne t'ai jamais entendu dire que nous ne pouvons aucunement agir. »

Brunetti fut troublé par l'énonciation de cette réflexion, mais elle n'en était pas moins vraie. Pendant des années, il avait lu et entendu – comme tout officier de police dans le pays – que la mafia nigérienne était impénétrable, pernicieuse et omniprésente autour du noyau dur de Castel Volturno. Un de ses collègues avait passé un an là-bas et avait préféré prendre sa retraite anticipée, plutôt que de subir une seconde année à cet endroit. Se refusant à parler de son expérience, il s'était contenté de déclarer que cette ville était «un pays à part entière ».

«Tout ce que nous pouvons faire pour le moment, c'est de collecter le maximum d'informations sur lui, spécifia-t-il. Le fait qu'il habitait à Castel Volturno ne suffit pas: avoir habité là-bas ne fait pas de lui un criminel. Tant que nous ne trouvons pas un lien…, nous ne pouvons rien faire », conclut-il.

Brunetti connaissait suffisamment bien Griffoni pour détecter sa frustration et sa colère rien qu'à ses mains, qu'elle tenait bien serrées sur ses genoux.

«Je n'ai rien perdu de mon intérêt pour l'accident avec les Américaines. C'était le bateau de Borgato », dit-il.

Le silence s'installa entre eux jusqu'à ce que Brunetti lui apprenne : «J'ai appelé l'hôpital.»

La surprise incita Griffoni à demander : «Et donc ?

— J'ai parlé à une infirmière qui m'a affirmé que la fille s'était réveillée.»

Sans parvenir à restreindre son étonnement, Griffoni répliqua : «J'espère qu'ils savent de qui il s'agit et qu'ils ne confondent pas avec une autre patiente.

— Que veux-tu dire ?

— Quand je les ai appelés hier matin, ils m'ont dit qu'elle était encore dans le coma...

— Mais elle en est peut-être sortie entre-temps, suggéra Brunetti, même s'il n'ignorait pas le danger de prêter foi à une information donnée par un hôpital au téléphone.

— Que penses-tu faire ?

— Je vais y aller pour parler au moins à son père. Quand l'as-tu vue pour la dernière fois ?

— Il y a deux jours, en rentrant chez moi : elle était encore inconsciente, effectivement. L'infirmière m'a dit qu'on lui donnait des antalgiques et que ce pouvait en être la cause.»

Griffoni ne semblait toutefois pas convaincue par cet argument.

«Combien de temps es-tu restée ?

— Une heure, peut-être moins.» Face à la stupéfaction de Brunetti, elle explicita : «Son père était là et je lui ai dit de profiter que j'étais avec elle pour descendre manger un bout à la cafétéria.»

Elle but une gorgée de son infusion. Quelques gouttes étaient tombées sur la table. Griffoni dessina des cercles du bout de ses doigts, puis elle les essuya avec sa serviette avant de raconter : «L'assistant du chirurgien était de service, mais il n'a pas fait de grandes révélations. La seule chose à faire, d'après lui, c'était d'attendre et de voir ce qui arriverait; elle se réveillerait au moment voulu.

— Qu'est-ce que cela signifie?

— Cela signifie qu'ils n'ont aucune idée de ce qui se passe.»

Elle porta la tasse à ses lèvres, sirota son infusion et la posa de nouveau.

«Il m'a dit qu'ils ont fait ce qu'ils ont pu pour son nez.

— C'est-à-dire?»

Griffoni passa les premiers doigts de sa main droite sur son sourcil.

«Qu'apparemment, la coupure au-dessus de l'œil n'était pas grave et qu'on ne la verrait pratiquement plus dans six mois. Ils l'ont bien fermée.»

Elle regarda par la fenêtre les gens qui passaient sur la *riva*.

«Puis ils m'ont dit qu'ils ont remis son nez en place et l'ont bandé. Ils ne peuvent pas l'opérer tant qu'elle est inconsciente.»

Elle parlait précipitamment, car elle ne voulait pas s'attarder sur ces détails.

Brunetti continua à observer le sourcil de Griffoni en se remémorant la photo du visage de la fille. Comme elle ne sentait pas le regard de son collègue sur elle, elle leva la main et s'en couvrit les yeux pour endiguer les assauts de l'imagination, et elle poursuivit: «C'est tout ce qu'ils peuvent faire, du moins pour le moment. Dans un second temps, j'ai eu la sensation d'être face à un archéologue qui t'explique comment il a réparé un vase grec. Qu'ils sont bizarres ces chirurgiens!» Griffoni marqua une pause et secoua la tête, comme si elle ne pouvait croire les mots du médecin.

«Je ne pouvais pas croire qu'il continue à s'étendre sur l'argument. Nous étions au poste des infirmières – son père était revenu et moi j'étais sur le point de partir – et lui voulait me faire un dessin pour bien m'expliquer ce qu'ils avaient fait.

— A-t-il une idée de l'aspect qu'elle aura ?

— Je le lui ai demandé. Il m'a répondu qu'il pourrait y avoir une petite différence au milieu de l'arcade sourcilière, mais qu'ils pratiquaient souvent cette technique et que son sourcil cacherait la cicatrice, dans tous les cas. En revanche, c'était différent pour le nez ; il pourrait ne plus être le même. Mais il m'a affirmé qu'elle aurait la possibilité de se faire opérer dans un an environ et qu'elle retrouverait la même apparence qu'avant son accident.»

Elle prit la théière et la pencha au-dessus de sa tasse, mais elle était vide. Elle la reposa et se leva.

«Retournons au bureau», proposa-t-elle à Brunetti, puis elle alla payer l'addition au comptoir où elle échangea quelques mots avec le serveur. Contrairement à Sergio, son responsable, Bamba tapa le montant correct et donna le ticket de caisse à Griffoni : Sergio avait tendance à encaisser les espèces et à dire merci sans donner de reçu, car il était de cette génération convaincue que tout membre de la Guardia di Finanza rôdait à l'extérieur, à l'affût du moindre faux pas.

Brunetti s'arrêta aussi au comptoir et demanda à Bamba comment allaient sa femme et sa fille, et apprit ainsi que sa fille, Pauline, avait les meilleures notes de la classe en mathématiques et en géographie et que sa femme faisait le ménage trois matins par semaine chez deux personnes âgées vivant dans leur immeuble.

«Je suis heureux de vous savoir tous en pleine forme, dit Brunetti.

237

« — Et ici, tous ensemble », ajouta Griffoni.

Bamba lui sourit. « Merci, dottoressa », lui dit-il avec un regard que Brunetti n'avait jamais perçu dans les yeux du serveur.

Il ignorait quelles relations Griffoni avait fait jouer à Rome ; toujours est-il que le Bureau de l'immigration, qui avait négligé pendant plusieurs années sa demande de regroupement familial, le lui avait accordé deux mois après la conversation que Bamba, en pleurs, avait eue avec Griffoni le lendemain de son dernier rendez-vous au bureau en question.

Brunetti lui avait demandé une fois comment elle avait réussi à accélérer les démarches, mais elle avait catégoriquement nié être intervenue dans ce qu'elle appelait « le lent broyage de l'espoir », une expression qu'elle utilisait souvent pour décrire la fonction bureaucratique du ministère de l'Intérieur, chargé de traiter les demandes d'immigration. Ils retournèrent à la questure sans souffler mot.

21

Lorsqu'il arriva à proximité de l'Ospedale dell'Angelo, Brunetti fut frappé par sa ressemblance avec un paquebot de croisière ayant échoué sur un terrain de football. Il vit apparaître, à une certaine distance, un mur en verre d'une dizaine d'étages de haut, qui semblait légèrement penché. Ses extrémités faisaient étonnamment songer aux proues des navires gigantesques qui fendaient autrefois les eaux devant San Marco et allaient s'écraser de temps à autre contre une *riva* ou s'en approchaient suffisamment près pour faire la une du *Gazzettino* pendant des jours et des jours.

Brunetti se dirigea sur la pointe des pieds vers cette silhouette particulière comme si, une fois à bord, ce vaisseau pouvait immédiatement larguer les amarres et s'en aller, en cédant à son désir atavique de sillonner la *laguna* et, tel le crapaud du conte de fées, être transformé par le baiser de l'eau en ce prince qu'il était véritablement.

Il chassa ces pensées fantaisistes de son esprit et se rendit au bureau d'accueil où un jeune homme trouva rapidement sur l'ordinateur le nom de la signorina Watson, lui indiqua l'étage et le numéro de la chambre et lui expliqua que l'ascenseur était sur sa gauche.

Brunetti estima ces indications superflues car des pancartes et des flèches indiquaient déjà les divers services et les différentes salles. *Difficile de se perdre, ici*, constata-t-il ; *quelle différence avec le vieil Ospedale Civile du centre historique, agréable mais labyrinthique, composé de bâtiments répartis sans ordre apparent et doté d'un grand nombre de panneaux contra-dictoires ou déroutants.* Au lieu du cloître aux nombreuses colonnes où somnolaient les chats, la forêt équatoriale de l'Ospedale dell'Angelo était traversée de maints sentiers tout droits et l'on respirait partout un état de propreté presque palpable.

Il arriva rapidement au troisième étage et, après avoir montré son insigne à l'infirmière assise à son bureau, il demanda où se trouvaient M. Watson et sa fille. Il suivit ses explications et parvint à eux. Comme la porte était ouverte, il se tint dans l'embrasure et regarda à l'intérieur : la chambre était pourvue de deux lits ; le plus proche était vide et de l'autre côté du second lit, il vit un homme assis qui pouvait avoir son âge, mais avait pris entre-temps plus de poids et perdu plus de cheveux. La chaise risquait de céder sous sa corpulence : il était en train de taper un mes-sage sur son portable, avec une extrême concentration. Que disait-il ? *Venez sauver ma fille ?*

Le regard de Brunetti se porta sur le corps menu couché sous les couvertures. Au milieu du visage, un triangle en plastique blanc était collé sur le nez et main-tenu par plusieurs bandages tandis que le sourcil gauche était recouvert d'un épais pansement. Elle avait les yeux fermés et ses lèvres roses étaient entrouvertes. Un cercle jaune se dessinait tout autour de son œil gauche où la peau, presque noire, présentait encore quelques bour-souflures.

Suspendus à une potence métallique se trouvaient deux sacs de perfusion, dont un contenant un liquide pâle qui

240

passait dans une aiguille fixée à son bras. Les tubes rattachés au second sac disparaissaient sous les couvertures.

Comme si on lui avait tapoté l'épaule, l'homme leva la tête et dirigea son regard sur Brunetti. Il cligna des yeux et laissa tomber son téléphone, se pencha en avant, les bras croisés, et se leva, les mains en l'air, prêt à affronter tout danger incarné par Brunetti.

« *Scusi, signore, sono qua per*[1]... » Il espérait le calmer en lui expliquant les raisons de sa visite.

L'homme fit deux pas lents vers lui et s'arrêta.

« Qui êtes-vous ? Un médecin ?

— Non, je ne suis pas médecin, monsieur Watson. Je suis le commissario Guido Brunetti, de la police. Je suis venu rendre visite à votre fille. »

L'expression de l'homme passa de la curiosité à une réaction plus dure.

« Pourquoi êtes-vous ici ? demanda l'Américain en s'approchant d'un pas. Que voulez-vous ?

— Je voulais voir si son état s'est amélioré, monsieur. »

L'homme regarda vers sa fille, comme s'il espérait capter un signe d'attention de sa part, mais elle n'en donna aucun. D'une voix calme, Watson répliqua : « Vous voyez bien. Il n'y a aucun progrès.

— Je suis désolé », dit Brunetti, conscient de l'inanité de cette expression.

Avant que le commissaire ne puisse ajouter la moindre réflexion, l'homme retourna à l'endroit où il s'était précédemment assis, se pencha pour récupérer son téléphone, le mit dans sa poche et fit le tour du lit pour se rapprocher de Brunetti. « Alex Watson », se présenta-t-il en lui tendant la

---

1. Excusez-moi, monsieur, je suis là pour...

main. Sa poigne était ferme mais furtive : il lui serra la main comme le font souvent les Américains, désireux d'établir un lien d'amitié, mais peu enclins à le cultiver. Ses cheveux d'un blond-roux avaient commencé à blanchir avec l'âge et ses yeux bleus très clairs évoquaient ceux d'un border collie, même si rien ne trahissait chez lui la nervosité de cet animal.

Brunetti prit la main de Watson et répéta son nom, sans redonner son titre.

Watson regarda sa fille et ferma les yeux un long moment, puis il se tourna vers Brunetti. « Peut-être pourrions-nous parler dans le couloir, suggéra-t-il. Je ne veux pas la déranger. »

Brunetti lui fit brièvement un signe d'assentiment et gagna le corridor. Deux femmes en blouse blanche se tenaient quelques portes plus bas, où elles discutaient à voix basse.

« Les médecins vous ont-ils expliqué ce qui se passe ? demanda Brunetti.

— Elle est dans le coma. Quand ils m'ont appelé pour m'annoncer l'accident, ils ont dit seulement qu'elle était inconsciente. Maintenant, c'est un coma », réitéra-t-il après un long moment de silence.

Watson poursuivit. « Ils disent que cela arrive parfois avec des blessures à la tête. Des blessures au cerveau, plus précisément. »

Brunetti put déceler dans ses propos combien il lui était difficile de prononcer les mots que les médecins avaient véritablement utilisés.

Watson alla vers une des fenêtres qui donnait sur un parking. Il saisit le rebord des deux mains et baissa la tête tristement. « J'ai parlé à l'un des médecins, avec un interprète.

— Qu'a-t-il dit?

— Il a parlé d'un fragment d'os. Mais il ne m'a pas spécifié exactement sa taille, ou bien je n'ai pas compris...» Avant que Brunetti ne puisse demander à Watson s'il se souvenait du mot italien pour le lui traduire, Watson précisa: «Ce n'est pas la faute de l'interprète. J'ai beaucoup de mal à me rappeler ce que me disent les gens. Quand j'ai ma femme au téléphone, j'essaie de lui rapporter les propos des médecins. Elle, elle parle italien, mais elle ne peut pas être là.»

Watson dut lire la réaction de surprise sur le visage de Brunetti, car il lui expliqua: «Elle est en plein milieu d'une chimiothérapie, à Washington, et elle ne peut aller dans aucun hôpital, quel qu'il soit, parce que son système immunitaire est... affaibli.

— Est-ce tout ce qu'ils vous ont dit, monsieur Watson?

— À ce stade-ci, ils ne peuvent qu'attendre de voir comment évolue la situation.» Brunetti nota un mouvement et baissa les yeux sur les mains de Watson, qu'il croisait et décroisait en permanence.

«Apparemment, votre fille et M\ue Petersen sont des amies d'université, poursuivit Brunetti, en cherchant à rétablir une conversation normale.

— Effectivement, elles vivent dans la même résidence universitaire, confirma-t-il, d'un air surpris.

— Donc vous ne la connaissez pas très bien?

— Si, elle est venue avec nous à Rome l'an passé. Jojo est beaucoup plus sensée que certaines des filles qui allaient au lycée avec Lucy», spécifia-t-il avec un visage plus doux, et il précisa, pour en alléguer la preuve: «Pendant ce séjour, elle aidait ma femme à faire à manger et Lucy à ranger leur chambre.» Puis il ajouta, d'une voix tremblotante mais débordante d'amour: «Lucy n'a jamais été une championne de la propreté.»

Brunetti renchérit, avec un sourire: «Ma fille non plus.»

Une fois ce moment de complicité parentale écoulé, tous deux gardèrent le silence un certain temps.

Décidant de changer complètement de sujet, Brunetti demanda: «Jojo vous a-t-elle dit ce qui s'est passé cette nuit-là?»

Watson tourna le dos à la fenêtre et s'assit à moitié sur le rebord, comme s'il avait tout à coup besoin d'un appui, et enchaîna: «Elles étaient sur une place où il y avait beaucoup de jeunes et elles ont rencontré deux garçons, des Italiens, qui leur ont proposé de prendre un verre.

«Ils sont allés dans un bar; Jojo a pris un Gingerino[1] et Lucy un Coca-Cola. Les garçons ont commandé tous deux un jus de pomme, ce qui les a tous fait rire.» Watson marqua ici une pause et sourit, ce qui le rajeunit de dix ans. Il s'arrêta et Brunetti le vit reporter son attention sur la porte de la chambre de sa fille.

«Vous a-t-elle raconté l'accident?» s'informa Brunetti.

Watson fit signe que oui.

«Elle a dit que ses souvenirs ont mis du temps à revenir, mais que le processus est désormais enclenché. Le fait que ces garçons n'aient pas bu d'alcool les rassurait toutes les deux et elles ont donc accepté leur invitation d'aller faire un tour en bateau. Tout s'est bien passé jusqu'au moment où ils se sont retrouvés en plein milieu de la lagune et où un des garçons s'est mis à aller de plus en

---

1. Soda italien non alcoolisé à base de gingembre.

plus vite. Jojo lui a demandé de ralentir, mais il n'a pas compris, même si je ne vois pas ce qu'il y a de difficile à comprendre, en fait, quand une fille se met à vous hurler après pendant que vous êtes en train de foncer à toute allure. »

Brunetti entendit revenir dans la voix de Watson son souffle court imprégné de colère, mais il ne dit mot.

« Quand elle a demandé à l'autre garçon de raisonner son ami, il n'a fait que hausser les épaules.

— Qu'a-t-elle dit d'autre ?

— Elle l'a pris par le bras et a essayé de l'éloigner du moteur, mais c'était impossible. Elle s'est levée pour aller s'asseoir près de Lucy, et c'est à ce moment-là qu'ils ont heurté quelque chose et qu'elle est tombée. Quand elle a réussi à s'asseoir – elle ne se rappelle pas après combien de temps –, Lucy était encore couchée à plat ventre et un des garçons, pas le pilote, était agenouillé près d'elle et lui parlait. Jojo a dit qu'elle a commencé à avoir mal au bras, vraiment mal. Plus personne ne parlait, à part le garçon qui essayait de s'entretenir avec Lucy. »

Il se tut et pinça les lèvres, comme pour se punir de prononcer son nom.

« L'autre garçon a remis le moteur en route et ils sont repartis ; Jojo avait l'impression qu'il roulait très lentement, mais elle ne savait pas trop, car elle avait terriblement mal au bras et elle avait froid. Elle a dit que plein d'eau était entrée dans le bateau pendant qu'ils étaient à l'arrêt.

— Se souvient-elle d'avoir été emmenée à l'hôpital ?

— Non. Elle a dit qu'elle a dû s'évanouir de douleur parce que le bateau n'arrêtait pas de cogner contre les vagues et qu'à chaque fois, elles tapaient toutes les deux contre le fond du bateau. Son esprit divaguait : les choses passaient de l'état réel à l'état irréel. Elle pense avoir entendu, à un moment donné, l'un des deux dire : "Il va me tuer. Il va me tuer", mais elle n'en est pas certaine, à cause de la douleur et de la peur.

— Détenez-vous d'autres éléments ? lui demanda doucement Brunetti.

— Elle s'est réveillée à l'hôpital, mais Lucy n'était pas là. Après quelque temps, elle a eu la visite d'une femme policière et les choses ont commencé à prendre un sens. »

Puis, comme s'il avait tout à coup retrouvé ses esprits, Watson demanda : « Qui les y a emmenées ? »

— Les hommes qui étaient dans le bateau, lui révéla Brunetti.

— Qui sont-ils ? »

Brunetti prit la responsabilité de répondre : « L'image qu'ils ont donnée d'eux, monsieur : deux jeunes garçons, tous deux vénitiens, qui avaient…

— Je sais ça, rétorqua Watson. Jojo me l'a dit. Mais savez-vous qui ils sont ?

— Oui. Je leur ai parlé à tous les deux.

— Sans en informer personne ? » s'écria-t-il, en cédant à la colère.

Brunetti s'aperçut que tout signe d'amabilité avait disparu chez lui.

« Que vous ont-ils dit ? demanda Watson instamment, qui en imposait de plus en plus au fur et à mesure de leur conversation.

— Je n'ai pas la liberté de vous le dire, monsieur, pas tant que l'enquête est en cours. » Brunetti parlait calmement, en essayant de faire preuve de délicatesse.

«Donc ils les ont emmenées à l'hôpital ? Et qu'ont-ils fait ensuite ? »

Brunetti sentait qu'il était inutile de lui mentir. «Ils sont partis, monsieur. L'un des deux était lui-même grièvement blessé.

— Je me moque de son état», répliqua sèchement Watson.

Il garda le silence un moment, puis il répéta les mots de Brunetti, sous l'effet de la colère. «Ils les ont laissées. Ils les ont déchargées là et ils sont partis…» Donnant libre cours à sa rage, il continua : «Ils les ont laissées là, comme des…» Watson s'interrompit et jeta un regard circulaire dans le couloir, comme si les mots qu'il cherchait se dérobaient à sa vue, mais il les retrouva et il éclata : «… comme un tas d'ordures.» Il serra les poings, mais finit par se ressaisir.

«Les avez-vous interrogés sur la drogue ? Sur l'alcool ? » s'informa Watson avec véhémence.

Brunetti secoua la tête.

«Vous ne les avez pas interrogés sur ces deux points ? hurla presque Watson.

— Je suis désolé, monsieur. Nous les avons effectivement interrogés, mais je n'ai pas la liberté de discuter de ces questions avec les personnes qui ne sont pas impliquées dans l'enquête.»

L'homme fit un signe d'assentiment, mais Brunetti le vit crisper les mâchoires en refoulant les mots. Il se demanda combien il pourrait se contrôler si c'était Chiara qui avait été dans ce bateau, si c'était Chiara qui était dans le lit de la pièce en face d'eux et soudain, il éprouva de l'admiration pour la puissante capacité de retenue de Watson.

Ce dernier regarda Brunetti, puis la porte de la chambre.

«J'ai besoin de retourner auprès d'elle», annonça-t-il.

Il quitta alors Brunetti et regagna la chambre de sa fille, en fermant doucement la porte derrière lui.

22

Vu qu'il était presque 17 heures lorsque Brunetti quitta l'hôpital, il décida de rentrer directement chez lui, mais en tramway, car il n'avait encore jamais expérimenté ce moyen de transport. Pendant des années, il avait lu dans *Il Gazzettino* les nombreux dysfonctionnements, déraillements et accidents dont il avait fait l'objet, tout comme ses fréquentes pannes d'origine inconnue. Comme il avait envie de le prendre et ne l'avait jamais fait, il s'informa sur les horaires des bus allant au centre de Mestre où il devait pouvoir trouver la correspondance et il monta dans le 32H pour Piazzale Cialdine où s'arrêtait le tramway n° 1 reliant les deux villes.

«Est-ce bien le tramway pour Piazzale Roma?» demanda-t-il à une dame d'un certain âge qui attendait à l'arrêt, avec un sac du grand magasin COIN à la main. *Ah, comme ma mère aurait voulu pouvoir s'acheter des choses chez COIN, mais elle devait se limiter à regarder les vitrines.* La femme répondit avec un sourire, ce qui accentua ses pattes d'oie: «*Dovrebbe*[1].»

C'était aussi une formule que sa mère chérissait: son père devrait rentrer à 20 heures, le plombier devrait venir

---

1. Il devrait.

l'après-midi, il devrait y avoir de l'argent pour ses manuels scolaires. «*Dovrebbe*», répéta-t-il, et la femme sourit en haussant les épaules.

«Il y en a un qui vient de me passer sous le nez, donc au moins on est sûrs qu'ils circulent», ironisa-t-elle.

Elle n'avait pas plus tôt fini sa phrase qu'un tramway n° 1 s'arrêta lentement de l'autre côté de la rue : des gens descendirent, d'autres montèrent. Brunetti se souvint d'une histoire que sa mère lui avait racontée au sujet du seul voyage qu'elle ait jamais effectué en «Italie», ce qui signifiait ailleurs qu'à Mestre où elle s'était rendue deux fois. Pour aller au mariage d'une cousine, plus de cinquante ans auparavant, elle avait pris le train pour la seule et unique fois de sa vie, puis le tramway et avait vu les «*torinesi*», les membres de la famille qui avaient émigré à Turin pour travailler dans les usines FIAT et qui s'étaient – du moins aux dires de sa mère – suffisamment enrichis pour mériter le nom de «*torinesi*», une dénomination qui leur était réservée et qui était, pour elle, synonyme de «riches». *Et j'en ai épousé une*, songea Brunetti, *et j'ai maintenant deux enfants que ma propre mère aurait considérés comme des «torinesi»*.

Il se tourna brusquement au moment où il sentit une main se poser sur son bras. La vieille femme recula d'un demi-pas en lui annonçant : «Il est arrivé, signore.»

Le contact de cette main le fit revenir à Piazzale Cialdine et au tramway qui se tenait devant eux. Il la remercia d'un sourire et l'aida à monter. Elle s'installa sur un siège latéral ; Brunetti la remercia de nouveau et alla s'asseoir à l'avant, pour voir au mieux la circulation sur la voie opposée. Il voyait se dérouler devant eux le rail unique sur lequel circulait le tramway, étonné par une telle invention.

Ils glissaient : toute accélération ou tout ralentissement ne provoquait qu'un changement fluide de vitesse. Ils doublèrent en douceur les files de voitures à l'arrêt et prirent le ponte della Libertà. Sur la droite s'étendait l'horrible complexe pétrochimique de Marghera où les cheminées crachaient leurs fumées en permanence, puis les chantiers navals et la carapace à moitié finie d'un énième bateau de croisière : quelle perversion que de les construire ici – ou n'importe où ailleurs, du reste –, si près de la ville qu'ils détériorent à chacune de leur arrivée et à chacun de leur départ.

En arrivant à Piazzale Roma, Brunetti eut la sensation que le tramway roulait sur un tapis de velours, et lorsqu'il termina sa course, le commissaire se retourna vers la dame pour l'aider à descendre et lui souhaita une agréable soirée. Elle lui tapota le bras, sans rien dire.

L'ensemble de l'esplanade était utilisé par trois catégories d'usagers : la première correspondait aux gens qui faisaient la navette pour aller travailler sur le continent ; la deuxième à ceux qui faisaient la navette dans l'autre sens, pour la même raison ; et la troisième aux gens comme Brunetti qui vivaient et travaillaient dans la ville et ne prenaient que rarement ce moyen de transport. En se dirigeant vers le pont menant à Santa Croce, il eut la sensation d'avoir échangé sa propre routine contre celle des Vénitiens travaillant sur le continent et qu'à cet instant seulement, il se retrouvait enfin en terrain familier.

En longeant le canale del Gaffaro, Brunetti fut frappé de voir si peu de gens dans la rue, mais l'*acqua alta* lui revint à l'esprit. Ce n'était pas la pleine lune, il n'avait pas plu dans le Nord et il n'y avait pas eu non plus ce vent fort retenant les marées de l'Adriatique ; et pourtant, l'avant-veille, l'eau était montée inexorablement jusqu'aux genoux des gens qui traversaient la piazza San Marco. En l'espace de quelques minutes, ces photos firent le tour du monde et à la suite de cela, les annulations des hôtels et des B & B affluèrent sur la ville et donnèrent un nouveau coup de massue sur les têtes déjà bien basses des propriétaires de ces chambres redevenues vides.

Brunetti était partagé : il sentit une certaine empathie pour les gens qui allaient perdre ainsi leur source de revenus, mais dans la plupart des cas, ils encaissaient cet argent à son détriment et au détriment des autres résidents : des loyers devenus inabordables, des fast-foods remplaçant les commerces de proximité, pléthore de masques bas de gamme, et ainsi de suite. Brunetti s'était récemment juré de ne plus entrer dans ce genre de discussion ou de commentaire sur le tourisme ou les paquebots parce qu'il n'y avait désormais plus rien à dire, à ajouter, à proclamer ou espérer. Comme l'*acqua alta*, les vagues de tourisme déferlaient quand bon leur semblait et rien ne pouvait ni les endiguer ni les empêcher de détruire peu à peu la ville.

Il décida d'appeler Filiberto Duso.

« *Sì ?* répondit le jeune homme à la seconde sonnerie.

— Signor Duso, dit Brunetti d'un ton amical, c'est le commissario Brunetti.

— Bonsoir, commissario. »

Brunetti garda le silence, une tactique qu'il utilisait avec les gens ignorant les méthodes de la police. Après un long moment, Duso demanda : « Que puis-je faire pour vous, commissario ?

— Je viens de rentrer à Venise et je me demandais si vous auriez le temps de m'accorder un nouvel entretien, expliqua-t-il, d'un ton qu'il espérait jovial.

— Où êtes-vous?

— Comme c'est moi qui vous demande une faveur, signor Duso, je serai ravi de vous rencontrer à l'endroit qui vous arrange.

— Je suis à la maison.

— Ah, près de chez Nico, répliqua Brunetti avec enthousiasme. Peut-être pourrions-nous y prendre un café? Ce que j'ai à vous dire ne prendra qu'une minute.

— Alors ne pouvons-nous pas en parler au téléphone? s'enquit Duso.

— Je préfère parler en face à face, si vous n'y voyez pas d'inconvénient», répondit Brunetti.

Duso hésita un long moment – pour trouver un moyen de se défiler, imagina Brunetti – puis il finit par dire, sans parvenir à masquer sa réticence: «Bon, d'accord. Dans combien de temps serez-vous là?

— Dix minutes», spécifia Brunetti, en accélérant déjà le pas.

Duso l'attendait devant la gelateria da Nico, les yeux rivés sur les glaces contenues dans des bacs en métal alignés derrière la vitrine en verre disposée devant le bar. En descendant le pont, Brunetti ralentit pour observer Duso. De toute évidence, aucun de ces parfums ne l'attirait. Bien au contraire, il se balançait incessamment d'un pied sur l'autre, comme si la seule force de sa volonté l'empêchait de s'enfuir en courant.

Duso se tourna nerveusement sur sa droite et fixa l'église des Gesuati, une des deux directions d'où pouvait provenir Brunetti, puis il se mit à regarder San Basilio.

À la vue du commissaire, Duso alla à sa rencontre et en s'approchant de lui, il songea à lui sourire et se rappela presque comment faire. Les deux hommes s'arrêtèrent et se saluèrent. Le stress de Duso était palpable : il commença par serrer la main de Brunetti trop fermement, puis il la lâcha comme si ses doigts s'étaient brûlés à ce contact.

Le jeune homme retourna vers le bar et y entra, en privant ainsi Brunetti de toute possibilité de suggérer de s'asseoir à une table en terrasse, qui était encore un peu baignée par la lumière du soleil. Duso s'installa au comptoir où il attendit que Brunetti le rejoigne, et il commanda alors un café au serveur. Brunetti fit de même d'un signe de tête.

Les cafés arrivèrent presque immédiatement. Duso en but une petite gorgée, posa la tasse sur sa soucoupe et ouvrit un autre sachet de sucre. Il fit glisser sa tasse et sa soucoupe d'un geste délicat de son index, comme s'il était vexé qu'on lui eût servi un café trop fort, puis il attendit que Brunetti prenne la parole.

Le commissaire décida de dire la vérité. «Je vous ai appris que j'étais allé voir Borgato.» Duso opina du chef. «Et ma conclusion est qu'il est dangereux pour Marcello d'être dans ses parages.»

Après un long moment de réflexion, Duso ne put que se résoudre à lui demander : «Même si c'est son oncle?»

Brunetti ne souffla mot.

«Ne m'avez-vous pas entendu, commissario?

— Si, mais nous savons tous deux que cela ne signifie rien.

— Cela signifie qu'ils font partie de la même famille, rétorqua Duso sur le ton de la défensive.

— Et voilà bien l'Italie, la patrie des familles unies, où chacun vit uniquement pour être au service de la parentèle!» répliqua Brunetti sèchement.

Pour détendre l'atmosphère, il commanda deux verres d'eau au serveur et garda le silence le temps qu'ils arrivent.

Il but le sien à moitié et le posa sur le comptoir, puis poussa l'autre vers Duso. Brunetti vit le jeune homme se ruer sur l'eau comme s'ils étaient en plein mois d'août et qu'il n'avait rien bu depuis des heures. Il n'avait pas contesté la remarque de Brunetti sur les familles.

«Vos amis vous appellent Berto, n'est-ce pas?» s'enquit le commissaire en se surprenant lui-même.

Duso fut tellement étonné aussi à cette question qu'il mit un certain temps à acquiescer d'un signe de tête, puis à sourire. «Comme je n'arrivais pas, jusqu'à l'âge de quatre ans, à prononcer mon prénom – mon propre prénom –, tout le monde a pris l'habitude de m'appeler "Berto", et après, c'était trop tard.»

Il esquissa un sourire en coin et haussa les épaules.

«Tant mieux, observa Brunetti en tapotant l'épaule du jeune homme. Il est plus aisé de parler à un Berto qu'à un Filiberto.

— Il est bien plus aisé aussi de s'appeler Berto, croyez-moi.

— Tout à fait», confirma Brunetti en lui tendant la main. «Guido», se présenta-t-il, et Duso répondit en serrant sa main dans les siennes: «Berto.»

Brunetti se rendit compte à sa grande stupéfaction qu'il n'avait pas du tout envisagé cette dernière scène comme une stratégie pour mettre un terme à la réticence de Duso. Assez jeune pour être son fils, Duso ne lui avait pas caché son amour pour Marcello et lui avait permis d'entrevoir plus distinctement les liens enchevêtrés qui unissaient Marcello à son oncle.

«M'en direz-vous davantage? demanda Brunetti.

— Oui. Mais pas ici. Allons nous promener du côté de San Basilio.»

Il sortit du bar et gagna la vaste *riva*. Brunetti le suivit après avoir laissé quelques pièces sur le comptoir.

Il faisait frais; il avait plu dans la nuit et la vue sur la Giudecca était d'une clarté limpide. Les paquebots de croisière étaient moins nombreux maintenant, mais il y en avait quand même deux dans le port. Quelqu'un avait mentionné ce fait à la questure ce jour-là, en déclarant: «J'espérais qu'ils aient tous été exterminés», et cette personne dut aussitôt lever les mains face aux visages choqués de son auditoire et préciser: «Je voulais dire les bateaux, pas ces pauvres diables dessus.»

Duso partit d'un pas lent et le commissaire régla son rythme sur le sien. Au pied du pont, Brunetti prit la parole le premier et lui demanda: «Est-ce que Marcello vous a déjà évoqué le fait de devoir travailler la nuit?

— Pour son oncle, vous voulez dire?»

Pleinement conscient que la question de Duso n'était qu'une tentative de retarder, voire de reporter, les questions successives, Brunetti répondit que oui et réitéra immédiatement sa question: «Vous en a-t-il déjà parlé?»

Duso continua à marcher avec la même lenteur, contrairement aux gens qui accélèrent le pas pour échapper aux interrogations. Et à l'obligation d'y répondre.

«Oui. Une fois, répondit-il en nuançant immédiatement: Du moins, je pense que c'est de cela qu'il parlait.

— Quand était-ce?»

Duso s'arrêta et se tourna pour regarder les maisons de l'autre côté du canal. Brunetti resta près de lui, en silence.

«Cela fait deux mois environ», répondit-il, puis il ajouta, étonné de ne pas avoir fait le rapprochement plus tôt:

«C'était la nuit de Ferragosto[1], la ville était donc calme : tout le monde était parti en vacances. Marcello m'a appelé à 4 heures du matin et m'a dit qu'il était en bas de chez moi et m'a demandé s'il pouvait monter.» Sans laisser le temps à Brunetti de poser une question, Duso expliqua : «Il ne voulait pas que les voisins entendent la sonnette et se demandent ce qui se passait. Je suis descendu pieds nus et je l'ai fait entrer. Il était mouillé. Ou plutôt, trempé.» Après avoir émis un soupir de grande lassitude, Duso se tourna et recommença à marcher, suivi de Brunetti.

«Il est entré et il est resté là, sans bouger, à dégouliner sur le sol. Ses chaussures couinaient à chacun de ses mouvements. On est montés dans mon appartement et là, je lui ai enlevé ses chaussures et ses chaussettes. Il tremblait tellement que je lui ai dit d'aller prendre une douche pour se réchauffer. Mais il est allé s'asseoir sur mon canapé et m'a demandé, comme un invité, s'il pouvait boire quelque chose. Comme je savais qu'il adorait le chocolat chaud, je lui ai demandé s'il en voulait un.»

Au fur et à mesure que Duso parlait, ses pas ralentissaient davantage encore sous le poids des souvenirs.

Il s'arrêta de nouveau, tout en continuant à regarder devant lui en direction de San Basilio et, au-delà, les bureaux du port, et plus loin encore, les quais où s'amarraient les bateaux de croisière. «Je l'ai laissé et je suis allé dans la cuisine lui préparer son chocolat chaud. Lorsque je suis revenu, il était allongé sur le canapé, en train de pleurer. Comme un petit enfant, en train de sangloter comme si son cœur était brisé. Et tout tremblant. Je suis allé chercher une couverture. Il faisait encore très chaud et je n'ai

---

1. Le 15 août.

pas de climatisation, mais il frissonnait comme en hiver. Je l'ai aidé à se déshabiller et l'ai enveloppé dans la couverture, et je l'ai fait s'asseoir. Je lui ai demandé ce qui n'allait pas et il a essayé de plaisanter. C'était terrible : il m'a montré sa montre. Je la lui avais offerte pour son anniversaire, mais elle n'était pas étanche et il pleurait parce qu'il l'avait abîmée dans l'eau. Et il a recommencé à sangloter, encore plus fort, et tout ce que j'ai pu faire, c'était lui donner son chocolat chaud, mais il l'a bu trop vite et il s'est brûlé les lèvres. Je le lui ai pris des mains et j'ai soufflé dessus jusqu'à ce qu'il ait suffisamment refroidi pour le boire. »

Duso regarda le bout de ses pieds et s'aperçut qu'un de ses lacets était défait. Brunetti nota qu'il était en train de faire un double nœud, exactement comme sa belle-mère avait appris à ses enfants à nouer les leurs.

Le jeune homme se redressa. « Je me suis assis à côté de lui et je lui ai demandé de me dire pourquoi il était dans cet état. Mais il n'a fait que secouer la tête et continuer à boire son chocolat. Après l'avoir terminé, il a gardé sa tasse à la main, comme s'il ne savait pas quoi en faire, alors je l'ai prise et je l'ai posée par terre. Il continuait à pleurer et avait le hoquet, et il s'essuyait les yeux et le nez sur la couverture. Je lui ai demandé de nouveau ce qui n'allait pas, mais il m'a juste répondu : "On a tué ces gens. On les a tués." Puis il a recommencé à pleurer. »

Duso reprit sa marche, avec Brunetti à ses côtés. Ils passèrent devant la pizzeria où il allait souvent avec Paola et les enfants, puis devant le restaurant et le bureau de poste, et ils atteignirent pratiquement le bout de la *riva*. Duso s'arrêta devant l'entrée presque invisible du supermarché.

Au bout d'un long moment, Duso dit : « C'est tout ce qui s'est passé. Marcello s'est endormi assis. Je l'ai allongé, puis j'ai glissé un oreiller sous sa tête et je lui ai mis une autre couverture. Je suis retourné ensuite dans ma chambre et je me suis recouché, mais je ne pouvais pas dormir; je pensais à Marcello et combien je l'aimais. Mais j'ai dû finir par m'endormir. Quand je me suis réveillé, il n'était plus là. Il avait laissé les couvertures sur le canapé. Ses chaussures étaient près de la porte, il avait pris une paire des miennes; je fais une pointure de plus, donc il pouvait les mettre. Et il avait pris aussi un vieux pull que j'ai depuis toujours.

— Quand l'avez-vous revu?

— Oh, environ une semaine plus tard. Nous sommes allés manger une pizza un soir avec des amis, précisa-t-il en désignant le restaurant Le Oke. Nous avons pu nous asseoir en terrasse.

— A-t-il reparlé de cet épisode?»

Duso chassa cette idée avec un mouvement soudain de la tête.

«Jamais?» l'aiguillonna Brunetti, mais Duso refusa de répondre.

«A-t-il changé, d'une façon ou d'une autre?

— Pas d'une façon perceptible à tout un chacun.

— Mais vous, vous l'avez remarqué?»

Duso fit un signe d'assentiment.

«Qu'avez-vous noté?

— Il ne parle plus autant qu'avant et on dirait que ce qu'on fait ne l'amusait plus.»

Avant que Brunetti ne puisse proférer un mot, Duso sourit en lui touchant le bras. Le jeune homme laissa s'écouler un peu de temps avant de conclure: «Tout est là.» Il pivota et fit demi-tour. Brunetti s'engagea dans l'autre direction, tourna à droite et prit le chemin du retour.

Le commissaire flâna en route, pour avoir le temps de réfléchir à sa rencontre avec Duso. *Pauvre garçon*, pensa-t-il, *être amoureux de son meilleur ami. Et surtout – comment disait-on quand j'étais plus jeune ? – « d'un amour qui n'ose pas se nommer ».*

Brunetti en était venu à souhaiter, ces dernières années, que certaines sortes d'amour cessent de se nommer aussi haut et fort. Les gens ne se rendaient-ils donc pas compte à quel point pouvaient être assommants, pour toute personne estimant que le comportement sexuel des autres n'était pas matière à discussion ou à jugement, la plupart de ces discours ?

Brunetti ne pouvait guère imaginer quelles idées pouvaient bien se trimbaler dans la tête d'un Pietro Borgato au sujet du sexe, mais il était certain qu'il n'y laissait aucune place pour un homme aimant un autre homme, surtout si cet homme était son propre neveu. Brunetti avait perçu le potentiel de violence qu'il dégageait : sa performance de gringalet avait sans aucun doute permis à ce dernier de se montrer sous son véritable jour, n'ayant aucun sujet de crainte ou d'inquiétude à avoir face à quelqu'un de cet acabit. Seule l'évocation de la Guardia Costiera était parvenue à dompter sa colère croissante et à lui donner l'apparence d'un homme raisonnable.

Lorsque Brunetti, victime de sa distraction, se retrouva sur le campo San Barnaba, il décida de ne pas aller voir si ses beaux-parents étaient à la maison. Il préféra continuer à marcher et avoir ainsi le temps de réfléchir à un lien possible entre l'histoire que Nieddu lui avait racontée des femmes jetées par-dessus bord et la visite désespérée de Marcello chez son ami.

Le téléphone de Brunetti sonna et il vit s'afficher le nom de Griffoni.

« *Sì*, répondit-il.

— Alaimo a une réputation en béton, déclara-t-elle sans préambule.

— Quoi ?

— J'ai passé quelques coups de fil chez moi.

— À Naples ?

— C'est chez moi quand ça m'arrange ! plaisanta-t-elle. Oui, à Naples. » Puis, avec une pointe de curiosité dans la voix, elle lui demanda : « Pourquoi as-tu besoin de le savoir ?

— Claudia, tout ce qui m'importe, c'est de comprendre le fonctionnement de ces histoires de famille.

— Comment savais-tu que c'était une affaire de famille ?

— J'ai imaginé que c'étaient les gens en qui tu avais le plus confiance, ou du moins que tu appellerais en premier. »

Elle répliqua, en riant : « J'ai un cousin qui est carabiniere maggiore[1]. Il travaille au port, donc c'est une mine de renseignements.

— Et il connaît Alaimo ?

— Non, il connaissait son père, qui était aussi carabiniere. Il était en train de prendre un café dans un bar, il y a des années de cela – Alaimo était encore enfant –, lorsqu'un homme est entré, a sorti son revolver, l'a visé à la tête et a tiré. Deux coups. L'homme était ressorti avant même que le père d'Alaimo ne se soit écroulé par

---

1. Chef d'escadron.

terre. Des années plus tard, un *pentito*[1] a donné le nom de l'assassin à la police, mais ce dernier avait déjà été tué à son tour.»

Brunetti fut frappé par le naturel avec lequel Griffoni racontait ces épisodes, comme si les guerres de la Mafia faisaient partie de la vie de tous les jours. Peut-être que l'attaque de la Mafia à l'encontre de son propre père, des années auparavant, lui permettait d'aborder certains sujets d'un ton aussi naturel.

Comme Brunetti ne soufflait mot, elle poursuivit: «Alaimo, celui qui a été assassiné, avait trois fils, qui étaient tous encore enfants à l'époque: l'un est déjà colonel des carabinieri, le deuxième est magistrat et le troisième est celui que nous avons rencontré.»

Elle plongea de nouveau dans le silence, pour exhorter Brunetti à lui demander: «Et ensuite?

— Et ils ont, tous les trois, une conception religieuse de leurs actes.»

Sans laisser le temps à Brunetti de lui demander quelles étaient ses sources, elle expliqua: «Je me suis renseignée autour de moi. Je t'assure, il est irréprochable.

— Tout religieux qu'il soit, il a quand même inventé cette histoire de tante à San Gregorio Armeno, non? nota-t-il, non pas qu'il doutât des propos de sa collègue, mais simplement pour tirer la situation au clair.

— C'est bien sa tante. Disons, une sorte de tante. C'est très napolitain, ça.

— Que veux-tu dire?

— Son oncle a épousé une femme originaire de Manille et c'est sa tante *à elle* qui était l'abbesse.» Elle

---

1. Un repenti.

marqua une pause un instant, comme on le fait avant le moment clef. Crocifissa.

— Abbadessa Crocifissa?

— Oui.

— Je vois. Donc, nous pouvons lui faire confiance?

— Si ce que m'ont dit ma famille et mes amis est vrai, nous pouvons lui faire entièrement confiance.

— Et quand aurons-nous l'occasion de sceller notre grande amitié? plaisanta Brunetti.

— Nous avons rendez-vous avec lui à 11 heures lundi matin, annonça-t-elle après une brève hésitation.

— Bien. Retrouvons-nous à 9 heures à la questure, et Foa nous y emmènera.

— *Aye aye, captain*, répliqua-t-elle en anglais, et elle raccrocha.

23

Le lundi matin, Brunetti ouvrit sa boîte e-mail et y trouva un message de la signorina Elettra, avec diverses dates et actions spécifiques confortant les dires des amis et de la famille de Griffoni : Alaimo avait très bonne réputation.

Brunetti en fit part à Griffoni au moment où elle descendit dans son bureau et il l'informa également de sa conversation avec Watson. Lorsqu'elle lui demanda comment allait la jeune femme, il ne put que répéter ce que sa mère disait toujours dans les moments d'incertitude : « C'est entre les mains de Dieu. »

Griffoni laissa s'écouler un long moment, puis elle s'assit et imita une secousse pour se libérer de l'effet des dernières remarques de Brunetti.

« J'ai tout avoué, déclara-t-elle.

— Que veux-tu dire ? Et à qui ?

— À Alaimo, dit-elle en évitant au début le regard de Brunetti. À propos de sa tante. Et ma conclusion.

— Ah. Comment a-t-il réagi ?

— Il a…, commença-t-elle. Il a fait preuve d'une grande élégance. »

Brunetti s'abstint de remarquer que ce devait être le résultat de ses années dans le Nord : il avait dû s'habituer à être traité avec suspicion et se contenta donc de hocher la tête pour montrer qu'il l'avait bien entendue.

Maintenant qu'ils voyaient Alaimo à travers le filtre de la famille de Griffoni, ils réfléchirent un certain temps à la manière de l'impliquer dans leur enquête sur Borgato. Ils ne tardèrent pas à décider de lui révéler ce qu'ils savaient, puis de chercher à le convaincre de les aider à en apprendre davantage.

Griffoni fut d'accord avec Brunetti sur l'idée de relier le meurtre des Nigériennes – pour lequel ils ne disposaient ni de preuves, ni de date ni lieu, ni même d'informations, à l'exception des paroles confuses de Blessing – à la visite nocturne que Vio, au plus profond du désespoir, avait rendue à son ami. Ainsi pourraient-ils compter sur un témoin qui était encore en vie, et ne souffrant pas de troubles psychiques.

« Alaimo saura sûrement si des femmes ont été amenées de cette manière, déclara Griffoni. Ici dans le Nord, je veux dire. C'est relativement courant dans le Sud. »

Incapable de trouver une réponse adéquate, Brunetti se leva et se dirigea vers la vedette de Foa.

Vingt minutes plus tard, Foa les arrêta en douceur en face de la Capitaneria ; un jeune homme en uniforme blanc sortit par la porte principale, traversa la *riva* et arriva juste au moment d'attraper la corde d'amarrage que lui lança Foa. Ils avaient dû communiquer entre eux selon le code maritime car il ne chercha pas à amarrer le bateau ; il tira simplement sur la corde pour garder l'embarcation près du quai, le temps que les deux passagers en descendent, puis il la repassa à Foa, salua les deux commissaires qu'il conduisit vers l'édifice et leur ouvrit la porte pour les faire entrer.

Ils parvinrent rapidement au bureau d'Alaimo ; ce dernier se leva à leur arrivée et fit le tour de sa table de travail pour aller à leur rencontre avec un sourire nettement plus chaleureux que la fois précédente. Alaimo serra la main tout d'abord de Griffoni en s'exclamant : «Ah, Claudia, si seulement je l'avais su, la première fois que vous êtes venus ! Pensez au temps que nous aurions gagné.

— Ignazio, déclara-t-elle, la prudence est une habitude difficile à perdre.

— Surtout quand on a affaire à un Napolitain !» répliqua-t-il en lui lâchant la main.

Elle rit à cette plaisanterie et se tourna vers Brunetti : «Guido, voici Ignazio qui, comme cela s'est avéré – du moins quand il est à Naples –, joue au tennis avec le mari de ma cousine.»

Brunetti fut surpris : *Est-ce là le fondement, à Naples, sur lequel se nouent les amitiés et repose la confiance ?* Il se permit d'émettre du bout des lèvres un tout petit «Ah ?» interrogatif.

«Et qui a été muté ici...», continua-t-elle.

Alaimo leva une main à ces mots en guise d'avertissement et déclara : «Ce n'est pas important, Claudia.

— Je n'ai donc pas le droit de m'exprimer ?» demanda-t-elle en se tournant vers le capitaine.

Alaimo ignora sa question, s'avança pour serrer la main de Brunetti, puis ils prirent automatiquement les places qu'ils avaient occupées la dernière fois qu'ils s'étaient trouvés dans cette pièce.

Une fois tout le monde assis, Alaimo prit la parole en qualité de maître de maison et commença : «J'étais tout aussi... hésitant, l'autre jour.» Il se tourna vers Brunetti avec un sourire. «Je connaissais votre nom, Guido, et votre réputation, mais nous n'avions encore jamais collaboré avec Claudia et donc tout ce que je pouvais savoir à son sujet, c'est l'image qu'elle m'a donnée d'elle ce jour-là. » Il leur laissa le temps de prendre cette réflexion en considération, puis poursuivit : « C'est-à-dire le portrait très convaincant qu'elle a brossé d'une personne – au moment où j'ai éveillé ses doutes en évoquant ma sainte tante – à qui je n'accorderais jamais la moindre confiance, même dans les plus folles de mes élucubrations. »

Comme Brunetti était assis en face de Griffoni, il vit le rouge lui monter aux joues et, l'ayant toujours crue incapable de honte et capable de tout, il fut surpris de lire ce sentiment sur son visage. Et soulagé.

Alaimo devait l'avoir remarqué aussi car il se tourna vers elle et leva une main en un geste apaisant. « Si vous pensiez que j'étais en train de mentir pour vous inspirer davantage confiance, Claudia, vous avez été sage de rester prudente. »

Il marqua une pause, sourit, hésita encore un peu et lâcha : « Je me suis comporté de la même manière pour les mêmes raisons. Votre allusion à Vio et Duso et puis, incidemment, à l'oncle de Vio, m'a donné la sensation d'une partie de pêche.

— Mon jeu était donc si facile à décrypter ? » s'enquit Griffoni.

La question sembla embarrasser le capitaine.

« Seulement lorsqu'il est devenu clair comme de l'eau de roche que j'avais dit quelque chose qui vous avait alarmée : j'ignorais totalement quoi, ou comment. Mais plus vous parliez, moins j'avais envie d'avoir affaire à vous. Vous avez déclenché de graves sonnettes d'alarme en mentionnant Vio et son oncle. »

Alaimo lança soudain ses deux mains en l'air. Il regarda Brunetti, puis Griffoni, et enchaîna, d'une voix complètement différente, dénuée de toute espièglerie, toute bagatelle ou badinage. «Je les ai longtemps observés attentivement. C'est pourquoi, lorsque Claudia s'est mise à se comporter de cette façon, j'ai pris congé de vous en vous promettant de me renseigner autour de moi. Je ne voulais pas que la police les alerte en manifestant de l'intérêt pour eux.»

Alaimo semblait avoir terminé, mais il ajouta, d'un ton un peu plus amical: «Heureusement que j'avais entendu parler de vous, Guido, sinon j'aurais appelé quelques amis à Naples pour me renseigner sur… vous-même, précisa-t-il en se tournant vers Griffoni avec un sourire.

— J'ai réussi mon examen, j'espère.

— Le résultat a été concluant dès l'instant où j'ai parlé à Enrico.»

Griffoni leva un sourcil interrogatif et Alaimo opina du chef en souriant. «Enrico Luliano», spécifia-t-il.

Griffoni se figea. Elle voulut parler, mais ne put proférer aucun son. Brunetti demanda, du ton le plus désinvolte et le plus détaché possible: «Qui est-ce? Ce nom me dit quelque chose.»

Alaimo se tourna vers Brunetti. «Un magistrat. Un très bon magistrat.»

Griffoni renchérit, d'une voix peut-être un peu trop ferme: «Avec deux gardes du corps et trois appartements où il peut choisir, à la courte paille, où aller dormir.

— Voilà une vie qui ne me paraît pas des plus attrayantes, nota Brunetti, en cherchant à être ironique, mais sa plaisanterie tomba à plat.

— Pourrions-nous revenir à nos moutons?» s'enquit Griffoni d'un ton brusque.

Alaimo fit un signe d'assentiment, se leva et revint de son bureau avec quelques chemises en papier kraft. Il s'assit et en tendit une à chacun d'eux, puis il ouvrit la sienne.

«Ce sont les trois mêmes, affirma-t-il lorsqu'ils ouvrirent les leurs. Au fur et à mesure que vous avancerez dans votre lecture, je vous donnerai des informations en ma possession qui viendront compléter ce qui est écrit ici.»

Et c'est exactement ce qu'il fit pendant tout le quart d'heure suivant. Les premières rubriques du dossier sur Pietro Borgato énonçaient la liste de ses arrestations et condamnations pendant les années antérieures à sa disparition de Venise. Alaimo fit seulement remarquer que son profil était assez courant chez les jeunes d'une certaine classe qui vivaient à la Giudecca quarante ans plus tôt : la valse des petits boulots, des bagarres finissant par une victime à l'hôpital, des vols, la drogue, le retrait d'une plainte pour viol…

«Puis Borgato est parti, et l'énigme de l'intervalle entre ses deux phases vénitiennes reste irrésolue.»

Les deux pages suivantes commençaient par sa réapparition en ville dix ans plus tôt et documentaient la création et l'expansion de son entreprise de transport, et son enrichissement constant.

«Nous ne savons pas où il s'est procuré l'argent qu'il a amené avec lui lorsqu'il est revenu, déclara Alaimo, mais il lui a permis d'acheter son appartement, l'entrepôt et le quai attenant, et deux petits bateaux.» Il tourna une page. «Comme vous pouvez le voir, il a lancé sa société dès son retour.

— Et pendant ces premières années?» s'enquit Brunetti.

Alaimo leva les yeux de sa dernière feuille où étaient répertoriés les capitaux actifs de Borgato et répondit : « Nous n'avons commencé à lui prêter une plus vive attention que récemment, au moment où il a réussi à acheter deux autres bateaux, de très grands bateaux, et trois autres propriétés en ville. D'où pouvait venir cet argent ? »

Faisant fi de la question de Brunetti, Alaimo enchaîna : « Il y a six mois environ, un de mes amis en poste à la Guardia di Finanza m'a appelé à son sujet et lorsque je lui ai demandé pourquoi il s'intéressait à lui, il m'a expliqué qu'ils s'apprêtaient à enquêter sur ses finances. Son affaire grandissait, mais aussi ses dépenses, et toutefois, il pouvait continuer à s'acheter d'autres bateaux, et encore plus gros. Cette situation les intriguait », conclut-il avec un sourire.

Alaimo posa les papiers sur ses genoux et regarda Brunetti en coin. « Cela m'a pris beaucoup de temps, des jours et des jours, pour les convaincre de ne pas s'occuper de lui et de nous laisser son cas.

— Pour quelle raison ? demanda Griffoni.

— Parce que nous, nous pourrions l'accuser de traite d'êtres humains, pas simplement d'évasion fiscale. »

Voilà, le mot est enfin mis sur la chose, songea Brunetti. Il s'agissait de la traite d'êtres humains. La marchandise provenait, comme il y a bien des siècles, des régions les plus pauvres du globe : l'Afrique, l'Asie, l'Amérique latine – d'endroits situés aux confins de ces continents. Et le trafic était encore aux mains des colonisateurs qui disposaient de ces corps ou les mettaient au travail, afin que les gens riches puissent obtenir tous les services voulus, moyennant finance : cultiver et récolter leur nourriture, s'occuper de leurs vieux parents ou de leurs jeunes enfants, réchauffer leurs lits et se soumettre à leurs désirs, leur procurer le nécessaire et le superflu.

Ou bien, imagina-t-il, ils pouvaient simplement, comme par le passé, être vendus et devenir ainsi *de facto* la propriété de toute personne prête à payer le prix et à s'avilir par cette possession. Ils pouvaient devenir des gens de maison, des bras pour l'agriculture, des jouets érotiques, voire des donneurs d'organes, chaque étape enlevant de nouvelles couches d'humanité à la personne et à l'âme – si Brunetti pouvait se permettre d'utiliser ce mot – de leurs propriétaires.

Lorsque Brunetti revint à Alaimo, ce dernier était en train de dire : «Après être parvenu à les convaincre qu'ils pouvaient l'accuser une fois que nous l'aurions arrêté, nous sommes parvenus à un accord.

— Mais au bout de combien de temps ?» s'enquit Griffoni.

Alaimo baissa la tête, comme s'il était responsable, en fait, de ce délai. «Il nous fallait recueillir suffisamment de preuves pour pouvoir persuader un magistrat de nous autoriser à continuer, mais nous devions nous procurer ces informations avec prudence.»

Et choisir le bon magistrat avec tout autant de prudence, se dit Brunetti, mais il préféra demander : «De façon à ne pas l'alarmer ?

— Vous êtes vénitien, donc vous savez comment c'est : c'est une vraie toile d'araignée, là-bas. Et tout tremble, à Venise. Surtout à la Giudecca.»

Brunetti opina du chef, puis demanda : «Qu'avez-vous appris ?»

Alaimo ne souffla mot pendant un long moment, mais ni Brunetti ni Griffoni ne brisèrent son silence : ils attendaient que ce dernier reprenne la parole. Il finit par dire : «Vous allez avoir l'impression d'être en pleine science-fiction.»

272

Les deux commissaires demeurèrent silencieux et immobiles.

«Un de nos hommes est un passionné de pêche, poursuivit Alaimo, et comme il a de la famille à Chioggia, il va pêcher là-bas. Il nous a raconté pendant des années qu'il avait trouvé le point où se rencontrent deux courants, tous deux très giboyeux. Mais il ne veut pas nous dire où c'est, ni même si c'est en mer ou dans la *laguna*. Il y a quelques Chioggiotti qui connaissent ce coin, dit-il, et avec le temps, ils sont devenus amis. Ou du moins, ils partagent cet endroit et personne n'en divulgue le secret.»

Brunetti se demanda où Alaimo voulait en venir avec cette histoire et à quel moment il l'achèverait : les récits de marins suivaient habituellement des méandres et pas des lignes droites. Et celui-ci n'avait rien d'une histoire inédite de science-fiction.

«Quoi qu'il en soit, un des gars qui pêche là-bas est un constructeur de bateaux, enchaîna Alaimo. Il parla un jour du système qu'il avait inventé pour que les bateaux puissent échapper aux radars : ce sont comme de longs panneaux en cuivre qui peuvent être hissés au-dessus de l'embarcation pour la couvrir : une sorte de tipi, mais horizontal.»

Au vu de leur confusion, il s'approcha de l'étagère derrière son bureau et prit un modèle réduit de bateau, réalisé de toute évidence à la main, et avec beaucoup d'amour.

Alaimo le posa sur la table et sortit d'une pile posée sur son bureau deux lettres, encore dans leurs enveloppes. Il les disposa, sur leur grand côté, de part et d'autre du bateau miniature, puis les inclina jusqu'à ce que leurs sommets se touchent au-dessus du bateau. Et le voilà, le tipi horizontal.

« Cet homme lui a dit que si le radar arrivait de biais, comme en provenance d'un autre bateau, les rayons glissaient par-dessus le cuivre », reprit Alaimo. Il s'approcha du flanc du bateau avec un doigt tendu, puis, juste avant de le toucher, son doigt monta, s'éloigna du panneau et s'éleva dans les airs.

« Vous voyez ? leur demanda-t-il, les faisceaux du radar sont déviés et continuent à monter dans le ciel, sans rien révéler ; donc c'est comme si l'embarcation n'était pas là. S'il fait nuit, le bateau patrouilleur n'a pas besoin de se fatiguer à actionner les projecteurs parce que le radar n'a détecté aucune présence en mer. »

Il défit son bouclier antiradar et rapprocha le modèle réduit du centre de la table.

« Dites-nous-en plus, le pria Brunetti.

— Si le vaisseau mère se trouve hors de la limite des douze miles, dans les eaux internationales, il est hors de notre atteinte. À notre avis, les bateaux plus petits – très certainement équipés de ces panneaux en cuivre – rejoignent le bateau plus grand. Un navire, en fait. Et ils récupèrent les femmes. »

Il marqua une pause puis ajouta, d'un ton amer : « La cargaison. Il y a probablement plus d'un bateau qui sort pour aller les chercher et ils peuvent faire chacun plusieurs voyages chaque nuit. »

Il attendit leurs questions.

« Où les emmènent-ils ? s'informa Brunetti.

— Nous l'ignorons. Nous sommes sortis de nuit et nous avons trouvé les grands navires, mais nous n'avons pas les effectifs voulus pour rester avec eux tout le temps et leur présence, en plus, est légale. Comme nous ne pouvons pas monter à bord, nous ne savons pas ce qu'ils transportent.

— Que faites-vous dans ce cas?

— Nous rentrons au port et nous rentrons nous coucher.

— Qu'est-ce qui pourrait changer la situation? s'enquit Griffoni.

— Ah, soupira longuement Alaimo. Il nous faut savoir quand et où aura lieu le transfert et où ils envisagent de s'amarrer.

— Et avoir des hommes sur place, qui les attendent? demanda Griffoni.

— *Se Dio vuole*», déclara Alaimo.

Griffoni émit un bruit, à mi-chemin entre le halètement et le rire. «Si Dieu le veut, répéta-t-elle. Comme disent toutes les femmes, dans ma famille. Qu'il s'agisse de la récolte des olives, de l'heure d'arrivée d'un train, d'une guérison ou de la naissance d'un bébé en bonne santé. Et maintenant, vous employez cette formule pour notre réussite dans cette affaire d'arrestation.

— C'est pourquoi je m'intéresse à lui.

— À Borgato? s'informa Brunetti.

— Non, à Marcello Vio, rectifia Alaimo en esquissant un sourire qui effraya Brunetti. C'est le maillon faible de la chaîne.»

24

Après avoir entendu ces propos, Brunetti parla longuement avec Alaimo et Griffoni suivait attentivement son discours. Il prit le temps de bien lui rapporter ce que Duso lui avait dit sur la visite bouleversante de son meilleur ami une certaine nuit. Pour lui expliquer l'état torturé de Vio, Brunetti lui fit part également du récit du capitaine Nieddu sur les prostituées qui avaient été jetées par-dessus bord et ne lui cacha pas qu'il soupçonnait Vio d'avoir fait partie de l'expédition qui ramena Blessing sur le rivage.

Même si Alaimo resta impassible en écoutant ces histoires, il blêmissait nettement et il s'enfonça à un moment donné dans son fauteuil, comme pour se distancer physiquement de cette narration. À la fin de son intervention, Brunetti revint sur le détail du *telefonino* que Nieddu avait procuré à cette femme.

«Avez-vous une idée de combien de téléphones elle a dû donner?

— Non, pas du tout», avoua le commissaire, mais au souvenir de la forte émotion qui avait accompagné toutes les confidences de la capitaine, il précisa: «Probablement beaucoup.»

Brunetti réfléchit à l'étrangeté du genre humain, souvent considéré comme superficiel, trop soumis aux émotions et égocentrique, parfois indigne de confiance, mais habituellement courtois. Et cependant, pendant ces horribles journées encore fraîches dans nos mémoires, combien de médecins et d'infirmiers, condamnés à rester fidèles au poste, étaient morts ; combien d'autres, bien que déjà à la retraite mais conscients de la situation, étaient retournés à l'hôpital et avaient eux-mêmes fait grossir les chiffres des innombrables victimes ? Le geste de Nieddu avait été dicté par ce même besoin, à la fois impérieux et mystérieux, d'améliorer le sort d'autrui : qu'il s'agisse d'un parent ou d'un étranger, l'être humain a ce besoin dans le sang. Il baissa la tête et se frotta le visage des deux mains, comme s'il se sentait soudain las de tous ces discours.

Souhaitant vivement revenir à l'argument qu'elle jugeait important, Griffoni se tourna vers Alaimo pour lui demander : «Comment envisagez-vous d'exploiter ce maillon faible ?

— S'il est revenu à la Giudecca, il a dû probablement retourner travailler avec son oncle.

— Mais il a une côte cassée, objecta Griffoni.

— Il est de la Giudecca, répliqua Alaimo en guise d'explication.

— Oh, ça suffit, Ignazio, rétorqua-t-elle. Toutes ces foutaises sur les Giudecchini qui sont de vrais hommes me filent la nausée. À vous écouter, il n'y en a pas un qui ne soit un Rambo capable de sauter d'un toit à l'autre, alors qu'en réalité, les seuls hommes qu'on voit là-bas sont de vieux schnocks qui jouent à la *scopa*[1] dans les troquets en discutant de la façon dont il faudrait gérer le gouverne-

---

1. Jeu de cartes traditionnel.

ment et en déclarant à tout bout de champ que tout ce dont on a besoin, c'est d'un chef fort qui dise aux gens quoi faire.»

Alaimo lui sourit et hocha la tête. «Mais les vieux schnocks ne vivent pas dans la peur et je crains que ce ne soit le cas du neveu de Borgato : et de bien de ses voisins aussi, à mon avis.

— Quelles autres rumeurs avez-vous entendu circuler?» demanda Brunetti.

Vu la rapidité de la réponse, il était évident qu'Alaimo attendait cette question.

«Les bateaux de Borgato sortent la nuit − pas ses bateaux de transport, mais ses bateaux pour passagers −, ces deux Mira37 qu'il s'est procurés avec les gros moteurs. Une fois lancés, ils sont bien plus puissants que ses barges et peuvent du coup transporter des tonnes de marchandises en contrebande.» Et il ajouta, posément : «Des tonnes de tout.»

«Vous ne cessez de me dire de ne pas parler de la Giudecca, continua-t-il en regardant Griffoni, mais tout le monde se connaît, là-bas. Et les gens savent que ses bateaux sortent, mais si nous avions la stupidité de leur poser des questions à ce sujet, ils nous répondraient qu'ils ne savent rien. Au mieux, ils diraient qu'il part probablement pêcher.»

Il avait la voix nouée par un dégoût qu'il ne parvint pas à masquer.

«Personne ne signalerait les deux moteurs d'au moins 250 chevaux : je ne peux même pas calculer combien leur puissance est démultipliée par rapport au moteur d'un bateau transportant de l'eau minérale ou des cartons de produits de nettoyage pour les supermarchés. Cet individu pourrait déplacer…, continua-t-il d'un ton de plus en plus indigné, quel édifice, pour l'amour du ciel, si quelqu'un le mettait sur un radeau suffisamment grand.»

Il regarda Brunetti droit dans les yeux, pour lui adresser personnellement la remarque suivante : «Et il a réussi, au fil des ans, à persuader chacun de ses voisins de lui vendre son espace d'amarrage le long de la *riva* où il a son entrepôt.

— C'est impossible, rétorqua Brunetti spontanément. Personne ne vend jamais son espace d'amarrage. Cela fait des générations et des générations qu'ils sont dans les familles.»

Alaimo leva ses mains vides, comme pour montrer son ignorance en la matière.

«Il a mis trois ans pour mener à terme son entreprise de persuasion.

— Combien y avait-il d'espaces ? demanda Brunetti.

— Six.

— C'est impossible, répéta Brunetti.

— C'est ce que m'ont dit tous les Vénitiens auxquels j'en ai parlé. C'est impossible. Et pourtant, c'est vrai, insista Alaimo, avec cette fois un sourire.

— Personne n'a porté plainte ?

— S'ils l'avaient fait, ils l'auraient fait auprès de nous, pas de vous. Nous traitons les problèmes liés à la mer; vous êtes censés vous occuper des problèmes liés à la terre.

— Ainsi, il a fini par obtenir le quai tout entier ? s'enquit Brunetti.

— Pratiquement.

— Qui s'y est opposé ?

— Personne. Il reste un autre espace, mais il relève de biens que se disputent les différents héritiers.

— À la Giudecca? s'étonna Griffoni, puis elle plaqua la main contre sa bouche et regarda Brunetti en disant : Excuse-moi, Guido. »

Elle marqua une pause ; Brunetti la vit se triturer les méninges pour justifier sa conjecture tout à fait gratuite que personne à la Giudecca ne puisse posséder un bien d'une valeur à faire l'objet d'un litige. Finalement, elle y renonça et il décida de passer outre.

«D'accord, dit Brunetti. C'est bien un sale type», et il marqua une pause avant d'ajouter la sentence suivante : «Probablement impliqué, en plus, dans la traite d'êtres humains. Mais nous n'avons rien de tangible : pas de preuves, pas de témoins fiables, personne qui puisse nous informer de manière précise sur le lieu de ses agissements.

— L'argent? demanda Griffoni en les surprenant tous deux par sa question.

— Comment cela? demanda Alaimo.

— Il doit les vendre, ces femmes.» Elle continua, d'une voix dure mais prête à se briser : «Ces filles. Qui les achète? Et comment les lui payent-ils? Et si ce n'est pas en espèces, comment justifie-t-il ces revenus?

— L'argent pourrait repartir dans un autre pays», supposa Alaimo.

Elle acquiesça. «C'est un fait. Mais il ne lui sert à rien, là-bas. Peu importe où, d'ailleurs. Il ne peut pas le mettre à la banque. Il ne peut pas acheter d'autres bateaux ou propriétés parce que, s'il continue à dépenser plus qu'il ne gagne, tôt ou tard la Guardia di Finanza s'en apercevra et ira vérifier ses comptes de plus près.

— Alors, qu'est-ce qu'il en fait? s'enquit Alaimo.

— Je n'en sais rien. Vu que je n'ai jamais, même simplement envisagé, d'avoir trop d'argent pour savoir qu'en faire, nota-t-elle avec un sourire, je n'ai jamais réfléchi à la question.

— Pourquoi ne nous y mettons pas? proposa Brunetti.

— À quoi? demanda Alaimo.

— À y réfléchir un moment.

— À mon avis, il ne le dépense sûrement pas pour prendre soin des veuves et des orphelins, déclara Griffoni froidement.

— Il est divorcé, dit Alaimo. Et apparemment, il n'a pas de partenaire.

— De quel sexe? s'enquit Griffoni.

— Quelle étrange remarque, observa Brunetti en se tournant vers elle. Pourquoi demandes-tu cela?

— D'abord, parce qu'il est homophobe. Tu m'as dit ce que t'a raconté Duso. Donc imagine ce qu'il doit penser de l'amitié entre Duso et son neveu.

— Il pourrait tout simplement dépenser son argent en s'achetant de la drogue», les coupa Alaimo, mais ils purent percevoir dans sa voix son manque de conviction.

Brunetti se remémora alors un passage que Paola lui avait lu au début de leur mariage, des décennies plus tôt. Il ne se souvenait plus pourquoi elle lisait ce livre: peut-être tenait-elle un cours, cette année-là, sur les romans américains. Elle lui lut une scène dans laquelle un homme regardait en cachette une femme dans son lit. Cette femme, qui vivait dans l'immeuble d'en face, avait accumulé secrètement des pièces d'or et il la regardait en train de les faire glisser vers elle ou de les poser sur son corps nu, et il se rappela soudainement la pulsion érotique qu'il avait ressentie pendant que Paola aux cheveux d'or lui lisait, couchée sur le canapé, cet extrait.

«Accepteriez-vous les femmes comme une des hypothèses plausibles?» demanda Alaimo en se tournant vers

Brunetti, comme si leur vote unanime de mâles réglerait le problème. Brunetti ne sut que dire ; Alaimo haussa les épaules.

« Peut-être que c'est juste une question d'argent, suggéra Brunetti, à leur grande surprise.

— Comment cela ? s'enquit Alaimo, comme s'il lui en coûtait de renoncer à un mobile sexuel pour les actions de Borgato.

— Juste pour cette raison. L'avidité. L'argent. Peut-être est-ce tout simplement ce qu'il veut, et toujours plus. » Brunetti prit cette idée en considération comme si elle émanait de l'un d'eux. « Il y a des gens comme ça. J'en ai connu dans ma vie. C'est le seul et unique ressort de leur existence.

— Ce point a-t-il de l'importance ? demanda Griffoni nonchalamment, comme si elle parlait de loin ou avec une mauvaise connexion. Véritablement ? » insista-t-elle, face à leur mutisme. Puisque tous deux continuaient à se taire, elle conclut : « Peu importe pourquoi il le fait ; ce qui importe, c'est qu'il le fasse et notre préoccupation majeure, dorénavant, est de le prendre en flagrant délit. »

Elle les regarda tour à tour, attendant que l'un des deux prenne la parole, mais puisqu'ils s'en abstinrent, elle rompit le silence dont ils s'enveloppaient : « Ce qui nous ramène au maillon faible. »

En un sens c'était Griffoni, désormais, le maître d'équipage dans cette chasse à la baleine : les deux hommes se rapprochèrent de la table et commencèrent à réfléchir au piège à tendre à Pietro Borgato.

25

Ils passèrent un temps incalculable à discuter du meilleur parti à tirer de Marcello Vio, au point d'en oublier l'heure du déjeuner. Finalement, titillé par l'aiguillon de la faim, Alaimo envoya chercher un plateau de sandwiches et de boissons. L'un d'eux suggéra d'arrêter cette discussion pendant le repas et de changer de sujet de conversation, mais incapables d'en trouver un autre, ils revinrent rapidement sur la manière de persuader Marcello de... Les échanges s'interrompirent brusquement ici, car Griffoni utilisa le mot «trahir» que les deux hommes jugèrent trop fort.

«Préféreriez-vous "tromper?" leur demanda-t-elle. Ou "induire en erreur"?» Face à leur silence, elle ajouta : «Ou le "donner à la police"?»

Cette fois, Alaimo alla demander à l'un des hommes assis dans le couloir de leur apporter trois cafés. Lorsqu'il revint s'asseoir, il la regarda et concéda, de mauvaise grâce : «D'accord. Va pour "trahir".»

Brunetti ne signala en aucune façon qu'il approuvait la victoire de sa collègue sur ce point et déclara, du ton le plus détaché : «Il doit nous dire quand et où.

— Pour quel aspect de cette affaire? s'informa Griffoni. Le transfert des femmes du grand bateau à celui de Borgato? ou le lieu où Borgato les lâche?

— Puisque nous ne pouvons mener aucune action légale tant qu'ils sont dans les eaux internationales, expliqua Alaimo, l'essentiel pour nous est de savoir où s'opérera le transfert ; puis nous le pisterons jusqu'à ce qu'il accoste sur le territoire italien. »

Alaimo alla chercher un livre de cartes nautiques dans sa bibliothèque. Il le feuilleta un moment, trouva ce qu'il cherchait et l'ouvrit à la bonne page sur son bureau. Les deux commissaires vinrent se mettre de chaque côté de lui et suivirent des yeux son index qu'il faisait descendre le long de tout le littoral adriatique ; il s'arrêta sur un endroit précis, le tapota puis déplaça son doigt plein ouest et de bas en haut sur la côte. « Je suppose que ça doit être quelque part par là », déclara-t-il et il fit remonter son doigt le long du rivage jusqu'au tout premier site. « Le bateau devrait être ici, à douze miles de la côte. »

Il désigna les noms de certaines des localités côtières. « Ce ne sont pas des emplacements faciles pour amarrer un petit bateau ; disons, pour la plupart d'entre eux.

— Pour quelle raison ? s'enquit Griffoni.

— L'eau est trop basse. Un bateau comme les siens risque de s'enliser à quelques centaines de mètres de la plage pratiquement partout. Bon, ça dépend de la marée, mais il se peut qu'il leur faille, dans certains cas, forcer les femmes à marcher dans l'eau et parfois même les porter. »

Il se pencha sur la carte pour lire les noms des lieux. « J'imagine qu'ils recherchent plutôt un endroit comme celui-ci », dit-il en indiquant Duna Verde. Il fit glisser son doigt plus loin vers le nord et s'arrêta à Spiaggia di Levante.

« Nous avons là une possibilité, mais les tempêtes changent parfois la conformation des bancs de sable. »

Alaimo tourna la carte pour leur en faciliter davantage la lecture et finit par indiquer plusieurs fois le nom de Cortellazzo.

«Ce serait le lieu idéal, déclara-t-il, mais c'est dangereux.»

Sans leur laisser le temps de demander pourquoi, il énonça: «Le Piave se jette dans la *laguna* à cet endroit et depuis des milliers d'années, il creuse de nouveaux chenaux, qui sont ensuite emportés par ses eaux. Même mes meilleurs membres d'équipage ne s'aventureraient pas à prendre ce chenal la nuit.

— Et s'ils connaissaient les cycles des marées? demanda Brunetti. Souvenez-vous, Borgato a passé pratiquement toute sa vie sur l'eau.»

Alaimo prit cette réflexion en considération, hocha la tête et sortit avec son livre. Griffoni se leva et alla regarder la Giudecca par la fenêtre; Brunetti resta assis, surpris de constater son degré d'ignorance des eaux limitrophes de Venise.

Quelques minutes plus tard, Alaimo était de retour. «Un de mes hommes a grandi là-bas. Oui, c'est possible. Si vous êtes du coin et que vous connaissez les marées.» Griffoni regagna son fauteuil, mais ni elle ni Brunetti ne soufflèrent mot.

La commissaire finit par demander: «Comment arrive-t-on à cet endroit?»

Brunetti répliqua à voix basse: «Avant de nous soucier de ce point, nous devrions nous assurer de la coopération de Marcello.

— Et nous revoilà au point de départ», déplora Alaimo.

Il ouvrit la porte pour prier quelqu'un de venir chercher les assiettes et les tasses. Personne ne parla pendant qu'un des cadets débarrassa la table, et Brunetti et Griffoni donnèrent leur accord tacite lorsque Alaimo lui dit d'apporter trois autres cafés.

«Nous sommes entièrement entre ses mains», déclara Alaimo après qu'ils eurent bu leur second café.» Puis, expliquant la situation à la Capitaneria, il ajouta: «Je n'ai pas les ressources nécessaires pour patrouiller cette zone chaque nuit et je n'ai pas l'autorisation légale de monter à bord d'un bateau en eaux internationales.»

Brunetti leva les mains en un geste frôlant la résignation.

«Donc la seule alternative, c'est Marcello.»

Les deux autres esquissèrent un signe d'assentiment et Brunetti poursuivit: «Si c'est ce qu'il a vu, et fait, cette nuit-là, qui a provoqué sa crise chez Duso, il y a de grandes chances qu'il accepte d'en parler.

— En parler ne suffit pas», répliqua Griffoni froidement. Puis, en contradiction avec sa propre remarque, elle reprit la parole: «Si c'est vraiment le *bravo ragazzo* qu'on dit...», mais elle ne parvint pas à terminer sa phrase.

Alaimo intervint pour l'achever à sa place: «... Il parlera.

— Il ne le fera pas, rétorqua Brunetti, qui avait maintenant une idée claire du contexte. Il a trop peur de son oncle. C'est pourquoi il est allé si lentement à l'hôpital. Il avait deux filles couchées au fond du bateau, en train de saigner, et il n'a pas mis les gaz pour autant.» Et il conclut, en haussant la voix: «Imaginez ce qui se serait passé si la police l'avait arrêté pour excès de vitesse et avait trouvé les deux filles dans cet état. Une fois qu'il les a eues sorties de son embarcation, il est rentré chez lui le plus rapidement possible, parce que en cas d'arrestation, il aurait eu, au pire, une amende pour cette infraction.»

Il regarda Griffoni et comprit à son expression qu'elle était d'accord avec lui, tout comme Alaimo qu'il vit aussi opiner du chef.

« Sommes-nous dans une impasse ? demanda ce dernier.

— Duso, répondit simplement Brunetti en secouant la tête.

— Son ami ? » s'enquit Alaimo.

Brunetti acquiesça.

« Qu'a-t-il à voir avec tout cela ?

— Marcello est allé chez Duso la nuit de *Ferragosto* et lui a dit ce qu'il avait fait : "Nous les avons tuées. Nous les avons tuées." C'était une nuit de pleine lune, donc il pouvait facilement discerner les Nigériennes dans l'eau. En train de se noyer. »

Il les vit tous deux se saisir de leur téléphone.

« C'était la pleine lune, la nuit de *Ferragosto*, réitéra-t-il. Nous avons dîné sur la terrasse et nous n'avons pas eu besoin de bougies. »

Griffoni leva la main, comme pour signaler que c'était à son tour de parler. « La Nigérienne a dit qu'elle avait vu un homme blanc dans l'eau, n'est-ce pas ? »

Brunetti confirma d'un signe de tête.

« Ce doit donc être Marcello », inféra-t-elle.

Ils gardèrent tous trois le silence un certain temps, puis Alaimo demanda à Brunetti : « Avez-vous une suggestion ?

— C'en est une probablement mauvaise, mais c'est la seule qui me vienne à l'esprit. »

Personne ne proféra un mot.

« Il me faut retourner parler avec Duso, commença Brunetti. Et il me faut le persuader de donner à Marcello un dispositif de localisation. Vous savez ce que je veux dire, ajouta-t-il en s'adressant à Alaimo, un instrument qui nous permette…

— De le pister», compléta ce dernier avec un sourire.

Le silence qui s'ensuivit et emplit la pièce fut entrecoupé des bruits des bateaux circulant dans le canal de la Giudecca. Griffoni regarda par la fenêtre et se mit à haleter; elle plaqua sa main contre la bouche et fit basculer tout le poids de son corps en avant, comme pour se préparer à s'échapper. Les deux hommes pivotèrent à leur tour et aperçurent l'énorme mur blanc qui passait devant la fenêtre et se dirigeait, avec une allure lente et royale, vers le terminus situé au fin fond de San Basilio.

Il était peut-être à vingt mètres d'eux, mais vu sa taille énorme, il semblait plus près. Ils étaient assis, tels Hansel et Gretel, en compagnie d'un ami, et ils regardaient la *Sorcière de la destruction*[1] glisser silencieusement devant eux, en leur laissant amplement le temps de voir défiler le flanc du bâtiment. Puis, lorsque son extrémité anoure leur passa sous le nez, ils virent la trace sombre qu'il laissa au-dessus de lui et derrière, inévitablement effacée par le sillage du monstre suivant ou par le souffle d'une brise bienveillante. Le prix à payer pour son passage serait du reste oblitéré par les forces magiques animant la *Sorcière*, capables de métamorphoser sa laideur en beauté et d'en faire une princesse désirée par tous.

Alaimo fut le premier à détourner le regard, sans doute parce qu'il jouissait de ce spectacle tous les jours et que cette vision quotidienne avait fini par l'anesthésier.

---

1. Film d'animation japonais datant de 2020. Titre original: *Maō gakuin no futekigōsha*.

«Nous utilisons un dispositif de localisation qui tient dans une montre», reprit-il.

Au vu de leur curiosité, il précisa : «Nous avons eu des gens, affectés au chargement des cargos, qui les enlevaient pour les fixer dans des voitures volées embarquées dans des navires en partance pour l'Afrique ; l'un avait été placé derrière un réfrigérateur dans la cuisine d'un autre bateau et l'autre sur le poignet d'un des officiers. Tant que l'émetteur fonctionne, il peut être repéré par des satellites dans un rayon de dix mètres.

— Que se passe-t-il si quelqu'un le trouve ? » s'informa Griffoni.

Comme s'il s'était attendu à la question, Alaimo répondit tout sourire : «Vu que ce n'est rien de spécial − une montre en simple métal qui peut avoir coûté 30 euros −, ils le donnent à un de leurs gosses ou l'amènent à la maison et l'oublient dans un tiroir ; peut-être que certains la portent. Dans ce cas, ils ont juste besoin de changer la pile une fois qu'elle est épuisée et elle recommencera à leur donner l'heure.

— Et en mettre une sur un des bateaux de Borgato ? suggéra Brunetti.

— Pourquoi pas sur son neveu ? » proposa Griffoni.

Les deux hommes la regardèrent, interloqués.

«Sûrement pas ! » répliqua Alaimo.

Brunetti réfléchit en silence à cette possibilité. Il observa la Giudecca qui s'étendait sur la rive opposée. Duso habitait de ce côté-ci, quelque part près de chez Nico.

Marcello, songea-t-il, *pouvait en avoir dit plus long à Duso sur ce qu'il s'était passé sur le bateau et − si c'était bien lui l'homme qui avait plongé dans la mer − lui avoir raconté son vain*

effort pour sauver... pour sauver l'une d'entre elles? Les sauver
toutes? Sauver son âme?

Si tel était le cas, le geste de Marcello n'avait pas réussi à sauver la femme ou les femmes, et rien ne pourrait modifier la situation. Mais avec l'aide de Duso, Brunetti pouvait lui offrir une seconde chance.

Duso rencontra Brunetti à la terrasse en face de chez Nico. Il faisait encore jour à 18 heures et le temps, en outre, les avait gâtés : la température resta douce même après que le soleil eut disparu derrière les lointaines collines euganéennes. Il n'y avait pas beaucoup de clients : huit, neuf personnes, juste en pull et veste, profitant de la prodigalité du soleil de cet été indien.

Duso commanda un café et Brunetti un verre de pinot Grigio. Pendant qu'ils attendaient leurs consommations, ils se livrèrent aux inévitables commentaires sur les jours qui raccourcissaient, sur le week-end à venir, le passage à l'heure d'hiver et l'arrivée inéluctable de cette saison. Après ces échanges, ils restèrent simplement assis à regarder le couchant où la lumière baissait graduellement.

Brunetti finit par ouvrir le bal en lui demandant : « Avez-vous vu Marcello ? »

Duso acquiesça.

« Quand ?

— Hier soir. Nous nous sommes vus après son premier jour de retour au travail et nous avons pris un verre ensemble.

— Quelle impression vous a-t-il faite ? »

Duso fixa Brunetti d'un air suspicieux un certain temps. « Pourquoi ce détail vous intéresse-t-il ? » s'enquit-il.

Brunetti ne vit aucune raison de ne pas lui dire la vérité.

«Parce que j'ai un fils qui est un peu plus jeune que vous deux.»

Brunetti fut interrompu par l'arrivée du serveur qui posa leurs boissons devant eux, ajouta de petits bols de cacahuètes et de chips et partit prendre la commande à une autre table.

«Qu'est-ce que cela change?» s'informa Duso d'un ton curieux, et sans la moindre once d'agressivité. Il sirota son café qu'il ne sucra pas cette fois, nota Brunetti.

Le commissaire goûta son vin. Comme c'était un de leurs clients, ils lui en choisirent un bon. «Je suppose que cela me rend protecteur.

— De ceux qui sont comme votre fils?

— Non. Ce serait mentir que confirmer un tel propos. Mais de certains d'entre eux.

— Lesquels?»

Brunetti ne s'était jamais interrogé sur ce point. Il s'agissait d'une réaction instinctive et impulsive qu'il avait envers certaines personnes, surtout les jeunes, même parmi ceux qu'il arrêtait. Peut-être ressentait-il cet instinct de protection envers les individus qui lui rappelaient la personne qu'il avait été dans sa jeunesse. Il posa le verre sur la table et prit quelques cacahuètes. Il les mit une par une dans la bouche en réfléchissant à sa réponse.

Après les avoir avalées et bu une autre gorgée de son vin, il expliqua: «J'éprouve cet élan envers ceux qui sont dans des situations difficiles et ne se rendent pas compte qu'ils sont des gens bien. Au sens éthique du terme.» N'appréciant pas l'écho pédant de ces propos, Brunetti les amenda légèrement en ajoutant: «Alors que d'autres gens ne pensent pas qu'ils le soient.

— Faites-vous allusion aux gens que vous arrêtez?

— Non. Ou peut-être à certains d'entre eux», nuança Brunetti.

Duso rapprocha de lui le bol de chips et commença à grignoter.

«Donc vous pensez que Marcello est quelqu'un de bien?

— Il a amené les filles à l'hôpital, non?»

La main de Duso se bloqua à mi-chemin entre le bol et sa bouche et il lança à Brunetti un regard manifestement surpris. «Que *pouvions*-nous faire d'autre?»

Brunetti fut frappé par la spontanéité de la réaction de Duso: ce n'était pas une véritable question, mais la réaction à un choc. Que pouvait-il faire d'autre, effectivement?

Brunetti décida de le pousser un peu plus dans ses retranchements pour détecter la véritable orientation de ses sentiments. Il lança, du ton le plus dépassionné: «Vous auriez pu les ramener à l'endroit où vous les aviez rencontrées. Personne ne vous aurait vus, à une heure aussi avancée de la nuit. Vous auriez pu vous limiter à les laisser sur la *riva* près du pont, et rentrer chez vous.»

Des miettes de chips tombèrent sur la plate-forme en bois étendue sous leurs pieds. En l'espace de quelques secondes, les moineaux qui rôdaient tout autour foncèrent sur ce banquet, tout à leur gourmandise, en sautillant sur les pieds de Brunetti.

Duso ne mit pas longtemps à déceler l'arrière-pensée de Brunetti.

«Vous avez voulu me tester, n'est-ce pas?» lui demanda-t-il en cherchant à masquer le coup qu'il venait d'accuser sous une couche de mépris. «Sur mon "sens éthique", comme vous dites.»

Il s'empara des serviettes que le serveur avait laissées pour essuyer les miettes grasses sur sa main, puis il les froissa et les jeta sur la table. Mais, remarqua Brunetti, il ne fit pas mine de partir.

«Et vous vous en êtes très bien sorti, répondit-il à Duso, d'une voix bien plus douce.

— Et alors? s'enquit Duso d'une voix agressive.

— Alors je crois que vous êtes le juge de ses... », répondit Brunetti en passant outre le ton du jeune homme. Il recula sur sa chaise et croisa les bras. Il regarda l'église du Redentore, construite en remerciement pour la fin de l'épidémie de peste, presque cinq cents ans plus tôt. L'expérience n'avait pas été retentée pour instaurer un changement dans la ville, pour lui assurer un élément de nouveauté. Les Vénitiens s'étaient contentés de reprendre le cours de leurs affaires.

«Excusez-moi, commissario. Tout va bien? Voulez-vous un verre d'eau?» s'inquiéta Duso.

Brunetti leva les yeux sur le jeune homme. *Pourquoi les gens vous demandent-ils tout le temps si vous voulez un verre d'eau? Peut-être est-ce pour imiter les scènes de cinéma.*

«Non, merci. C'est gentil de me le proposer, mais j'étais simplement en train de réfléchir et j'ai dû me laisser distraire par mes pensées.

— À quel sujet? s'enquit Duso, sans la moindre ombre, désormais, de ressentiment.

— De la difficulté que représente tout changement pour les gens. Même quand ils savent qu'ils devraient opter pour un certain comportement, ou cesser de l'adopter, ils persistent dans leur erreur et ne font qu'empirer la situation.»

Au vu de l'expression de Duso, Brunetti comprit que sa réponse l'avait surpris.

«Vous n'étiez pas en train de penser à Marcello?

— Peut-être, répliqua Brunetti avec un sourire.

— Pensez-vous qu'il doive changer?

— Pas vous? Je suis désolé, ce n'est pas une réponse à votre question et je n'aurais pas dû m'exprimer ainsi. Vous n'êtes pas un enfant.

— Alors, quelle est votre réponse?»

Brunetti saisit son verre par le pied, mais il était vide.

«Qu'il doit réfléchir à ce qu'il est en train de faire», déclara Brunetti. Puis, pour prouver à Duso qu'il lui parlait en toute franchise, il précisa: «Ce qu'il est en train de faire avec son oncle.

— Je ne sais pas de quoi il s'agit, répliqua Duso, haut et fort.

— Que vous ne connaissiez pas les détails, je veux bien le croire. Mais vous savez quelles en sont les conséquences sur sa personne, donc vous savez qu'il devrait y mettre un terme. Et vous savez aussi que c'est mal, très mal.»

Il se retint de lui rappeler l'acte de «tuer» que Vio avait évoqué.

Duso s'apprêta à parler, mais Brunetti poursuivit sur sa lancée: «Vous étiez avec lui dans le bateau lorsqu'il est parti à l'hôpital avec les filles. Il conduisait lentement. Paralysé par la peur de son oncle. Vous saviez tous deux qu'il aurait dû foncer parce qu'elles étaient toutes les deux blessées et que vous ignoriez le degré de gravité de leurs lésions. Que se passera-t-il la prochaine fois, si la situation est plus dramatique et que quelqu'un meurt, ou est tué?

— Pourquoi évoquez-vous une prochaine fois? s'enquit Duso, mal à l'aise.

— Parce qu'il a recommencé à travailler pour son oncle et que je ne vois que des problèmes à l'horizon.

— Pour Marcello?

— Pour Marcello, bien sûr, mais aussi pour d'autres gens.

— Que voulez-vous dire? demanda Duso avec nervosité.

— Berto, commença Brunetti en changeant de voix, vous m'avez rapporté les mots qu'il vous a dits, la nuit où il est allé chez vous. "Nous les avons tuées. Nous les avons tuées." Et vous avez vu l'incidence de cet acte sur son psychisme.

— Il n'en a plus jamais reparlé, répliqua rapidement Duso, comme pour évacuer ce souvenir le plus vite possible.

— Berto, nota Brunetti, il n'a plus rien à dire, ne croyez-vous pas?»

Duso enfouit ses mains croisées entre ses genoux et se pencha. Il secoua la tête à maintes reprises, mais sans accorder le moindre regard au commissaire.

«Ils ont tué des gens, Berto. Marcello, et tous ceux qui se trouvaient avec eux, ont tué des gens, cette nuit-là. Ils étaient en pleine mer, sur l'un des bateaux de son oncle et ils ont tué des gens.

— Marcello a dit...», commença Duso, mais il se tut, incapable de continuer.

Brunetti attendait, immobile.

Duso s'éclaircit la gorge plusieurs fois et enchaîna, d'une voix presque inaudible car il gardait la tête baissée: «Il me l'a dit.» Il hocha la tête plusieurs fois, à la manière d'un jouet mécanique et, tel un jouet mécanique, il finit par se bloquer.

«Vous a-t-il parlé des femmes?»

Duso se glaça, puis il secoua la tête. Brunetti remarqua soudain que le devant de sa chemise bleu clair, taillée dans un épais tissu d'Oxford, semblait maculé ; il ne s'agissait pas de taches de café, car le liquide n'avait fait qu'obscurcir un peu le bleu, comme le fait habituellement cette teinte, surtout avec ce genre d'étoffe.

Brunetti laissa passer un long moment. Il entendit des bruits de pas : c'était probablement le serveur qui revenait. Sans regarder autour de lui, il leva le bras et fit signe à l'aveuglette de s'en aller. Le bruit des pas s'éloigna.

Quelques bateaux passèrent. Une mouette se mit à se battre avec une autre pour de la nourriture que quelqu'un avait jetée dans l'eau.

Brunetti scruta le jeune homme, puis détourna les yeux à cause de ce sens archaïque de la décence déterminant ce que l'on peut, ou non, observer. Il regarda l'hôtel qui avait été une minoterie et une fabrique de pâtes jusqu'à ce que – si l'on en croyait les rumeurs – un ouvrier mécontent en ait tué d'un coup de couteau le propriétaire. Ce crime ne figurait pas dans les dossiers de la police, mais cela n'empêchait pas les gens de continuer à raconter, et à croire, cette histoire.

Il y était allé une fois après sa transformation en hôtel ; il n'avait pas beaucoup aimé l'endroit, avait payé 5 euros pour un café pas spécialement bon et était rentré chez lui.

« Commissario ? l'appela Duso. Vous vous êtes de nouveau distrait. »

Il avait dû s'écouler un certain temps, car les points bleu foncé sur sa chemise avaient presque disparu.

« Vous voyez, ce n'est pas du tout facile pour moi, commença Brunetti en tournant vers lui un visage adouci. Comme je n'ai pas envie de le faire, je procrastine et j'essaie de penser à autre chose. »

Il désigna de la main le spectacle se déroulant sur la rive opposée du canal, encore enveloppée de toute sa majesté, même si la lumière s'était atténuée.

Duso tourna la tête pour suivre des yeux la main de Brunetti indiquant tout le quai de la Giudecca, s'étendant jusqu'aux Zitelle où étaient amarrés les bateaux de la Guardia di Finanza.

Lorsqu'il reporta son regard sur Brunetti, il le vit mettre la main à la poche.

«Non, commissario, je vous en prie, dit-il en posant sa main sur le bras de Brunetti pour l'arrêter, vous êtes mon invité.»

Brunetti aurait l'occasion, plus tard, de se souvenir de ce geste.

26

Le serveur avait disparu. Brunetti éprouva un vif agacement face à sa propre lâcheté morale. Et à celle de Duso. Il avait l'impression qu'il voyait se débattre les filles noyées du récit de Nieddu et qu'elles encerclaient leur table au fur et à mesure de cet entretien. Duso gardait le silence, ne demandait rien, ne questionnait pas l'authenticité du discours du commissaire. Il restait assis et fixait la Giudecca en écoutant. Brunetti finit par lui redemander : «Marcello vous a-t-il parlé de ces femmes?»

La réponse de Duso fut lente à venir. «Il ne m'a rien dit, juste que des gens étaient morts et qu'ils les avaient tués. C'est depuis ce moment-là qu'il est devenu... bizarre.»

Il regarda Brunetti qui opina du chef.

Duso ouvrit la bouche pour parler, mais ne parvint à émettre aucun son. Un petit bateau avec deux jeunes garçons à bord fit une embardée en passant devant eux ; en route pour les Zattere, ils semblaient sautiller de vague en vague, comme si le but de leur embarcation était simplement de claquer contre l'eau.

Lorsque le bruit s'atténua, Brunetti se remit en mémoire que sa tâche à présent était de persuader Duso de trahir son meilleur et plus vieil ami, qui était en outre l'homme dont il était amoureux et qui était cependant mêlé à un crime.

«L'aideriez-vous, si vous le pouviez?» lui demanda-t-il.

Duso le regarda fixement, comme si Brunetti avait perdu, à ses yeux, la raison.

«Bien sûr. Je ferais n'importe quoi.

— Parfait. Il faut que Marcello fasse une chose», commença-t-il.

Haussant la voix, Duso rétorqua: «Il ne fera rien qui porte préjudice à son oncle.

— Un oncle qui lui a fait dévaler une échelle d'un coup de pied et qui l'implique dans une traite d'êtres humains, et un meurtre?» s'enquit Brunetti d'une voix douce, proche d'un murmure.

Duso essaya de prendre la défense de son ami.

«Il a embauché Marcello alors que personne d'autre ne l'aurait aidé. Il lui garantit un salaire qui lui permet de subvenir aux besoins de sa mère et de leur famille. Marcello lui doit tout.

— Il y en a un de vous deux qui est fou», assena Brunetti sans réfléchir.

Duso s'apprêta à se lever en prenant appui sur les bras de sa chaise.

Spontanément, le commissaire le bloqua au niveau de la poitrine.

«Rasseyez-vous», lui ordonna-t-il, et Duso s'exécuta.

«Il peut lui devoir tout ce qu'il veut, déclara-t-il en lui saisissant le bras, mais tant que Marcello ne se débarrassera pas de lui, son oncle restera une source de corruption pour lui.» Sans laisser le temps à Duso de protester, il se pencha plus près de lui et d'une voix nouée de colère qu'il s'efforçait pourtant de contrôler, il enchaîna: «Son oncle le fera sortir une autre nuit en bateau et ils ramèneront d'autres filles. Ou ils les tueront

– c'est tout pareil pour Borgato. Et tôt ou tard, Marcello cessera d'en pleurer, et l'étape suivante, ce sera de ne même plus arriver à en pleurer.» Brunetti ferma les yeux jusqu'au moment où il sentit son propre bras bouger, et bouger encore, et lorsqu'il le regarda, il vit Duso en train d'essayer de se libérer de la poigne du commissaire avec sa main libre.

Brunetti retira sa main et attendit de se calmer. Il entendait son cœur palpiter; il posa ses coudes sur la table et enfouit la tête dans ses mains.

Au bout d'un moment, il reconnut le bruit d'un vaporetto qui arrivait sur la droite. Il leva la tête pour observer le bateau de couleur blanche, avec sa lenteur habituelle et son allure familière, avant de s'autoriser à regarder la chaise forcément vide de Duso.

Mais à son grand étonnement, il s'aperçut que le jeune homme était encore là, en train de le fixer et d'attendre.

«L'aiderez-vous?» réitéra Brunetti.

Duso acquiesça.

Brunetti sortit la boîte avec la montre de sa poche intérieure et la tendit à Duso. Le jeune homme examina la boîte sans grand intérêt et la reposa, sans souffler mot et sans l'ouvrir, sur la table devant Brunetti.

Brunetti brisa le silence en disant: «S'il vous plaît, Berto, ouvrez la boîte.»

Duso lui obéit et y trouva une montre plate, avec un bracelet en métal. «Qu'est-ce que c'est? demanda-t-il.

— C'est une montre.» Duso garda un visage impassible, puis la reprit en main. Elle n'avait rien de spécial: elle était en métal, d'une épaisseur normale, dotée de deux aiguilles, mais dépourvue d'instruments faramineux de mesure de profondeur. Brunetti lui expliqua : « À l'intérieur, il y a un émetteur qui donne un signal radio, qui peut être suivi à une grande distance.

— Par qui ? s'informa Duso, les yeux toujours rivés sur la montre.

— Dans ce cas, par la Guardia Costiera. Certains de ses bateaux sont équipés pour assurer ce traçage. »

Le soleil s'était couché et ils sentirent tomber la fraîcheur vespérale. Duso frissonna, mais ne montra aucune hâte à partir.

« Qu'attendez-vous de moi ? »

Le détachement avec lequel Duso posa sa question pouvait être aussi bien pure et simple curiosité qu'un réel assentiment.

« Donnez la montre à Marcello, répondit Brunetti, puis il ajouta en souriant : Dites-lui que c'est une montre de plongée.

— Et puis ? demanda-t-il après un instant d'intense réflexion.

— C'est tout. S'il la porte, ils pourront le suivre, ainsi que le bateau. »

Duso se tortilla sur sa chaise, comme s'il se rendait compte soudain de la chute brutale de la température.

« Si je la lui donne, il la portera. »

Ce n'était pas de la vantardise, de sa part, mais le simple constat d'une vérité.

Le jeune homme referma subitement sa veste et resserra les bras sur sa poitrine.

« Il fait trop froid ici, dit-il. Allons-nous-en. »

Il mit la montre dans sa boîte, et la boîte dans la poche de sa veste.

Lorsque le serveur apporta l'addition, Duso glissa un billet sous sa soucoupe et se leva. Il se dirigea vers la *calle* où il habitait.

Brunetti le rattrapa et s'adapta au rythme rapide instauré par le jeune homme. Parvenus à l'endroit où Duso avait tourné la fois précédente, Brunetti ralentit pour s'arrêter. Il fixa Duso, ses traits s'étaient durcis et il semblait avoir vieilli en quelques minutes.

«J'accepte cette histoire de montre à une condition, déclara-t-il.

— Laquelle? s'informa Brunetti, d'un ton clairement suspicieux. Que voulez-vous? insista Brunetti, face à son silence.

— Aller avec eux quand ils le suivront.

— Je ne peux pas vous l'assurer, avoua Brunetti, en toute bonne foi.

— Alors reprenez-la, rétorqua-t-il en lui tendant la montre.

— Je ne peux pas, répéta Brunetti en mettant spontanément les mains derrière son dos.

— Alors, je ne le ferai pas.»

Brunetti se figea. Cette décision ne lui incombait pas. «Demandez-leur», lui ordonna Duso.

Il était tout ce qu'il y a de plus sérieux. Brunetti s'éloigna de deux pas, sortit son téléphone et appela Alaimo.

Le capitaine répondit à la seconde sonnerie.

«Brunetti? Que se passe-t-il?

— Il dit qu'il n'accepte qu'à condition d'être avec nous pendant l'opération.»

C'est au moment où il s'entendit dire «nous» que Brunetti prit conscience à quel point il se sentait pleinement impliqué désormais dans cette affaire.

«Est-il ferme sur cette position? demanda Alaimo après un long silence.

— Absolument.

— Alors dites-lui que oui, confirma Alaimo au bout d'un moment.

— Parfait.»

Brunetti raccrocha et glissa son portable dans la poche de sa veste.

Il refit les deux pas en sens inverse et retrouva le jeune homme qui tremblait maintenant plus fort.

«Il est d'accord.

— Bien», répondit Duso en enfouissant la montre dans sa poche. Son visage se détendit d'un coup et retrouva l'expression que Brunetti lui avait vue à table. Il lui tendit la main et Brunetti la lui serra.

«Merci commissario», dit Duso, ayant recouvré aussi sa courtoisie. Il pivota pour s'en aller, mais s'arrêta avant même que Brunetti ne l'appelle. Il revint en arrière et lui demanda : «Que dois-je faire?»

Brunetti lui expliqua lentement, en réfléchissant à chacun de ses mots : «Vous devez convaincre Marcello de vous dire quand aura lieu la prochaine sortie avec son oncle.» Duso s'apprêtait à intervenir, mais Brunetti leva la main.

«Il faut qu'il vous dise quand ils feront leur expédition de nuit. Et donnez-lui la montre. De cette manière, ils pourront suivre le bateau de Borgato à la trace sans s'en approcher.»

Duso se frotta le visage des deux mains, comme pour se réveiller d'un rêve tournant au cauchemar.

«Nous nous envoyons des messages tout le temps, toute la journée, expliqua Duso. Donc il me dira quand il sortira. Il me le dira, répéta-t-il en regardant Brunetti.

— Donnez-moi votre numéro et je vous enverrai le mien, suggéra le commissaire.

— Vous me promettez de me laisser venir? demanda Duso en posant sa main sur le bras du commissaire.

— Oui, confirma Brunetti.

— Vous le jurez?

— Par tous les saints», déclara Brunetti avec la plus grande sincérité.

Une fois chez lui, Brunetti se sentit tout parcouru de frissons et il eut la sensation qu'il faisait froid dans l'appartement. Le propriétaire, légalement autorisé à ne pas allumer le chauffage avant la semaine suivante, avait décidé de s'en abstenir. Mécontent, Brunetti prit une bonne douche mais il se rendit compte que, conditionné par les dogmes de ses enfants sur l'environnement, il ne parvenait plus à savourer une douche durant plus d'une poignée de minutes.

Enveloppé d'une serviette, il gagna sa chambre en laissant une traînée de pas humides derrière lui et enfila un pantalon marron en laine puis une chemise en laine beige que Paola lui avait offerte à Noël. Cet habit lui avait toujours semblé trop élégant et de fait, avait passé pratiquement un an abandonné au fond du placard, sans être porté ni admiré de tous. Brunetti passa un tee-shirt blanc sous la chemise, de laquelle il éprouva d'abord la douceur au contact de ses mains, puis elle caressa ses bras lorsqu'il les glissa dans les manches et elle sembla presque lui faciliter le passage des boutons dans les boutonnières. Ayant laissé les deux du haut ouverts, il prit un foulard à motifs qu'il enroula autour du cou et en rentra les deux extrémités dans sa chemise.

Il se regarda un instant dans le miroir, se sourit et déclara, dans le plus pur vénitien : « *Son figo, son beo, son fotomodeo*[1]. »

Il était sans doute trop vieux pour avoir le droit de se considérer comme « *figo* » ; le mot « *beo* » aurait certainement fait l'objet, aussi, d'une polémique, et jamais il n'aurait été mannequin ; mais c'était un bel homme, et il le savait.

Le silence régnait dans l'appartement, mais ce silence n'excluait pas la présence éventuelle de Paola, surtout si elle s'était dédiée corps et âme à la lecture. Il lui disait parfois que, lorsqu'elle était plongée dans un livre, Attila lui-même pourrait bien faire une incursion dans la maison sans qu'elle ne le remarque. Elle avait répliqué que tout dépendait du livre.

La porte de son bureau étant ouverte, il entra et la trouva effectivement sur son canapé, en compagnie de Henry James. Elle leva les yeux sur lui en souriant.

« En voilà une belle chemise ! s'exclama-t-elle.

— C'est ma femme qui me l'a offerte.

— Vraiment ?

— Oui.

— Elle a bon goût, je dois dire.

— Surtout pour ce qui est des hommes, répondit-il. Je vais chercher quelque chose à boire, il faut que je te parle. »

Au moment où il franchissait la porte pour aller dans la cuisine, il l'entendit lui dire : « Alors apporte deux verres. »

Le temps de raconter à Paola l'histoire de Marcello Vio, de son oncle, des deux Américaines dans le bateau et des femmes jetées à la mer, et de lui faire part de l'approbation hésitante de Duso d'aider la police, Brunetti s'était levé

---

1. Je suis canon, je suis beau, je suis un mannequin.

trois fois. Une fois pour aller chercher dans sa chambre un gros pull et deux fois pour allumer la lumière dans la pièce. À la fin de son récit, ils avaient à peine touché à leur vin et Paola était visiblement affectée par le récit de son mari.

«Comment arrives-tu à exercer un tel métier, Guido? lui demanda-t-elle, bouleversée. Apprendre, jour après jour, ce que les gens se font les uns aux autres.

— Comment puis-je gagner ma vie autrement?» demanda-t-il en retour, avant de s'apercevoir sur quelle pente savonneuse pouvait les entraîner ce sujet.

S'il se retrouvait au chômage, c'est sa femme qui subviendrait aux besoins de la famille ou, plus inenvisageable encore, la famille de sa femme. Il se rendit compte combien ces sentiments étaient primaires mais, comme disait souvent un ami de son père, il n'avait qu'une tête, et n'avait donc qu'une seule façon de penser les choses.

«Il y a peu de domaines dans lesquels je sois qualifié, affirma-t-il, en les forçant tous deux à mettre de côté la réalité économique.

— Le droit, par exemple? s'enquit-elle, même si elle connaissait d'avance la réponse.

— Je serais obligé de repasser mes examens et ce serait pire que tout.»

À présent intrigué par cette question, il demanda: «Que pourrais-je faire d'autre, à ton avis?»

— Te convertir à l'anglicanisme et devenir pasteur.» Comme il renâclait à cette perspective, elle ajouta: «Les gens s'ouvrent à toi, Guido. Ils te font confiance.»

Il écarta l'idée en secouant à la fois la tête et les mains.

«Alors quoi? demanda-t-elle.

— J'irais vivre à la campagne et je travaillerais la terre», déclara-t-il le plus honnêtement du monde.

Interloquée, Paola, sa femme depuis tant d'années, celle qui savait véritablement lire dans le fond de son cœur, le regarda bouche bée et se révéla – événement ô combien rare depuis leur mariage – incapable de proférer un mot.

27

La situation ne connut pas de grands changements. Lucy Watson resta à l'Ospedale dell'Angelo, mais son état demeura inchangé. Jojo Peterson, comme la questure l'apprit par un e-mail, avait avancé la date de son départ et était déjà de retour aux États-Unis, mais elle était disponible, bien entendu, pour fournir toute information nécessaire.

Au bout du compte, Marcello Vio fut accusé de non-assistance à personne en danger, même si les circonstances de l'incident survenu dans la *laguna* n'étaient pas encore véritablement clarifiées du point de vue juridique. Son représentant légal expliqua aux autorités qu'il incombait à la ville d'assurer la sécurité des voies navigables et que son client avait subi un tel choc après l'accident qu'il ne put songer qu'à gagner un endroit plus sûr pour les jeunes filles et lui-même. Il les avait emmenées à l'hôpital car il se faisait du souci pour elles, mais il était lui-même si traumatisé par l'accident et par ses propres blessures qu'il avait négligé avoir sans doute agi de façon trop hâtive. Quoi qu'il en soit, son premier réflexe avait été de prendre soin d'elles et il les avait transportées aux urgences de sa propre initiative, au lieu d'appeler pour signaler l'accident et attendre les secours. Le fait qu'il retourne plus tard au Pronto Soccorso

– et le document s'abstenait de mentionner qu'il y était allé à l'instigation de la questure après son malaise – où il les avait vues pour la dernière fois fut présenté comme la preuve de son souci à leur égard et de son désir de savoir si elles avaient reçu les soins nécessaires.

Après la lecture de ce rapport, Brunetti marqua une pause pour examiner avec quelle adresse l'avocat avait passé sous silence aussi bien la présence de Filiberto Duso que l'abandon des filles par Marcello Vio.

Brunetti éplucha ce dossier avec un intérêt croissant pour sa manière de flirter avec la vérité tout en l'évitant, mais lorsqu'il regarda la dernière page, il reconnut le nom de l'homme de loi. « Oh, la vieille canaille ! » s'écria-t-il et il s'esclaffa, comme on le ferait face à la nomination de l'ancien P-DG d'Exxon au conseil d'administration du WWF.

Certes, Marcello Vio était entre de bonnes mains si c'était Manlio De Persio qui suivait son dossier. Ce dernier connaissait pratiquement toutes les ficelles du métier et il y avait peu de policiers qui n'aient vu le litige se volatiliser lorsque c'était De Persio qui plaidait la cause de l'accusé, et si son client perdait, il n'y avait pas de meilleur avocat dans le Veneto pour faire traîner le procès, appel après appel, jusqu'aux plus hautes instances, dans l'attente, fort souvent, de la prescription, et l'affaire était classée. Le bruit courait que les amis de De Persio l'appelaient «le Pharmacien», à cause du nombre de *prescrizioni*[1] qu'il avait obtenues pour ses clients. Une fois le délai judiciaire expiré, l'enquête était close.

---

1. Jeu de mots sur le terme *prescrizione* signifiant à la fois «ordonnance» et «prescription».

De Persio suscitait une admiration mitigée – un mélange de respect et d'envie – auprès de ses collègues, mais aucun d'eux ne parvenait à éprouver une véritable sympathie pour lui.

Marcello Vio n'aurait jamais eu les moyens de payer ses honoraires. Le fait que Borgato ait accepté de payer les prestations de De Persio laissait entendre au commissaire combien il était important pour lui que son neveu ne soit pas accusé de crime, surtout pas un crime associé à l'un de ses bateaux, et que la famille ne se retrouve pas sous les projecteurs. Si Brunetti avait vu juste quant à l'avidité de l'oncle, ce dernier n'aurait jamais réglé la moindre facture, que ce soit pour ses employés ou ses parents, sauf si cela servait ses propres intérêts. Il n'était prêt à payer que pour échapper – tout comme ses embarcations – au radar des autorités.

Une autre information, non moins intéressante, lui provint de la signorina Elettra qui lui avait remis les relevés bancaires de Borgato. Il disposait d'un coffre-fort dans une petite banque privée à Lugano, où il détenait aussi un compte d'épargne s'élevant à 300 000 euros environ, versés en espèces au cours des cinq dernières années. Il en avait aussi ouvert un plus près de chez lui, à l'agence d'Unicredit située à San Salvador, un autre compte d'épargne s'élevant à près de 9 000 euros. En outre, il avait un compte commercial préposé à son entreprise de transport. D'après les recherches de la signorina Elettra, ce compte était géré essentiellement par sa secrétaire, qui travaillait dans la société depuis ses débuts.

Il était évident que la signorina Elettra avait déjà étudié son cas de plus près : Elena Rocca, domiciliée à Sacca Fisola, âgée de 53 ans, mariée à un mécanicien naval, avait deux filles et quatre petites-filles. Son mari et elle disposaient d'un compte d'épargne à la poste sur lequel il y avait à présent 2 012 euros, économisés mois après mois pendant ces neuf dernières années. D'après la signorina Elettra, toute la fortune de la signora Rocca était là, outre l'appartement où elle vivait avec son époux depuis vingt-six ans.

Brunetti leva les yeux des papiers et regarda par la fenêtre. Un coffre-fort, avec 300 000 euros en Suisse. Bien, bien, bien, sans doute avait-il raison de penser que le guide spirituel de Borgato était l'âpreté au gain.

Ses pensées revinrent à une histoire qu'il avait entendue, il y avait une éternité, au sujet d'un légendaire millionnaire américain qui vivait à une époque où posséder un million de dollars signifiait être riche comme Crésus. L'histoire racontait qu'on lui demanda un jour s'il savait ce que signifiait le mot «assez».

Après un moment de réflexion, l'homme aurait répondu : «Bien sûr que je le sais. Cela signifie "un peu plus".»

Le dossier s'en tenait là. Brunetti continua à observer le panorama depuis sa fenêtre qui consistait maintenant en petits fragments de ciel bleu, pommelé de nuages.

Les jours passèrent ; il continua son travail, toujours à l'affût d'un coup de fil de Duso. Il appela Alaimo et lui demanda si d'après ses hommes, la zone près de Cortellazzo pouvait constituer un lieu possible de débarquement. Le capitaine lui répondit que ses hommes étaient partis inspecter en éclaireurs les aires situées de part et d'autre du Piave et qu'ils ne laisseraient aucune trace de leur passage. Brunetti consacra le reste du temps à la paperasserie.

Le commissaire lut les rapports de ses subordonnés et les pria parfois de venir lui expliciter certains points ou de lui révéler des éléments qu'ils hésitaient visiblement à mettre par écrit dans des documents officiels. Il décida à qui confier certaines enquêtes plus délicates.

Le seul véritable changement vint du côté du médecin de Lucy Watson qui l'appela de l'Ospedale dell'Angelo pour lui annoncer que la jeune fille s'était réveillée en fin de matinée et que, voyant son père près d'elle, en train de taper un message sur son téléphone, elle lui avait demandé : « Mais qu'est-ce que tu fais là, papa ? »

La médecin spécifia toutefois que, même si elle avait reconnu son père et qu'elle parlait normalement, sa mémoire à court terme ne pouvait remonter au-delà de son tour en bateau avec les Italiens qu'elle avait rencontrés ce samedi soir : elle avait encore des difficultés, de ce fait, à saisir sa situation à l'hôpital, la cause de ses blessures et la présence de son père.

En réponse aux questions de Brunetti, la docteur lui dit que la mémoire de ces événements lui reviendrait sans doute, ou peut-être pas, mais que ses collègues de neurologie étaient certains que Lucy n'avait subi aucune lésion irréversible.

Brunetti ressentit une vague de soulagement pour la jeune fille et son père, et également pour Vio, qui aurait ainsi moins de poids sur la conscience. Il retourna ensuite à ses affaires, en attendant un mot de Duso.

Paola et lui étaient à dîner chez des amis lorsque son téléphone sonna. Avec une hâte qui frôla l'impolitesse, Brunetti sortit son portable de la poche et, lisant le nom de Duso, il s'excusa et sortit de la salle à manger.

« *Sì*, demanda-t-il d'une voix qu'il veilla à garder calme.

— Marcello vient de m'appeler », lui apprit Duso.

Brunetti regarda sa montre. Il était déjà 23 heures passées. « Qu'a-t-il dit ?

— Pietro l'a appelé pour le prévenir qu'il y avait du boulot pour eux. Marcello est en route pour l'entrepôt de bateaux. »

Brunetti, qui espérait recevoir ce coup de fil, avait échafaudé entre-temps un plan avec Alaimo. « Descendez sur la *riva* devant votre *calle*. Un bateau de la Capitaneria sera là dans quelques minutes. Il vous emmènera à Piazzale Roma, et prenez une veste chaude », lui conseilla-t-il, puis il raccrocha.

Il composa le numéro d'Alaimo.

« Duso vient de m'appeler, l'informa-t-il. Demandez à votre pilote de l'attendre sur la *riva* près de chez lui. Je vais aller le voir. Je ne suis pas chez moi ; vous pouvez venir me chercher à l'arrêt Santo Spirito dans dix minutes. »

Il raccrocha et appela Griffoni. Alaimo et lui gagneraient l'endroit par voie maritime, tandis qu'elle, Duso et Nieddu, qui était impliquée car il s'agissait d'un crime international, s'y rendraient en voiture. Alaimo avait déjà envoyé un bateau pour aller chercher Griffoni – un bateau ressemblant à un taxi, de manière à éviter toute possibilité que Borgato ne croise en chemin une vedette de la police à cette heure-là – qui devait l'emmener à Piazzale Roma où elle retrouverait le jeune homme et la capitaine. Deux véhicules banalisés et une camionnette les y attendraient pour partir à Cortellazzo.

Brunetti enfouit son portable dans la poche et retourna dans la pièce, en affichant un sourire gêné. Calme, détendu et professionnel, comme d'habitude. Il se dirigea vers son hôte, en secouant la tête d'un air soumis et contrit. Donato était un vieil ami, disposé à croire tout ce qu'il lui disait.

«Je suis désolé, Donato. C'était un coup de fil de travail. On a besoin de moi pour un interrogatoire à Mestre», affirma-t-il le plus aisément du monde, en s'efforçant d'adopter un ton mêlant agacement et résignation face à l'appel du devoir.

Paola, détectant l'once de perfidie dans sa voix, posa sa serviette près de son assiette et se leva. Elle fit le tour de la table, dit bonne nuit aux autres convives et fit la bise à Donato et à sa femme avant de prendre le bras de Brunetti, en énonçant : «Je t'accompagne au moins jusqu'à l'arrêt de bateau.» Son sourire était aussi étudié que son excuse, mais il fonctionna à la perfection auprès des invités.

Une fois dehors, Brunetti désigna d'un signe de tête la station de vaporetto à leur gauche.

«C'est là qu'ils viennent me chercher.

— Pour aller arrêter ces gens?

— J'espère.»

Elle frissonna. La nuit s'était rafraîchie.

«Tu n'as pas la bonne veste, nota-t-elle, amusée. Elle est trop légère pour quand tu te retrouveras au large.»

Par-dessus son manteau, elle portait une longue écharpe vert foncé, tissée en un épais cachemire. Elle la dénoua de son cou afin de la nouer autour de celui de Brunetti.

Il voulut la lui rendre, par galanterie, mais lorsqu'il la sentit, encore imprégnée de la chaleur de Paola et de son parfum, il la serra plus fort en rejetant une des extrémités sur son épaule, avec beaucoup de panache.

«Merci» lui dit-il, ému.

317

Elle lui prit la main. «Je reste avec toi jusqu'à ce qu'ils arrivent.»

Il y avait un simple quartier de lune, mais ils l'observèrent tous deux en allant vers l'*imbarcadero*, main dans la main, comme de jeunes amants. Ils entendirent bientôt un bruit de moteur provenir de leur droite. Un bateau vint s'amarrer assez rapidement à quelques centimètres du quai. Brunetti dit au revoir à Paola en l'embrassant et il monta à bord. Trois hommes en uniforme tournicotaient sur le pont de l'embarcation; un autre se tenait à la barre. Lorsqu'ils partirent, il prit le bout de l'écharpe qui flottait devant lui et l'agita dans sa direction en guise d'au revoir. Paola fit de même en retour. Ils se suivirent des yeux jusqu'à ce que le bateau tourne de l'autre côté du canal et disparaisse de sa vue.

Au moment où Brunetti commença à ressentir le froid perçant, Alaimo sortit de la cabine et lui tendit une veste de camouflage à capuche qu'il fut soulagé d'enfiler. Il enroula de nouveau l'écharpe par-dessus la veste, en laissant pendre les bords sur le devant.

Le moteur vrombit, annihilant toute possibilité de conversation. Brunetti ne put dissimuler à quel point le choquait ce bruit qui violentait la nuit. Alaimo se pencha vers lui et, formant une coupe de ses mains autour des oreilles de Brunetti, il précisa: «Il a de l'électrique, aussi.»

Brunetti ne parvint pas à comprendre la signification de cette observation, même s'il en avait entendu distinctement les mots.

En passant devant San Giorgio, le son du moteur sembla ricocher sur les murs massifs de la basilique. Un des marins descendit dans la cabine, en laissant les autres sur le pont, livrés à tout ce bruit.

Brunetti essaya de parler, mais ne put même pas s'entendre lui-même. La pâle lumière du tableau de commandes lui permit de voir les autres hommes à l'extérieur, mais l'environnement sonore semblait compromettre sa capacité de vision.

Alaimo posa sa main sur l'épaule du pilote et se pencha en avant pour lui dire quelque chose. Il n'avait pas plus tôt retiré sa main que le bateau ralentit, réduisant considérablement le niveau acoustique.

«Merci!» s'exclama Brunetti en tapotant la manche du vêtement que lui avait passé Alaimo. Il avait plu pendant la journée et l'humidité collait encore à l'air et à la nuit.

Le capitaine hocha la tête.

«Il fait toujours quelques degrés de moins en mer, donc ce sera pire une fois que nous atteindrons le large.» Il regarda sur sa gauche : ils passaient juste devant les Giardini.

«Je pensais vous avoir dit que nous risquions de devoir sortir à tout moment.

— Vous me l'avez dit, effectivement, mais nous étions à dîner chez un ami et ça m'est sorti de l'esprit ; j'avais pris juste une veste.

— Les choses arrivent toujours au mauvais moment», constata-t-il en haussant les épaules.

Brunetti acquiesça, puis demanda : «Vous avez parlé de quelque chose d'électrique ?

— Les moteurs peuvent passer au mode électrique, répondit-il avec un sourire.

— C'est beaucoup mieux, maintenant», répliqua le commissaire.

En effet, le bruit avait diminué et l'on n'entendait plus qu'un grognement sourd, mais dégageant beaucoup plus de puissance que le moteur de toute embarcation de cette taille sur laquelle Brunetti soit jamais monté.

«On a encore affaire au moteur normal, expliqua Alaimo. Mais on peut activer le mode batteries.

— Que se passe-t-il alors?

— Il devient dans ce cas parfaitement silencieux. Vous n'entendez rien. Même s'il passait près de vous, vous ne vous en rendriez pas compte.

— Est-ce possible? s'étonna Brunetti.

— C'est bien possible pour les voitures, n'est-ce pas? Cet équipement est une sorte de prototype: il est plus grand que celui utilisé pour la plupart des bateaux.

— Comment fonctionne-t-il?

— Là en bas, dit Alaimo en indiquant l'endroit où les marins avaient disparu, et en haut, à l'avant, c'est là que se trouvent les batteries.»

Brunetti regarda de chaque côté du pilote et vit des panneaux en teck qui semblaient pouvoir s'ouvrir en coulissant. Il ne savait pas comment formuler sa question: devait-il se renseigner sur le nombre de batteries, sur leur taille ou encore leur puissance? Ignorant comment cette dernière était calculée, il se résolut à demander: «Quelle vitesse peut-il atteindre?»

Alaimo se tourna vers le pilote.

«D'après toi, Crema?»

Regardant toujours devant lui, le jeune marin répondit: «J'ai déjà atteint cinquante-cinq nœuds, mon capitaine.

— Si je n'étais pas là et que c'était un ami qui te posait la question, qu'est-ce que tu répondrais?»

Le jeune homme baissa la tête en souriant, puis fixa de nouveau l'horizon et avoua: «Disons, monsieur, si vraiment vous n'étiez pas là, et si j'étais seul, je dirais soixante, mais seulement si j'étais seul à bord.»

Brunetti vit Alaimo sourire à la réponse du pilote. «C'est une vitesse supérieure à celle de n'importe quel bateau de Borgato, déclara le capitaine.

— A-t-il le même système que vous? et peut-il aussi se servir d'un moteur électrique?

— Bien sûr. Deux de ses bateaux en sont équipés, mais il n'a pas le même nombre de batteries.» Sans laisser le temps à Brunetti de l'interroger sur ce point, Alaimo enchaîna : «Il doit laisser de l'espace pour ses cargaisons, n'oubliez pas.

— Comment savez-vous tout cela?» s'enquit Brunetti.

Alaimo s'intéressa soudain à un élément sur le tableau des commandes et se détourna de Brunetti pour se pencher et le regarder. *Ah*, songea Brunetti, *l'instinct de protéger ses sources est universel.* Il essaya de trouver quelque chose à répliquer et demanda alors : «Supérieure de combien?

— À ton avis, Crema?» demanda le capitaine.

Avant de répondre, le pilote se pencha vers un écran éclairé d'un cercle blanc où une barre tournant sans discontinuer irradiait à partir du centre. Comme dans les films de sous-marins que Brunetti avait vus, un faisceau de lumière illuminait furtivement le même point à chaque fois que le radar le balayait.

«C'est lui, affirma le pilote en tapotant ce point lumineux. Et une heure et demie, monsieur. À moins qu'il ne se mette à foncer; dans ce cas, il mettra peut-être juste un peu plus d'une heure.»

Alaimo suggéra à Brunetti d'aller dans la cabine. Il n'y faisait pas chaud, mais c'était toujours mieux que sur le pont. Cet écart de température avait joué sur les deux marins qui s'étaient endormis chacun dans un coin, à l'arrière du bateau. Le troisième, qui devait être là depuis plus longtemps, leur fit un signe de tête à leur arrivée, mais rajusta rapidement ses oreillettes et reporta son attention sur son iPhone.

Brunetti et Alaimo, qui s'étaient assis l'un en face de l'autre sur les sièges latéraux capitonnés, se penchaient en avant pour pouvoir se parler malgré le bruit du moteur, plus fort à cet endroit du fait de la proximité des machines. Alaimo expliqua que, parmi les nombreux bateaux faisant route vers le nord dans l'Adriatique, seulement deux avaient ralenti leur course dans la soirée et avaient jeté l'ancre pour la nuit à quarante kilomètres environ au nord-est de Venise. S'ils appareillaient tôt, ils toucheraient Trieste en fin de matinée et pourraient décharger et recharger le cargo. L'un était un pétrolier qui battait pavillon britannique et l'autre un bateau de transport battant pavillon maltais.

«Si Vio a dit à son ami qu'il sortait cette nuit, c'est qu'il doit rejoindre l'un de ces deux bateaux, déclara Alaimo.

— Que faisons-nous? s'enquit Brunetti.

— Nous avons leur position grâce à l'émetteur sur le poignet de Vio; nous resterons donc loin derrière eux jusqu'à ce qu'ils aillent chercher la cargaison sur l'embarcation plus grande qui doit être dotée d'un radar, mais nous pouvons parfaitement passer pour un bateau de pêche: nous en avons déjà croisé trois.

— Je ne les ai pas vus, nota Brunetti, surpris.

— Vous n'avez pas l'œil», répliqua simplement Alaimo.

Brunetti admit cet état de fait et demanda: «Que faisons-nous une fois que Vio s'approche du bateau?

— Nous ne bougeons pas d'un pouce et nous nous comportons comme un bateau de pêche, censé rester quelque part un certain temps, puis partir ailleurs. »

Ils entendirent soudain frapper légèrement à la porte. Alaimo se leva, arrêta Brunetti de la main et monta sur le pont. Au bout d'un moment, Brunetti se leva à son tour et se dirigea vers la porte, mais il retourna s'asseoir. Lorsqu'il quitta de nouveau son siège, le marin leva les yeux de son portable et fit signe à Brunetti de retourner à sa place. Le commissaire s'exécuta.

Une dizaine de minutes s'écoulèrent, et les moteurs ralentirent. Un bruit de pas brisa le silence ; Brunetti entendit quelqu'un descendre les marches et se leva de nouveau. Alaimo ouvrit les portes.

« C'était celui avec le drapeau maltais, annonça-t-il. Le bateau de Borgato s'est arrêté à côté il y a un quart d'heure environ, mais là, il s'en est déjà bien éloigné, direction plein ouest, vers la côte. »

Il sortit son téléphone et tapa un message, passablement long.

Lorsqu'il l'eut terminé, Alaimo déclara : « J'ai informé mon équipe qu'ils ont fait cap sur Cortellazzo. C'est le meilleur emplacement pour décharger leur cargaison. »

Brunetti remarqua qu'il n'en avait pas spécifié la nature.

« En êtes-vous certain ? » demanda-t-il.

Alaimo le surprit par son rire.

« Qu'y a-t-il de si drôle ?

— Nous en sommes certains, croyez-moi, lui assura Alaimo. Le week-end dernier, un de mes collègues et moi avons emmené nos fils et quatre de leurs amis, tous habillés en boy-scout, et nous sommes allés au point où la rivière se jette dans la mer. Nous l'avons un peu remontée à la voile, en faisant plusieurs haltes et en illustrant aux garçons les cycles des marées et les différences entre les poissons d'eau douce ou d'eau de mer.

« Cette virée me parut le meilleur stratagème pour repérer les lieux possibles d'amarrage sans attirer l'attention, expliqua-t-il face à la réaction de Brunetti. Juste au cas où Borgato ait des amis qui pêchent ou vivent là, et qui risquent de lui signaler que des gens ont manifesté un certain intérêt pour ce tronçon de rivière.

— Comment cette excursion s'est-elle passée ?

— Il faisait froid. Mais les enfants ont bien aimé et n'ont pas arrêté de me tanner pour savoir quand est-ce qu'on recommencerait.

— Les enfants », répéta Brunetti, de ce ton qu'adoptent parfois les parents : un mélange de rejet et d'adoration.

Le téléphone d'Alaimo vibra soudain. Il se pencha sur le message, puis annonça : « L'équipage est arrivé. Ils doivent cacher les voitures et le camion, puis se rendre à l'emplacement où, d'après nous, le bateau va s'amarrer.

— N'y aura-t-il pas… ? commença à demander Brunetti.

— Des gens pour les réceptionner ? compléta Alaimo.

— Oui.

— C'est bien pour cette raison qu'ils vont laisser là leurs véhicules et descendre le long de la rivière à pied.

— Qui est-ce ?

— Ce sont des commandos, des forces spéciales de la marine. Ils ont ratissé l'endroit, eux aussi. Ils sont habitués aux interventions nocturnes à haut risque. »

À ces mots, Brunetti se mit à réfléchir aux opérations qu'ils s'apprêtaient tous à effectuer et en éprouva une certaine inquiétude : celui qui les avait énoncés savait de quoi il parlait.

«Un risque pour qui?» demanda-t-il.

Même si Alaimo mit un certain temps à répondre, la menace n'en demeurait pas moins tangible : «Pour tout le monde. »

28

Brunetti s'appuya contre le dossier capitonné de son siège et serra sa veste. Le bruit dû à la pulsation du moteur, ajouté au léger flottement du bateau, lui procurèrent une sensation de réconfort. Ses pensées revinrent aux hôtes qu'il avait quittés, et à sa femme qu'il avait laissée à l'arrêt de bateau. Bien qu'il ne s'attendît pas à ce fameux coup de fil ce soir-là, il n'avait bu que deux verres de vin et avait décliné la proposition de grappa, mais il aurait aimé, désormais, avoir pris un café, voire deux, avant de monter dans ce bateau, simplement pour être revigoré et bercé par...

«Guido, Guido», entendit-il; cet appel le fit sortir immédiatement de sa rêverie et c'est à ce moment-là qu'il se remémora son revolver: rangé, à la maison, en lieu sûr, dans une boîte en métal conservée dans leur placard, tout comme la clef, accrochée au trousseau qu'il gardait dans sa poche. Il regarda sur la droite. Les deux marins étaient encore endormis et le troisième était toujours absorbé par l'écran de son téléphone.

«Aucun doute là-dessus: ils se dirigent vers Cortellazzo, annonça Alaimo qui se tenait dans l'embrasure de la porte.

— À quelle distance sommes-nous d'eux?

— Deux kilomètres environ», répondit Alaimo.

Brunetti n'eut aucune difficulté à l'entendre. Il n'y avait pas le moindre bourdonnement, même si le bateau continuait à se frayer un passage à travers les vagues.

«Qu'est-ce qui ne va pas? s'enquit-il d'un ton nerveux, face à cette absence de bruit.

— Nous avons basculé sur le moteur électrique, répondit Alaimo.

— *Oddio*, quelle différence! s'exclama Brunetti.

— Borgato se trouve à un peu plus d'un kilomètre de l'estuaire.

— Est-ce que nous allons le suivre?

— C'est possible. Cela dépend de l'escadron. Je les ai contactés. Ils ont trouvé deux fourgons vides, garés près de la voie d'accès, et ils entendent des voix dans les parages.

— Quelle est la taille de votre escadron?

— Quatre unités, plus Claudia et la capitaine Nieddu.»

Immédiatement alerté par l'évocation de leurs noms, Brunetti demanda: «Est-ce qu'on peut faire confiance à ces gars de la marine?

— Tout à fait», lui confirma Alaimo, avant de disparaître en haut de l'escalier.

Brunetti se passa les mains sur les joues, puis il se leva et quitta la cabine. Un vent froid lui gifla le visage et lui fit monter des larmes aux yeux. Il gagna le flanc du bateau et regarda derrière eux: il faisait complètement noir; l'obscurité n'était ponctuée que de minuscules points de lumière, si petits qu'il était impossible d'évaluer à quelle distance ils scintillaient. La lueur venant du tableau de commandes était si faible qu'elle éclairait à peine le corps des deux hommes debout devant: Alaimo et le pilote.

Brunetti se plaça entre eux, mais légèrement en retrait. Sur le côté droit du tableau, des anneaux blancs équidistants irradiaient depuis le centre et un faisceau lumineux le balayait à 360 degrés, en passant furtivement sur les sources de lumière blanche.

Alaimo se pencha et indiqua le point blanc : « Voilà le bateau de Borgato. »

Puis il demanda au pilote à voix basse : « Qu'en dis-tu, Crema ?

— Je pense qu'il va prendre la rivière dans dix minutes environ, monsieur, puis il lui faudra encore plus ou moins dix minutes de navigation pour atteindre son lieu de destination. »

Alaimo acquiesça et sortit son téléphone. Il tapa un message et garda les yeux sur l'écran en attendant la réponse. Malgré la discrétion de la vibration, Brunetti l'entendit tout de même et s'émerveilla de cette absence de rivalités sonores. Alaimo actionna un bon moment les touches de son téléphone, puis finit par obtenir satisfaction.

« Mettez votre portable en mode silencieux », ordonnat-il, comme si Brunetti était une simple recrue, mais le commissaire s'exécuta.

« Toi aussi, Crema, ajouta Alaimo.

— C'est déjà fait, monsieur, répliqua le pilote.

— Je ne veux même pas entendre l'arrivée d'un message », insista Alaimo. Il enfouit son portable dans sa poche et demanda au pilote : « Tu crois que tu peux les suivre ?

— S'ils débarquent à l'endroit que vous m'avez montré sur la carte, monsieur, c'est possible. Mais s'ils continuent un peu, un de nos marins devra se coucher à l'avant et tester la profondeur au fur et à mesure avec une rame. »

Il avait déjà vu ce genre de scène dans un film, mais Brunetti garda cette remarque pour lui. Il se mit légèrement de côté et s'inclina pour regarder la proue du bateau.

Il s'imagina allongé sur le pont, peut-être agrippé à un bout de métal en saillie, en train de mesurer le niveau de l'eau, comme dans sa jeunesse, lors de sorties dans la *laguna*.

La porte située derrière eux s'ouvrit et le marin qui était en train de jouer avec son iPhone vint les rejoindre. « Nous y sommes presque, monsieur ? murmura-t-il à Alaimo.

— Oui. »

Le jeune homme opina du chef en jetant un coup d'œil au tableau de bord. « Je vais aller réveiller les autres, suggéra-t-il en partant.

— Bien. Dis-leur que nous sommes tout près du point d'amarrage.

— Je vais allumer la veilleuse, monsieur », annonça le pilote en appuyant sur un commutateur disposé sur le tableau de bord. Brunetti leva les yeux et regarda devant lui, mais il ne voyait s'étendre que les ténèbres.

Alaimo lui tapota le bras et indiqua un autre instrument à gauche du radar. L'écran montrait la même côte en train de se rapprocher ; la scène se composait entièrement de camaïeux de verts, sur fond noir. Brunetti discerna des arbres de chaque côté, d'où pendaient de fins sarments de vigne. Au milieu se dessinait un chemin sombre, menant vers une lointaine zone obscure.

« Est-ce que c'est la rivière ? s'enquit Brunetti.

— Oui, chuchota presque Alaimo.

— Dois-je les suivre, monsieur ? s'informa le pilote.

— Attends », répondit Alaimo, et le bateau ralentit, jusqu'à l'arrêt complet.

Le capitaine sortit son portable et veilla à taper un message du bout des doigts, qu'il envoya aussitôt. Même pas une minute plus tard, il sentit vibrer la réponse.

«Ils ont placé des hommes le long de la rivière. Il est presque arrivé.»

Le pilote ne souffla mot, mais se balançait impatiemment d'un pied sur l'autre.

«Allons-y, Crema», dit Alaimo, et un instant plus tard, le bateau se remit en route.

Comme il ne percevait que la nuit devant lui, Brunetti garda les yeux sur l'écran, s'étonnant de voir leur bateau se déplacer infailliblement au centre de la rivière. L'eau était on ne peut plus calme : l'autre bateau était passé depuis suffisamment longtemps pour qu'il n'y ait plus le moindre remous dans son sillage.

Alaimo reprit son téléphone. Il envoya un nouveau message, se tourna vers Brunetti et lui expliqua à voix basse : «Mes hommes sont au milieu des arbres, derrière le point d'accostage. Trois sont sortis sur le quai. Deux d'entre eux sont armés.»

Brunetti hocha la tête. Le bateau continua, aussi silencieux qu'un serpent, à se ménager lentement un chemin à travers les eaux sépulcrales.

Alaimo jeta un coup d'œil sur son portable, puis le brandit sous les yeux de Brunetti qui lut la question : «Où êtes-vous ?»

Le capitaine répondit aussitôt et, se penchant vers Crema, il lui dit : «Accélère maintenant, si tu peux. Je voudrais arriver tant qu'ils sont encore amarrés au quai.»

De nouveau, Brunetti sentit, mais sans l'entendre, l'impulsion d'énergie qui augmenta la vitesse du bateau. Il fixa le tableau électronique, car il était vain de regarder devant soi. Il avait perdu la notion de l'espace : à quelle distance étaient-ils des formes vertes se dressant devant eux ? Et à quelle proximité s'étendaient les berges invisibles de la rivière? Et s'il s'agissait d'une rivière à marées, quelle était la hauteur des quais à proximité, et leur serait-il facile, ou non, de se hisser hors de l'eau s'ils devaient quitter le bateau à la nage?

Il perçut, en cet instant précis, les sons de la nature : des créatures bruissaient dans les arbres, des oiseaux piaillaient, d'autres animaux faisaient du grabuge au sol. Comme la nature était mystérieuse et effrayante, si indifférente à nos êtres, et à nos faits et gestes.

Alaimo et lui entendirent la voix en même temps : une voix de mâle, emplie de colère et autoritaire. « Non, par ici. » Elle fut suivie d'un chuchotement, puis d'un autre, puis de silence. À quelle distance se trouvait cet homme? Il n'était apparu encore aucun signe sur l'écran.

Et puis tout se précipita. Au début, Brunetti crut que c'étaient des fantômes, tellement ces silhouettes étaient pâles et éthérées. Certaines avaient la tête enveloppée dans des sortes de vêtements funéraires, et le corps drapé jusqu'au sol ; d'autres avaient les bras et les jambes visibles. Elles haletaient, gémissaient doucement et émettaient des bruits de spectres. Alaimo saisit le pilote par l'épaule ; le bateau ralentit, puis s'arrêta dans le plus parfait silence.

Il y eut ensuite un énorme bruit mat et ils discernèrent des gestes furtifs. Quelque chose de grand tomba à l'eau. La voix de l'homme s'écria : « *Cazzo*[1] ! »

Une autre voix hurla : « Sors-les de l'eau, bon sang. Nous devons les livrer vivantes ! » Brunetti vit des mouvements sur une plate-forme flottante et entendit des bruits d'éclaboussures, ainsi que des cris étouffés. Sur le quai étaient allongés deux hommes vêtus de vert, qui

---

1. « Putain ! »

descendirent dans l'eau. Lentement, ils tirèrent une créature à deux têtes qui se tortillait et ils la laissèrent tomber près d'eux. Les cris cessèrent.

Alaimo sortit le mégaphone posé près du gouvernail et le mit en marche. Il tapota les épaules du pilote et les trois projecteurs situés à la proue de leur bateau éclairèrent brusquement la scène, en illuminant le quai, les gens éparpillés, le bateau qui y était amarré et le rivage s'étendant derrière. Tout le monde se figea sous l'effet de la lumière : les deux hommes armés, le troisième agenouillé près d'un tas de lambeaux mouvants, et la grande ronde de femmes, serrées les unes contre les autres. Le choc les paralysa tous et les réduisit au silence.

«Jetez vos fusils», commanda la voix amplifiée d'Alaimo.

Aucun des deux hommes ne fit mine d'obéir et l'un d'eux pivota même de manière à viser en direction des lumières aveuglantes.

Depuis le terrain planté d'arbres disséminés, qui se déployait derrière le quai, une voix d'homme aboya : «Il vous a dit de jeter vos fusils.» Celui qui n'avait pas bougé s'inclina très lentement et déposa son arme à ses pieds. «Maintenant, éloignez-le d'un coup de pied», ordonna la voix depuis la terre, et l'homme s'exécuta. «Les bras au-dessus de votre tête», ajouta la voix, et l'homme obéit à ce nouvel ordre. Les deux hommes non armés levèrent les mains au-dessus de leurs têtes et s'immobilisèrent.

«J'attends toujours», dit la voix, et l'autre homme lança son fusil par terre comme s'il était soudain fatigué de le porter. «Les bras!» hurla cette même voix, et ils s'élevèrent.

Alaimo s'écria : «Est-ce que l'une d'entre vous me comprend?» Comme si sa voix les avait délivrées d'un sortilège, les femmes commencèrent à parler entre elles, à s'enlacer. Certaines éclatèrent en sanglots. Finalement, du centre du groupe, une voix de femme déclara : « Oui, monsieur. »

Alaimo continua, en parlant lentement : « Dites à vos amies de s'écarter de ces hommes et de gagner le terrain derrière vous. »

Cette femme parla un moment dans une autre langue, puis une femme dans une longue jupe à fleurs, entraînant avec elle celle à qui elle était accrochée par les menottes, se mêla au groupe, prit le bras d'une autre et les conduisit vers la terre promise, au-delà du quai.

Les autres suivirent lentement, en se bousculant, tellement elles avaient hâte de s'éloigner de ces individus.

Puis, en parlant toujours dans le mégaphone, Alaimo leur dit : « Bien, bien ; maintenant, allez vers la forêt où il y a des gens qui vont vous aider. »

C'est à ce moment-là que Nieddu, rapidement suivie de Griffoni, sortit des arbres et fit signe aux femmes de les rejoindre. Encore trop choquées, apparemment, pour réagir rapidement, et secouées de sanglots, elles se dirigèrent vers les deux femmes, leur rempart de sécurité, surtout Nieddu, en uniforme, avec son pistolet de service à la main, pointé sur les deux hommes sur le quai.

Trois agents en treillis, armés de fusils, sortirent du bois à leur tour et gagnèrent le quai. Un quatrième, non armé, marchait derrière les deux hommes brandissant leurs armes en l'air ; ils les firent s'agenouiller, leur passèrent les menottes derrière le dos et les éloignèrent de la rive.

Restait le bateau. Il tanguait tranquillement au bord du quai, où il était amarré avec des nœuds bien serrés. Toutefois, il ressemblait davantage à un Toblerone géant qu'à un bateau. Brunetti distingua, sur un côté, une rangée de panneaux en cuivre qui avaient apparemment été vissés et rejoignaient une autre rangée de panneaux provenant du côté opposé. Comme Alaimo le lui avait expliqué, les ondes radar passaient par-dessus et n'étaient donc plus en mesure de détecter la présence de l'embarcation.

Le capitaine s'écria : «Sortez tous du bateau, les mains au-dessus de la tête! C'est fini.»

Rien. Alaimo attendit un peu puis réitéra sa demande, sans succès. Il s'apprêtait à rallumer son mégaphone lorsqu'un coup de feu retentit à travers les eaux. Ils entendirent deux voix d'hommes, puis un bruit de fracas.

Alaimo et Brunetti se hissèrent tant bien que mal sur le quai. En s'approchant du bateau de Borgato, Brunetti eut brièvement la sensation qu'il était en or, comme les bateaux peints dans les tombes égyptiennes. Les cris reprirent; Marcello Vio apparut dans l'ouverture créée par la chute d'un des panneaux, posa une jambe sur le plat-bord et monta sur la berge. Un bruit d'animal jaillit de derrière lui et une main le saisit à l'épaule, mais Vio la rejeta de toutes ses forces. On entendit des sons violents provenir du bateau, puis un rugissement; Vio s'arrêta et se tourna, mais il poussa soudain un cri de douleur et tomba à genoux, en se tenant les côtes fêlées.

Provenant de quelque part, ou de nulle part, une forme surgit rapidement de derrière les arbres et atteignit le quai. C'était Duso. Brunetti l'avait oublié. Il leva les mains et se tourna pour crier aux hommes armés : «Laissez-le. Il est avec nous.»

Duso s'agenouilla près de Marcello. Il l'entoura d'un bras en lui disant : «Viens, Marcello. Tu ne peux pas rester ici.»

L'attention de tous les présents se reporta sur les deux jeunes hommes, à genoux l'un en face de l'autre. «Berto, dit Vio. Berto, tu es ici.» Il sourit et leva une main pour lui toucher le visage.

Cette scène transpirait une telle émotion que tout le monde avait les yeux rivés sur eux – à l'exception de Griffoni qui, parvenue au bord du quai à l'insu de tous, tant elle s'était avancée calmement, n'observait pas les hommes, mais le bateau.

Elle fut la première à voir Pietro Borgato apparaître dans le trou entre les panneaux et la première à discerner la gaffe entre ses mains.

«Attention!» cria-t-elle, et les deux jeunes hommes se tournèrent vers elle.

Borgato bondit du bateau et fonça sur son neveu. Brunetti hurla son nom pour dévier son regard et se mit à courir dans sa direction.

Avant que Brunetti ne puisse le rattraper, l'homme avait rejoint les deux figures agenouillées entre lui et les carabinieri armés. Il plaqua la gaffe contre lui, leva la jambe droite et envoya valser son neveu d'un coup de pied. Puis il se plaça devant Duso et plaça la gaffe à l'horizontale, vers la droite. «Tu veux coucher avec mon neveu, n'est-ce pas?» vociféra-t-il à Duso, figé sous l'effet du choc. «Eh bien, prends-toi ça, en attendant.» D'un geste décidé, il écarta les pieds et balança le croc et la pointe de fer contre la poitrine de Duso. Le cri perçant de Duso n'empêcha nullement Borgato de faire tourner la gaffe jusqu'à ce qu'elle trouve à s'accrocher – un os, peut-être –, et qu'il soit forcé de tirer dessus pour la libérer.

Comme Brunetti était arrivé entre-temps, Borgato pivota et la lança contre lui, mais il esquiva la pointe courbée de l'arme. Borgato la ramena de nouveau vers lui et la relança, mais cette fois elle se prit dans le foulard vert en cachemire et resta prisonnière du tissu.

Il lâcha la gaffe et se tourna vers Brunetti, qui le vit écumer de rage.

«Menteur! Vous n'êtes qu'un sale menteur!» fulminat-t-il, en chargeant le commissaire. Avec l'aisance d'un torero, Brunetti l'évita et Borgato alla s'écraser contre la rambarde en bois qui courait le long du quai. Brunetti s'approcha de lui et perçut la lueur de folie dans ses yeux. Borgato le menaça de son poing, comme s'il voulait le faire tomber par terre.

Brunetti, par contre, ne le manqua pas; il saisit son bras levé au niveau du poignet et du coude et le plaqua violemment contre le parapet. Il entendit les os se briser, en sentit le craquement sous ses propres mains. Il recula d'un pas et rentra dans la poitrine d'un des soldats.

«Nous allons prendre le relais, monsieur», dit ce dernier.

Brunetti parvint à se distancier de lui, mais pas de l'acte qu'il venait de commettre.

Photocomposition Belle Page

Achevé d'imprimer en août 2022
par CPI BRODARD & TAUPIN (72200 La Flèche)
pour le compte des Éditions Calmann-Lévy
21, rue du Montparnasse, 75006 Paris

CALMANN
LÉVY s'engage
pour l'environnement en réduisant
l'empreinte carbone de ses livres.
Celle de cet exemplaire est de :
600 g éq. CO$_2$
PAPIER À BASE DE   Rendez-vous sur
FIBRES CERTIFIÉES www.calmann-levy-durable.fr

N° d'éditeur : 6907710/01
N° d'imprimeur : 3048827
Dépôt légal : août 2022
Imprimé en France.